SAT II

Complete Practice Tests

한국어 연습용 시험문제집

SAT II
Korean
With Listening
CD included

By
Insook Jung Cho

Second Edition

www.hollym.com

Hollym International Corp.

Carlsbad, CA

SAT II Korean Second Edition

Copyright ©2017, 2012, 2008, 2006
By Insook Jung Cho

SAT II Korean Preparation ---SRu 550-932
SAT II Korean Preparation Listening ---TXu 1-166-245

First published in 2006
Second Edition 2008
Fourth printing 2017

Published by
Hollym International Corporation
2647 Gateway Rd. #105-223
Carlsbad, CA 92009
www.Hollym.com
Email: contact@hollym.com | Phone: 760.814.9880

ISBN: 978-1-56591-124-6
Library of Congress Control Number: 2006925530
Printed in the United States of America

머리말

1982년 4월 한국어가 California주 교육국에서 제2외국어 학점 과목으로 채택이 되었고, 1995년 한국어가 중국어 일본어에 이어 9번째 외국어로서 SAT II 선택과목으로 채택되었다. 1999년 6월에는 SSAT Korean (Single Subject Assessment for Teaching California) 도 보게 되었다.

SAT II Korean Test 준비서로 그 동안 여러 권의 책이 나왔으나 아직도 한국어가 Spanish, French등과 같이 자리를 잡기에는 여러 가지의 다양한 교재가 출판되어야 한다고 믿는다. 특히 Spanish의 경우에는 얼마나 교재가 많이 나와 있는지, 선생님들이 교재 선택에 고민을 하며 여러 가지 교재를 놓고 경우에 따라 선택해서 쓰는 것을 보고 얼마나 부러웠는지 모른다. 이 책이 학생들의 공부에 또한 선생님들의 고민을 해결하는 데 그리고 한국인 2세들만 이 시험을 보는 것이 아니라 미국인들도 한국어를 공부하여 이 시험을 볼 날이 오기를 바라며 한국어가 미국에서 뿌리를 내리는 데 조금이나마 도움이 되었으면 하는 바람이다.

"Real Life Korean I" (Textbook & Workbook)을 썼을 때도 그랬지만 이 책도 나 혼자의 힘으로는 불가능했으며, 나를 협조한 많은 분들이 조국의 언어 한국어가 우리의 2세들에게 그리고 외국인들에게 올바르게 보급되기를 바라는 마음에서 협조와 조언을 아끼지 않았으리라 믿는다.

이 책을 위해서 여러분들이 수고 해 주셨는데 전체적인 검토를 서울문리대 국문학과 이익섭 교수님께서 수고해 주신 것을 무엇보다도 감사하게 생각한다. 문장 하나 하나, 띄어쓰기에 이르기까지 정말로 꼼꼼하게 검토를 해주셨다. 무어라 감사의 말씀을 드려야 할지 모른다. 동덕여대의 채완 교수님께서 조언을 해주시고 자료 제공과 참고자료 추천을 해주셨다. 국립국어연구원의 김옥순 연구관님께서도 많은 자료를 협조해 주셨다. 자료의 부족으로 애를 쓰던 차라 얼마나 큰 도움이 되었는지 모른다.

이 책은 미국에서 공립 혹은 사립 중 고등학교에서 한국어를 2년 이상 공부한 학생들이 보는 시험의 준비서이다. 물론 여기에는 주말학교에서 5년 혹은 10년씩 한국어를 공부한 학생들도 포함된다.

이 책은 College Board에서 만든 시험과 동일한 양식으로 만들었다. 시험 보는 연습을 위해 10set의 모의 고사를 만들었는데 주제 별로 나누어 시험을 보게 되어 있다. 모든 항목을 9개의 주제로 나누어 다루었고 10번째에는 모든 것을 종합하여 연습하도록 되어 있다.

이 모의고사는 SAT II Korean을 준비하는 학생들을 위해 교육부가 요구하는 Foreign Language Framework와 College Board의 요구 사항에 맞도록 만들었으며 다른 외국어의 시험문제를 참고로 하였다.

우선 중국어는 중국에서 한의학을 공부하시고 California에서 현재 한의과 대학에서 교수로 계시는 김재만 박사께서 한국어로 번역해 주셨고, 일본어는 전 외국어 대학 동양어 학장으로 일하셨던 민성홍 박사와 우경숙 교수가 역시 한국어로 번역을 해주셨다.

서반아어의 경우에는 현재 초등학교 교사로 일하고 있는 사랑하는 딸 용주가 수고해주었고 불어, 히부리어, 독일어등은 역시 용주의 친구들로 현직 중 고등학교 교사로 일하시는 분들이 영어로 번역을 해주었다. 참으로 여러 분들이 수고해 주셨다. 이 자리를 빌어 다시 감사드린다. 이 모든 자료를 종합 검토하여 다른 나라 언어들은 과연 어떤 주제와 형식으로 문제를 만들었는가를 분석하였다. 말하기와 읽기의 경우에는 많은 참고가 되었음을 말씀드리고 싶다.

또 국정 교과서, 참고서, 신문, 잡지, 소설, 단편집 등 여러 종류의 책을 무척이나 많이 읽었다. 참고로 하기도 하고 예문을 인용하기도 하였는데 일일이 참고서적에 밝히지 못하였다. 예문의 경우에는 실 생활에서 많이 사용하는 사용빈도수가 높은 단어를 선정하느라 고심하였다. 실제로 만든 문제는 엄청나게 많은데 그 중에서 엄선하여 다시 정리하였다.

앞으로는 시험이 점점 어려워질 것이라고 한다. 따라서 이 모의고사는 실제 시험보다 약간 어렵게 만들었다. 말하기에 있어서 대화의 길이나 읽기 본문의 길이는 실제 시험보다 약간 길게 만들었다. 이 책의 특징은 무엇보다 단어와 문제 형식의 다양함에 있다. 이렇게 많은 문제를 공부하다 보면 저절로 한국어 실력이 늘어서 만점을 받는 것은 물론이고 나중에 한국어와 관련된 직업을 가져도 많은 도움이 되리라 믿는다. 듣기 시험문제를 위해 전문 성우가 녹음을 하여 실제와 같은 상황을 연출하였다. 듣기도 많은 도움이 되리라 믿는다.

이렇게 공부를 하다 보면 자기도 모르는 사이에 한국어 실력이 크게 향상되리라 믿는다.

한국어 세계화 재단의 박영순 고려대 교수님께서 이 책이 나올 수 있도록 애써 주셨고, 이런 책의 필요성을 공감하고 기꺼이 출판을 맡아준 Hollym International Corp 의 이시진 사장님께 거듭 감사를 드립니다.

끝으로 나의 어눌한 영어 실력과 Computer실력을 사랑하는 아들, 딸 용우 용주가 많이 보완해 주었으며, 뒤에서 격려를 아끼지 않았던 남편 조광식님께 감사 드린다.

Acknowledgements

As when I wrote the *Real Life Korean I* Textbook & Workbook, I could not accomplish this book on my own strength.

So many people who share my heart to provide 2nd generation Korean-Americans and other students of Korean a solid education in our mother tongue have been so supportive, giving me so much helpful feedback and encouragement:

- I would especially like to thank Professor Iksup Lee (Seoul National University, Department of Korean Literature) for carefully examining and verifying the overall content of this text. He meticulously checked each sentence, spacing, and even typos with such care, I cannot express in words the depth of my gratitude.
- I would also like to thank Professor Wan Chae (Dong Duk Women's University) for her helpful advice, and for providing and recommending so many excellent reference materials.
- Special thanks to Oksoon Kim (National Korean Language Research Institute) for her support with extensive materials for my research.   It was a tremendous aid in my efforts of working with very limited resources.

More special thanks are due to some incredible people who translated entire sections of other SAT II sample tests into Korean for my reference:

- I would like to thank Dr. Jaeman Kim (Professor at a School of Oriental Medicine in California, who studied for his field in China) for translating Chinese sections for me.
- I would also like to extend my thanks to Sung Hong Min (former Dean of East Asian Languages at a Foreign Language University) and Professor Kyung Sook Woo for translating Japanese SAT II test sections into Korean for me as well.
- Thanks to my daughter Yongjoo (an elementary school teacher) for translating Spanish test sections for me, and enlisting the help of some of her middle and high school teacher friends to translate French, Hebrew, and German sections into English for me as well.
- I would like extend deepest thanks to Professor Youngsoon Park of Korea University (President of International Korean Language Foundation) and to Mr. Gene Rhie of Hollym International Corp. Dr. Park's efforts were indispensable in transforming my notes and exercises into a coherent publishable work. Mr. Rhie eagerly saw this project through from beginning to end, supporting both me and the need for this type of publication among Korean language resources. Their encouragements and support are most appreciated.

Finally, I would like to express thanks to my family:

- My son Yongwoo and daughter Yongjoo for supporting me through my hesitancy in both English and computer skills
- My husband Kwang Sik Cho for his abundant encouragement in my pursuit of this project.

And of course, so many more have helped me in this project, who are too many to name- to all of you, thank you so much!   You all have truly gone through great pains for the sake of my project, and I am forever grateful.

Introduction

History

In April of 1982, the California Board of Education added Korean as an approved language was eligible foreign language credit for high school students, with the proper coursework. In 1995, Korean became the 9th language to be offered as an SAT II Foreign Language Test option, after Chinese and Japanese. In June of 1999, Korean was even added as an assessment for secondary school teachers of Korean with the creation of the SSAT Korean (Single Subject Assessment for Teaching, California).

Since the offering of the SAT II Korean test, many preparation materials have been published and distributed, but Korean language prep materials have not yet been at the caliber of those for Spanish, French, and other more established foreign language subjects. Particularly in the case of Spanish, I have oftentimes been envious of Spanish language instructors who had the luxury of having so many materials that they could pick and choose the best sections from different texts to teach the entire course at the highest quality possible.

Purpose of this book

My desire for this book is that it would meet the needs of students studying for the SAT II Korean test, as well as help solve the problem of deficient materials for Korean language instructors. In addition, this text is targeted not only for 2nd generation Korean-American students, but also for other American students who desire to study Korean seriously. I hope this is a meaningful contribution towards the growing collection of Korean language materials written in the United States, as Korean as a Foreign Language continues to develop its roots outside of Korea.

This book is written as test preparation material for students who have studied Korean for over two years in both public or private middle and high schools in the United States. This also includes students who have attended weekend Korean schools for 5-10 years.

My Research

First, I made sure that the entire content of my work is aligned with requirements of both the College Board and the Foreign Language Framework as given by the Ministry of Education.

I studied, synthesized, and analyzed actual SAT II Foreign Language tests for other languages most carefully to ensure that my choices of passages and questions reflected the true form and content of the actual College Board tests. They were especially helpful for the Listening and Reading Sections.

In researching and materials-gathering for practice test passages and examples, I have pored over countless Korean national textbooks, reference books, newspapers, magazines, novels, short stories, and several other genres of books. They became invaluable references for me, as well as some actual practice test passages. In my examples, I have taken great care to choose vocabulary and phrases with a high-frequency usage rate in real life.

Countless test questions have been edited out of this final text due to careful selection and reorganization of my materials to make this book as useful and effective as possible for the student.

Format, Content and Unique Features of This Course

This book is consistent in format and style with the actual SAT II Korean Language test given by the College Board. 10 full-length practice tests provided, with each test introducing new topics and grammar focus. Each test cumulatively builds upon previous ones in terms of subject matter, ending with Test 10 providing a Mixed Review style test closest to the actual SAT II. All 10 practice tests follow the format of the actual test in terms of types and numbers of questions. Previously administered SAT II Foreign Language tests that have been publicly released have also been used as a reference in terms of determining accurate styles and foci for specific questions.

It has been rumored that the SAT II Korean test will become more and more difficult in upcoming years. Accordingly, I have intentionally written these practice tests to be a bit more difficult than the actual exam. This is why my listening comprehension passages as well as my reading comprehension passages are somewhat longer than what you will encounter in the actual test.

The unique features of this book are the wide variety of practical, real-life vocabulary, passage situations and questions. I firmly believe that with the diligent study of such a diversity of problem sets, one's Korean language improvement and SAT II preparation (resulting in a high score) is an inevitable result. Moreover, I believe such a book can be of great assistance in one's future in possibly being employed in a vocation connected with the Korean language. The listening comprehension passages were produced in such a way as to most accurately recreate realistic scenarios, performed by professional radio performers. I trust that just listening to the recordings can be of help to some students, and the study of these materials will result in advancement and improvement of students' Korean language skills, before he/she even realizes it.

Course Description

This 10-week course will effectively prepare high school students to take the College Board's SAT II Korean Language with Listening test given each November. Each week covers comprehensive lessons covering each of the 3 subsections: listening comprehension, usage and reading comprehension, and each subsequent lesson cumulatively reviews previous lessons. Listening comprehension lessons help students build understandings of a recording of a main subject, theme, ideas, and structure. Usage lessons focus on grammar so students can answer questions on correct Korean structure and grammar in sentences and paragraphs. Reading comprehension lessons provide students opportunities to improve their understandings of a written passage's main subject, theme, ideas, and structure. Higher level vocabulary is a focus for both the usage and reading comprehension sections to aid intermediate to advanced students in maximizing their score.

Pre-requisite: *Coursework equivalent to 2$^+$ years of formal Korean language education.*
Recommended Text: *Real Life Korean I Textbook and Workbook by Insook Jung Cho*

차 례

Table of Contents

SAT II Korean Preparation Course를 공부하는 학생 들에게

이 Program은 한국어를 2년 이상 공부한 학생들을 위하여 만들었다. 이 Program은 10set의 Test로 되어 있으며 "인사하기", "자기 소개하기"를 포함하여 일상생활과 교제를 위한 여러 항목과 3000개 이상의 단어 그리고 기본 한국어 문법을 다루고 있다. 10개의 모의고사를 보게 되어 있고. 9번째 set까지는 주제별로 나누어 공부하고 10번째 set에는 모든 것을 다 종합하여 총정리를 하도록 만들었다. 이것은 공부도 되지만 시험 보는 연습도 하는 것이다.

이 Program의 가장 큰 특징은 **다양한 문형과 풍부한 문제이다.** 한국어의 구사능력을 향상시키고 앞에서 공부한 문법을 한번 더 정리해 주는 기능을 가지고 있다.

모의고사를 볼 때는 실제 시험 보는 것과 같이 1시간 동안 시험을 볼 것이다. 모의고사는 실제 시험보다 약간 어렵게 만들었다. 이 문제를 잘 풀면 실제 시험은 아주 쉽게 볼 수가 있다.

이 Program은 일상생활에서 한국어를 잘 구사하는 능력을 배양하도록 했으며 **회화능력과 독해, 문법구조를 동시에 공부할 수 있는 방법으로 편집**되었다. 또한 현대 한국어에서 가장 빈번하게 기본적으로 사용되는 문장들을 일상 생활에서 쉽게 접할 수 있는 상황 위에 연출해 냈다. 이를 통해 학생들이 한국어에 보다 능통하게 되고 자연스러운 대화를 할 수 있게 될 것이다.

연습할 때는 일상생활에서 많이 사용하는 단어로 약간 어려운 단어를 많이 취급하였다. 앞으로는 문제가 점점 어려워져 가는 추세라고 한다. 여러 가지 경우와 상황을 설정하여 문제가 출제되었으므로 여기에 나오는 단어를 확실히 이해하고 사용할 수 있다면 **SAT II Korean Test**는 물론이고 나중에 한국어를 더 잘 구사하게 되므로 부모님과의 의사소통 뿐만 아니라 Job을 구하는 데에도 많은 도움이 될 것으로 믿는다.

언어는 인식의 대상이 아니라 숙달의 대상이다. 무의식 상태에서 습관적으로 훈련되어야 한다. 왜 틀렸는지를 생각하지 말고, 긴장을 풀고 가볍게 문장을 대하면서 이상한 부분을 찾아 보도록 하자. 연습을 많이 하여 어미변화가 자연스럽게 문장에 따라 저절로 나와야 한다.

문제를 풀다가 모르는 단어가 나오면 한 옆에 적어놓고 시험을 보자. 그런 다음에 모르는 단어는 사전을 찾기 바란다. 가능하면 부모님이나 주위에 있는 분들에게 문의하여 쉽게 알려고 하지 말고 반드시 사전을 찾아서 익히기 바란다. 그렇게 하는 것이 공부가 되기 때문이다.

SAT II Korean은 시험으로 시험에 임할 때는 일단 높은 점수를 받아야 한다. 열심히 공부하여 만점을 받도록 하자.

To Students of this SAT II Korean Preparation Course

This 10-week program is designed for students who have formally studied the Korean language for two or more years. It includes over 3000 vocabulary words, practice items emphasizing situations of everyday life and interactions, basic Korean grammar, and introductory sections of "Greetings" and "Introducing Yourself." Out of the 10 full-length practice tests provided, the first 9 are divided by theme, and the tenth combines and synthesizes the entire course's materials in a mixed review test. While this material was designed for preparing for the SAT II Korean test, some may find it a useful study tool for the Korean language itself in general.

This program features a variety of texts and plenty of sample questions that should aid you in solidifying grammar you've already learned and increasing your ability to express yourself in Korean.

Just like the real test, you will take sample tests for one hour, but these questions were designed to be slightly more difficult than the actual SAT II. If you can get used to these questions then the real test should be a cinch.

This program emphasizes fluency in everyday usage, allowing you to work on conversation, reading comprehension, and sentence structure at the same time. You will find foundational Korean sentences embedded in real-life situations, which should help you have more comfortable and more natural conversations in the future.

The exercises contained in this program teach you vocabulary that is in common daily use in a variety of situations but are slightly more advanced than what you might have already encountered. The SAT II test is projected to become more difficult in the near future. If you can master the vocabulary in this program, you will have no problems with the SAT II Korean Test, and may find your increased fluency useful with your conversations with your own parents or in finding employment.

Mastery of a language is not a conscious process but involves training your unconscious self, like a habit you pick up that you can do without much thinking. When you find an incorrect answer, don't get discouraged and don't try to analyze it. Just relax and approach the problem calmly, try to get a feel for what is wrong. Getting the sentence endings right is just a process of more practice, allowing yourself to make mistakes, so that you can speak sentences naturally, and automatically.

As you practice, you will encounter vocabulary you do not know. Please mark them, and continue taking the remainder of the test. Afterwards, I recommend looking them up in a Korean-English dictionary as the most effective way of learning the vocabulary. If possible, refrain from asking your parents or anyone else who happens to be near you; you are more likely to retain the new vocabulary if you look it up yourself.

All in all, remember that the SAT II Korean test is just a test. Your goal is to get the highest score you can achieve, and this course will help you get there.   Let's work hard and do your best!

Listening Comprehension

1) 정확한 표현 / 효과적인 표현 / 언어와 문화
2) 단어와 문장의 올바른 구사
   정확한 단어 선택 / 자연스런 표현 / 구체적인 표현 / 조사와 어미의 바른 사용 / 문법
   에 맞는 문장 / 비문법적인 문장 고치기 / 다양하고 풍부한 어휘
3) 표준어 / 표준 발음법

Listening Comprehension의 경우에는 전문 성우들이 녹음한 대화가 나온다. Listening의 비법은 한국인 같이 생각해야 한다. 직접 한국말로 받아 들여야 한다. 문장을 하나의 소리 구조로 들어야 하고 한국어를 정확히 구사하고 쓸 수 있어야 한다.

수험자가 다른 사람의 대화를 듣고 그 대화의 당사자들이 어떠한 행동을 하는지 어떠한 상황에 처해 있는지를 판단하는 형태의 문제이다. 간단하게 주어지는 제한된 대화의 내용으로 전체 상황을 대강 파악하여야 한다.

주어지는 대화가 어떤 내용인가, 즉 무엇을 말하는 것인가를 먼저 파악하여야 한다. 그 다음은 어떠한 상황에서 일어나는가에 관한 것이다. 또 누가 말하는가와 누구를 대상으로 하는가에 대해서도 관심을 가져야 한다. Hotel front desk에서 손님인가 manager인가, 지금 내가 어느 입장에 서 있는 가를 생각해 보자. 전달되는 내용의 시간과 장소도 중요하다.

현재의 대화 중에 앞으로 어떠한 행동을 할 것인지를 파악하고 내용을 이해하려면 대화의 형식에 대한 리듬 감각을 가져야 한다. 같은 상황을 연출하는 언어의 리듬은 같은 형식을 취하게 된다. 특히 회화체 언어에서는 소리의 연속된 전개, 즉 그 리듬이 중요하다. 듣기 훈련으로는 평소에 TV drama나 video를 보는 것이 많은 도움이 된다.

Usage:

문법은 미국에서 한국어를 공부한 학생들이 이해하기 어렵기 때문에 이 부분에 많은 노력을 해야 한다.

1) 기본적인 문법 사실을 다룬다.
2) 내용이 전체적으로 체재를 갖추어야 한다.
3) 문법은 원리와 법칙을 발견해 내는 탐구과정이 중요하다.
4) 너무 문법에만 치중하지 말고 한국어 전반에 대해 폭넓은 이해가 필요하다.
5) 한국어에 대한 지식은 실제적인 생활에서 활용할 수 있어야 한다.
6) 문장의 구조적인 결합에 있어서의 형식과 어휘에 관한 문제들이 주어진다.

7) 다양한 문장이나 글을 제시하고 오류 문장을 교정할 수 있는 능력을 측정한다.

8) 문법은 문법 사실에 관하여 개인적인 견해를 가능한한 배제하여 표준어를 그 소재 언어로 한다.

Reading Comprehension

읽기 1) 대의 파악하기: 대의 / 주제 요약 / 핵심어 파악능력

    2) 특정 정보 추출하기: 필요한 정보만 추출하는 능력

    3) 추론적 이해하기: 의도 파악 / 증거 열거 능력

    4) 내용의 논리적 고찰하기: 글의 내용 비판 능력

내용 1) 산문: 묘사 / 서술 / 해설 / 논설 / 지시

    2) 비산문: 서식 / 안내문 / 광고문 / 그림 / 표 / 지도

목적 1) 개인용도: 편지 / 소설 / 자서전

    2) 공공용도: 공문서

    3) 직업용도: 전문서

    4) 교육용도: 교과서

각종 읽을 거리는 전달하고자 하는 내용이나 상황에 따라서 전달의 형식이 다르므로 문제가 주어졌을 때 전혀 생소한 어휘가 없도록 평소에 여러 가지 잡지나 신문 혹은 각종 카달로그와 광고를 자주 접해 보는 것이 좋다. 여러 종류의 잡지나 읽을 거리를 보면서 다양한 표현 형식에 익숙해져야 한다. 문제 중에 그림이 있으면 문제를 읽기 전에 그림의 내용을 파악하여야 한다. 우선 영어로 된 설명을 읽고 그림의 내용을 확실히 파악하는 일이 무엇보다 중요하다.

Listening Comprehension

1) Accurate expressions / effective expression / speech and culture
2) standard Korean / standard pronunciation

The secret to mastering the listening section is to think from a Korean point of view. You need to be able to take in the whole of the Korean language. You need to take in sentence structures as a unit, and have a command of the full use of the Korean language.

The test taker listens to communication between other people, and must be able to identify the speakers and the situation. You must pick up on the entire context of a situation based on a short excerpt. After you understand the basic contents of the conversation, you must determine what situation or circumstance is behind it. Common question types ask about whom the speakers are, or what is the relationship between the speakers, or where the conversation takes place. If a conversation is taking place at a hotel front desk, for example, you may need to determine if one of the speakers is the hotel manager or a hotel guest. The time and place of the conversation is important to take note of as well.

Listening Comprehension features conversations recorded with professional voice talent. Learn to anticipate what comes next in the situations presented in the conversation by paying attention to the rhythms and intonations of the phrases. Rhythmic and tonal expressions between similar situations tend to be similar to each other. You may find enjoying a few episodes of Korean TV dramas on a regular basis to be great training for Listening Comprehension.

Usage:

Appropriate vocabulary choices in phrases and sentences

Accurate word choice / natural-sounding expressions / specific, precise expressions / proper use of word endings / grammatically correct passages / correcting grammatically incorrect phrases and sentences / varied and abundant vocabulary

Grammar is challenging for those learning Korean as a second language and requires substantive amount of effort and practice.

Beyond the scope of the test, a test taker who is successful in the usage section is most likely able to:

- Demonstrate understanding of basic sentence constructs

- Content has experience reading texts written in proper format.
- Discover grammatical principles through extensive exploration of Korean text
- Have a broad understanding of the diversity of Korean expression
- Apply their knowledge of the Korean language in real-life situations
- Understand the whole of a sentence's content and structure, and answer specific questions pertaining to vocabulary and grammar
- Identify and correct errors in diverse types of sentences and texts
- Correct errors according to standard Korean, even if you have individual experience with variations and dialects of Korean grammar.

Reading Comprehension

Reading

1) Grasping the main idea: The general idea of the passage / Summarizing the subject matter / Ability to grasp the point or purpose of the passage
2) Analyze specific information: The ability to analyze and find the answer to the specific question
3) Making inferences: Grasp the author's intent / Ability to list evidence
4) Examine the logic behind the content: Ability to critique a text's subject matter

Subject Matter

1) Prose: Description / Narrative / Commentary / Discourse/ Directions
2) Non-prose: Forms / Public Notices / Advertisements / Illustrations / Tickets (for an event) / Maps

Goal

1) Individual Use: Letters / Novels / Autobiography
2) Public Use: Government documents
3) Work Use: Professional documents
4) Educational Use: Textbooks

Reading materials change voice and format depending on the content or situation; make sure you regularly read a variety of magazines, newspapers, catalogs, and advertisements to ensure that you do not get stumped by new vocabulary. Broadening your exposure to reading material allows you to get familiar with a variety of forms of expression. If there is a picture with the question, first try to understand what is going on in the picture before reading the question, taking in any explanation that may be offered in English first.

What is the SAT II (Subject Test)?

SAT (Scholastic Assessment Test)란 미국대학 입학시 학생들의 수능자격을 평가하기위하여 대부분의 미국대학들이 요구하는 시험이다.

SAT I은 영어, 수학과 논술을 평가하는 시험이고 SAT II는 특정과목의 지식과 능력을 평가하는 과목별 시험(Subject Test)으로서 다섯 개의 일반과목으로서 구분되어 있다.

그 다섯 과목으로는 (1) 영어 (논술, 문학), (2) 수학 (수학 IC, 수학 IIC, 여기서 C는 계산기를 사용하는 것을 뜻함), (3) 역사 및 사회학 (미국사, 세계사, 사회학), (4) 과학 (물리, 화학, 생물), (5) 언어등이 포함되어 있다.

이 언어 과목에는 1996년도 까지 불어, 독어, 현대 히브리어, 이태리어, 라틴어, 서반아어, 일본어, 중국어등 8개의 외국어가 선택과목으로 시험이 치루어졌고 외국인 영어 능력 시험(English Language Proficiency)도 이 언어 선택과목 중에 포함되어 있다. 현재 UC계열, Harvard, Yale등 150여개의 소위 "명문" 미국대학에서는 SAT I시험은 물론 SAT II시험결과도 요구하고 있는 추세이므로 대학입학에서 SAT II 점수의 비중이 높아지고 있다.

The SAT (Scholastic Aptitude Test) is a test required for admission into most American colleges and universities, evaluating students' abilities to apply their knowledge in a standardized way. The SAT I tests English, mathematics, and writing skills, whereas the SAT II evaluates students' knowledge and ability in a specific subject area. There are five broad categories of SAT II subject tests: 1) English (Writing and Literature), 2) Math (Math IC, Math IIC with calculator), 3) History (American History, World History), 4) Science (Biology, Chemistry, Physics), and 5) Languages.

Until 1996, there were 8 language subject tests: French, German, Hebrew, Italian, Latin, Spanish, Japanese and Chinese, along with an English Language Proficiency test for students whose best language is not English. Currently, there is a trend at the University of California Schools, and about 150 other major universities to place a lot of weight not only the SAT I, but increasingly with the SAT II to play a greater part in their admissions process.

About the SAT II Korean Test

The Language Tests with Listening (듣기가 포함된 언어시험) 시험시간은 총 60분으로, 듣기시험이 20분이고 어법과 읽기 부분이 40분이다. The Language with Listening (듣기가 포함된 언어 시험)은 매년 11월에만 실시 된다.

The Language Tests with Listening are a total of 60 minutes long, with the listening component for 20 minutes, and a 40-minute multiple choice section on grammar usage and reading comprehension. The Language Tests with Listening are offered once a year during the November administration of the SAT II test.

SAT II Korean의 내용과 출제 경향 Common Question Types

SAT II KOREAN은 미국고등학교에서 한국어를 2-4년간 공부한 학생들을 위해 마련된 것이다. 한국문화를 알면서 대화를 듣고 이해하고 응용하고 말할 수 있는 능력을 알아 보는데 있다. 특정한 교과서를 사용하지 않으며 어떤 특정한 지침서도 없다. 시험 문제들은 실생활과 관련된 것에서 발췌한다. 문제 수는 80-85개의 선다형이며 듣기, 어법 및 읽기로 나뉜다.

The SAT II Korean Subject Test was developed for high school students who studied Korean as a second or foreign language for 2-4 years. The test seeks to measure students' knowledge of Korean culture, as well as comprehension of natural conversations and ability to apply their comprehension skills. The test was not made from a specific textbook or guide, but the test questions are intended to evaluate students' ability to answer questions based on matters related to real life. There is a total of 85 multiple questions, divided into 3 subsections: listening comprehension, usage, and reading comprehension.

SAT Korean Test Subsections

듣기 (Listening Comprehension - 20분)— 인용문의 주제, 생각, 짜임을 잘 이해하고 있는지를 알아 본다. **The Listening Comprehension section tests students' understandings of a recording's main subject, theme, ideas, and structure.**

응시자 자신이 CD player와 earphone을 직접 지참하여야 하며 가지고 올 때, 건전지가 작동이 잘 되는지 확인하고 올 것.

듣기 시험문제 내용은 카셋 테입에 녹음되어 있고 선다형 답과 답안지는 시험지 안에 있다.

일상생활에서 쉽게 접할 수 있는 짧은 대화체(dialogues)나 서술구(narratives)를 듣고 적절한 답을 고른다.

모든 문제와 답은 영어로 되어있다.

- **The test-taker must bring his/her own cassette player and earphones, checking beforehand that the machine has working batteries.**
- **The passages and questions are recorded on the tape, and the answer choices are inside the test booklet.**
- **The passages are dialogues or narratives reflecting everyday life.**
- **All questions and answer choices are in English.**

어법 (Usage) — 올바른 한국어의 구조와 한국어 어법에 맞는 문장이나 구절을 만들 수 있는지를 알아 본다.

The Usage Section tests students' understandings of correct Korean structure and grammar in sentences and paragraphs.

한국어의 문법, 어휘, 문맥 등에 비추어 보아 존칭어, 시제, 토씨, 수, 접속어, 조건문, 수식어, 동사의 활용, 비교법 등을 적절히 선택하여 문장이나 구를 완성하게 한다.
모든 문제와 답은 한글로 되어 있다.

Students must choose the correct answers completing phrases, sentences and paragraphs testing their knowledge of Korean grammar, vocabulary, context, honorifics, verb tense, particles, numerals, conjunctions, conditions, modifiers, verb conjugations, and homophones.

All questions and answer choices are in Korean.

읽기 (Reading Comprehension) — 인용문의 내용과 생각 그리고 짜임을 잘 이해하고 있는지 알아본다.

The Reading Comprehension section tests students' understandings of a written passage's main subject, theme, ideas, and structure.

독해할 내용(Reading Passage)은 한글로 제시된다.
일기, 메모, 메뉴, 신문기사, 광고, 편지, 쉬운 문학작품 등에서 출제를 한다.
인용문의 내용과 생각 그리고 짜임을 잘 이해하고 있는지 알아본다.
문제와 답은 영어로 되어 있다.

The reading passage is in Korean, but all questions and answer choices are in English. The passages consist of diary entries, memos, menus, newspaper articles, letters, advertisements, or short narrative passages.

Table 1: 문제 배분율

Test Section	% of Test	# of Questions
듣기Listening Comprehension	35%	28
어법Usage	35%	28
읽기Reading Comprehension	30%	24

점수 범위 Scoring

다른 제2외국어와 마찬가지로 최하점수가 200점이고 최고점수는 800점이다. Listening, Usage, Reading Comprehension 의 각 section 별로 채점된 다음 전체 점수가 정해 진다.

Just like all other SAT II subject tests, the lowest possible score is 200 while a perfect score is 800. Listening comprehension, usage, and reading comprehension each have individual scores which are then compiled into an overall score.

The College Board's List of Tested Categories

greetings	post office	celebrations
family	directions	entertainment
relationships	weather	
time(calendar/clock)	sports	
biographical information	apologizing	
school	requesting/refusing	
work	arguing	
extra-curricular activities	expressing	
travel/transportation	opinion	
routines	likes/dislikes	
food	hobbies	
clothes	phone	
money	conversation/message	
friends	invitations	
social events	shopping/prices	
health	recreation	

Please answer the following questions about your Korean language background. These are for statistical purposes only, and have no bearing on your grade for this class, or for the scoring of your actual SAT 2 Korean test.

Where have you learned Korean? *(Circle all that apply.)*
  (1) learned Korean at home
  2) studied Korean in a US high school
  (3) studied Korean in a Korean Language School while attending grade K-8
  4) studied Korean in a Korean Language School while attending grade 9-12
  (5) lived in Korea longer than one year after age ten

How long did you study Korean while in grades 9-12?
  1) Less than 2 years
  2) 2-2½ years
  3) 3-3½ years
  4) more than 3½ years

Test 1

Nouns · Pronouns · Numerals

Greetings

Family

Apologizing

Requesting

Refusing

SATII Korean Practice Test Answer Sheet

Name _____ **Date** _____ **Test No.:** _1_

1. ⓐ ⓑ ⓒ ⓓ	28. ⓐ ⓑ ⓒ ⓓ	55. ⓐ ⓑ ⓒ ⓓ
2. ⓐ ⓑ ⓒ ⓓ	29. ⓐ ⓑ ⓒ ⓓ	56. ⓐ ⓑ ⓒ ⓓ
3. ⓐ ⓑ ⓒ ⓓ	30. ⓐ ⓑ ⓒ ⓓ	57. ⓐ ⓑ ⓒ ⓓ
4. ⓐ ⓑ ⓒ ⓓ	31. ⓐ ⓑ ⓒ ⓓ	58. ⓐ ⓑ ⓒ ⓓ
5. ⓐ ⓑ ⓒ ⓓ	32. ⓐ ⓑ ⓒ ⓓ	59. ⓐ ⓑ ⓒ ⓓ
6. ⓐ ⓑ ⓒ ⓓ	33. ⓐ ⓑ ⓒ ⓓ	60. ⓐ ⓑ ⓒ ⓓ
7. ⓐ ⓑ ⓒ ⓓ	34. ⓐ ⓑ ⓒ ⓓ	61. ⓐ ⓑ ⓒ ⓓ
8. ⓐ ⓑ ⓒ ⓓ	35. ⓐ ⓑ ⓒ ⓓ	62. ⓐ ⓑ ⓒ ⓓ
9. ⓐ ⓑ ⓒ ⓓ	36. ⓐ ⓑ ⓒ ⓓ	63. ⓐ ⓑ ⓒ ⓓ
10. ⓐ ⓑ ⓒ ⓓ	37. ⓐ ⓑ ⓒ ⓓ	64. ⓐ ⓑ ⓒ ⓓ
11. ⓐ ⓑ ⓒ ⓓ	38. ⓐ ⓑ ⓒ ⓓ	65. ⓐ ⓑ ⓒ ⓓ
12. ⓐ ⓑ ⓒ ⓓ	39. ⓐ ⓑ ⓒ ⓓ	66. ⓐ ⓑ ⓒ ⓓ
13. ⓐ ⓑ ⓒ ⓓ	40. ⓐ ⓑ ⓒ ⓓ	67. ⓐ ⓑ ⓒ ⓓ
14. ⓐ ⓑ ⓒ ⓓ	41. ⓐ ⓑ ⓒ ⓓ	68. ⓐ ⓑ ⓒ ⓓ
15. ⓐ ⓑ ⓒ ⓓ	42. ⓐ ⓑ ⓒ ⓓ	69. ⓐ ⓑ ⓒ ⓓ
16. ⓐ ⓑ ⓒ ⓓ	43. ⓐ ⓑ ⓒ ⓓ	70. ⓐ ⓑ ⓒ ⓓ
17. ⓐ ⓑ ⓒ ⓓ	44. ⓐ ⓑ ⓒ ⓓ	71. ⓐ ⓑ ⓒ ⓓ
18. ⓐ ⓑ ⓒ ⓓ	45. ⓐ ⓑ ⓒ ⓓ	72. ⓐ ⓑ ⓒ ⓓ
19. ⓐ ⓑ ⓒ ⓓ	46. ⓐ ⓑ ⓒ ⓓ	73. ⓐ ⓑ ⓒ ⓓ
20. ⓐ ⓑ ⓒ ⓓ	47. ⓐ ⓑ ⓒ ⓓ	74. ⓐ ⓑ ⓒ ⓓ
21. ⓐ ⓑ ⓒ ⓓ	48. ⓐ ⓑ ⓒ ⓓ	75. ⓐ ⓑ ⓒ ⓓ
22. ⓐ ⓑ ⓒ ⓓ	49. ⓐ ⓑ ⓒ ⓓ	76. ⓐ ⓑ ⓒ ⓓ
23. ⓐ ⓑ ⓒ ⓓ	50. ⓐ ⓑ ⓒ ⓓ	77. ⓐ ⓑ ⓒ ⓓ
24. ⓐ ⓑ ⓒ ⓓ	51. ⓐ ⓑ ⓒ ⓓ	78. ⓐ ⓑ ⓒ ⓓ
25. ⓐ ⓑ ⓒ ⓓ	52. ⓐ ⓑ ⓒ ⓓ	79. ⓐ ⓑ ⓒ ⓓ
26. ⓐ ⓑ ⓒ ⓓ	53. ⓐ ⓑ ⓒ ⓓ	80. ⓐ ⓑ ⓒ ⓓ
27. ⓐ ⓑ ⓒ ⓓ	54. ⓐ ⓑ ⓒ ⓓ	81. ⓐ ⓑ ⓒ ⓓ

Section I – Listening

Directions: In this part of the test you will hear several spoken selections. They will not be printed in your test book. You will hear them only once. After each selection you will be asked one or more questions about what you have just heard. These questions, with four possible answers, are printed in your test booklet. Select the best answer to each question from among the four choices printed and fill in the corresponding oval on your answer sheet.

Questions 1-2.
Listen to this short exchange in a café. Then answer questions 1 and 2.

1. What beverage did the woman offer him besides tea?
    a) cola   b) milk
    c) juice   d) coffee

2. What kind of tea does the man prefer?
    a) coffee   b) green tea
    c) ginger tea   d) ginseng tea

Questions 3-5.
Listen to this conversation between a man and a woman. Then answer questions 3, 4 and 5.

3. Which of the following is *not* something the man looks for in a woman?
    a) a pretty face   b) a good heart
    c) well-dressed   d) good cooking skills

4. About which of the following does the woman question the man?
    a) Why a woman must cook well
    b) Why a woman must have a good heart
    c) Why a woman must be well-dressed
    d) Why a woman must be willing to give up her career

5. With what does the man contrast going out to eat?

    a) grocery shopping   b) making money

    c) buying clothes   d) buying make-up

Questions 6-7.

Listen to this announcement aboard an airplane. Then answer questions 6 and 7.

6. Who is the speaker?

    a) the flight attendant   b) the passenger

    c) the stewardess   d) the pilot

7. What does the speaker want the passenger to double check?

    a) That they are sitting in the right seat

    b) That their safety belt is fastened

    c) That they are comfortable

    d) That their carry-on items are properly stowed

Questions 8-9.

Listen to this conversation between a man and a woman. Then answer questions 8 and 9.

8. What is the man asking of the woman?

    a) to have breakfast   b) to have lunch

    c) to have coffee   c) to have dinner

9. Why can't the woman get together with him?

    a) she has to work   b) she has to pick up her child

    c) she has to go to class   d) she already made plans

Questions 10-12.

Listen to this conversation. Then answer questions 10, 11 and 12.

10. Where are the women speaking?

    a) In a café   b) At a restaurant's grand opening

    c) At church   d) At one of their new homes

11. How does the first woman consider the second woman?

    a) a close relative   b) a special guest

    c) an employee   d) a person of authority

12. What are the attitudes of the two women, respectively?

    a) apologetic / understanding   b) depressed / comforting

    c) happy / excited   d) surprised / tired

Questions 13-15.

Listen to this conversation between a man and a woman. Then answer questions 13, 14 and 15.

13. What is the relationship between the man and the woman?

    a) clerk / customer   b) father / daughter

    c) son / mother   d) husband / wife

14. What kind of earrings does the woman think look good on her?

    a) gold earrings   b) diamond earrings

    c) expensive earrings   d) pearl earrings

15. What is the man's opinion?

    a) she should buy any earrings she wants

    b) she should buy imitation earrings

    c) she likes expensive earrings too much

    d) she doesn't need earrings

Questions 16-19.

Listen to this short exchange between a husband and wife. Then answer questions 16 through 19.

16. Where are the husband and wife eating?

    a) at a restaurant   b) at a park

    c) at their home   d) at a friend's home

17. Why is the wife surprised at the husband?

    a) he ate more than she expected

    b) he ate less than she expected

    c) he cooked better than she expected

    d) he cooked using no meat

18. How is the man's eating habits changing?

    a) he is eating larger portions

    b) he is eating smaller portions

    c) he stopped eating meat

    d) he stopped eating sweets

19. Who is the man beginning to take after?

    a) his father   b) his mother

    c) his wife   d) his brother

Questions 20-21.

Listen to this conversation. Then answer questions 20 and 21.

20. What kind of gathering if the first woman hosting?

    a) a birthday party

    b) a baby shower

    c) a bridal shower

    d) an Open House

21. Why does the second woman say this is a necessary event?

    a) to get presents

    b) to share good times with others

    c) she's a great host

    d) everybody expects it

Questions 22-23.

Listen to this conversation between a man and a woman. Then answer questions 22and 23.

22. What is the man's status?
    a) single and available   b) single but in a long-term relationship
    c) engaged   d) married

23. Why does the woman apologize to the man?
    a) She tries to set him up but he is not available
    b) She tries to set him up with his ex-girlfriend
    c) She tries to set him up with his cousin
    d) She offended him by trying to set him up

Questions 24-27.

Listen to the following statements made in a restaurant. Then answer questions 24throuth 27.

24. Who is the speaker?
    a) a butcher   b) a waiter
    c) a cashier   d) a customer

25. What is the special tonight?
    a) There is no special- all the food is delicious
    b) Korean barbecue
    c) Spicy pollack stew
    d) Fresh lettuce

26. What is the speaker praising about this restaurant?
    a) great service   b) affordable prices
    c) large portions   d) High-quality ingredients

27. What does the speaker want?
    a) To cook a delicious stew from the fresh pollack.
    b) For the customer to order fresh pollack stew.
    c) For the customer to order fresh pollack stew or Korean Barbecue.
    d) To order fresh pollack stew and some Korean barbecue.

Listen to this conversation between friends. Then answer question 28.

28. Why can't Misun meet her friend this evening?

    a) She has class

    b) It's her grandmother's birthday

    c) She has a date

    d) She's going to shopping

Section II – Usage

Directions: *This section consists of a number of incomplete statements, each of which has four suggested completions. Select the word or phrase that best completes the sentence structurally and logically and fill in the corresponding oval on the answer sheet.*

29. 나이 많은 할머니들이 영어 강좌에 나가 영어를 열심히 배운다는 뉴스를 얼마 전에 들은 일이 있어요. 자녀들 교육을 다 시키고 이제는 시간 _____가 생기기 때문에 영어를 배워 남과 같이 책이나 신문도 읽자는 뜻이겠죠.
    a) 여유   b) 여건   c) 휴가   d) 여지

30. 영문으로 번역된 한국 만화들은 반스 앤드 노블 등 대형서점과 타깃, 월마트 등 대형 소매점에서 만나볼 ____ 있게 된다.
    a) 뿐   b) 수   c) 적   d) 줄

31. 애독하는 책의 저자를 만나지 말고, 존경하는 사람을 직접 만나지 마라! _____ 주인공이 아름답지, 실제로 만나본 인물은 우리와 다를 것이 없기 때문에 실망하게 된다는 얘기다.
    a) 상상의   b) 이상의   c) 형상의   d) 실제의

32. '좋은 말'은 순화된 말, 효과적인 말을 이른다. 바꾸어 말하면 아름답고, 곱고, 점잖고, 품위 있고, 우아한 말을 뜻한다. _____ 거칠고 모진 말, 남에게 불쾌한 느낌을 주는 말, 품위가 없는 말, 비속한 말, 상스러운 말, 따위를 쓰지 않거나, 쓰는 것을 억제하는 것을 의미한다.
    a) 저것은   b) 이것은   c) 아무나   d) 어디나

33. 사람들은 _____ 자기를 이해하고 따뜻하게 대해 주는 사람들을 좋아하게 마련입니다.
    a) 아무나   b) 누구나   c) 어디나   d) 너나

34. 돌날 차리는 돌상의 풍습에 책, 붓, 돈, 활, 실 등을 상위에 올려놓고 그날의 주인공인 아기에게 집도록 시킨다. _____ 돌잡이라 하는데 돈을 맨 먼저 집으면 부자를 예언받고, 활을 집으면 무사를, 붓을 잡으면 명필을, 책을 잡으면 학자를, 그리고 실을 잡으면 장수를 예언받았다.
    a) 이것을   b) 저것을   c) 여기를   d) 저기를

35. 멕시코의 원시 종족들은 메카파리라는 이마띠로 사람이나 물건을 나르고, 북아메리카의 인디언들도 이 이마띠로 아기를 업고 다닌다. 인체 어느 부분의 힘으로 사람이나 물건을 나르는 문화권을 나눠 볼 수도 있는데, _____, 이마 문화권, _____, 목덜미 문화권, _____, 어깨 운반권, 넷째, 가슴 운반권, 다섯째, 엉덩이 운반권으로 대별할 수가 있다.

    a) 첫째 – 둘째 – 셋째   b) 첫째 – 두째 – 세째
    c) 제일 – 제이 – 제삼   d) 첫째 – 둘째 – 세째

36. 중국에서는 핸드폰 번호를 따로 돈을 주고 사야 한다. _____ 번호에 따라 다르다. 돈을 많이 번다는 의미의 '발'과 발음이 비슷한 8 번이 가장 비싸고, 죽음을 뜻하는 '사'와 비슷한 4 는 가격이 가장 싸다. 자동차 번호판이나 전화번호 등도 경매에 부치는데, 지난해 8 월 18 일 전화번호 경매에서는 8888 8888 번에 한국 돈으로 약 3 억 3 천 3 백 만원에 팔렸다.

    a) 제품은   b) 품질은   c) 가격은   d) 광고는

37. 나는 오늘 아침에 백화점에서 양복 한___, 구두 두_____, 손수건 세 장을 샀다.
    a) 벌 — 켤레   b) 개 — 자루
    c) 벌 — 개   d) 병 — 켤레

38. 어제 시장에서 시금치 두_____, 양파 세 개, 참기름 한_____을 샀다.
    a) 개 — 쌍   b) 단 — 병
    c) 접 — 병   d) 단 — 잔

39. 여러분, 오늘은 집 한_____에 소나무 세 그루하고 개 두____를 그려 보세요.
    a) 권 — 마리   b) 개 – 마리
    c) 채 — 마리   d) 채 – 개

40. 영화 <E.T>의 감독 스티븐 스필버그는 17 세에 유니버설 스튜디오를 찾아갔지만 입장을 거절당했다. 다음날 신사복 차림에 서류 가방을 들고 온 _____ 수위를 속여 안으로 들어갔다. 그렇게 날마다 드나들면서 빈 사무실에 숨어 전화를 사용하고 중역의 자리에 앉아 있곤 했다. 그러는 사이 점차 그곳 사람들과 얼굴을 익히고 마침내 촬영소 안에 자리를 잡게 되었다.

    a) 자기는   b) 누구는   c) 그는   d) 저는

41. 한 교실에 선생님 한_____과 학생 스무_____만 들어가세요.
   a) 분 — 개
   b) 사람 — 마리
   c) 분 — 명
   d) 감 — 벌

42. 아동국에 따르면 한인사회의 아동학대는 언어적 학대로 시작해 _____ 이어지는 경우가 대부분이며 초등학생을 둔 가정에서 가장 많이 발생하고 있다.
   a) 방문으로
   b) 폭력으로
   c) 모임으로
   d) 조사로

43. <기후와 문명>이란 저술을 한 헌팅톤은 많은 _____ 수집 분석하여 육체 노동의 최적온도는 섭씨 15~18 도요, 정신활동의 최적온도는 그보다 낮은 섭씨 4 도~10 도라고 했다. 이같은 수치는 옷을 입고 있었을 때의 실내의 쾌적 온도를 나타낸 것이다.
   a) 주제를
   b) 원료를
   c) 조사를
   d) 자료를

44. 제조업체가 뭐라고 주장하든, 어떤 샴푸도 갈라진 _____ 치료해 주지는 못한다. 50 세 여성에게 _____ 되돌려 주는 크림 같은 것은 이 세상에 없다.
   a) 피부를 – 미래를
   b) 주름을 – 과거를
   c) 모발을 – 젊음을
   d) 가발을 – 과거를

45. 아브라함 링컨은 "사람들에게 연설하려 할 때, 나는 그들이 듣고 싶어하는 _____무엇인지를 생각하는 데 2/3 의 시간을 사용하고 내가 말하고 싶은 내용을 생각하는 데에 1/3 의 시간을 사용한다."고 고백한 바 있다. 링컨이 명연설가로 명성을 날린 데에는 듣는 사람에 대한 배려를 많이 한 것이 크게 작용했음을 느낄 _____ 있다.
   a) 수가 – 리
   b) 바가 – 수
   c) 즈음 – 지
   d) 무렵 – 만큼

46. 예로부터 우리는 간이 부었다느니, 간이 뒤집어진다, 간을 졸인다, 간 떨어진다, 애간장이 탄다는 등 간과 결부된 _____ 일상생활에서 많이 사용해 왔다. 실제로 간이 나빠지는 이유 중에 마음의 긴장이나 스트레스가 상당한 비중을 차지하고 있는 것을 보면 말 한마디에 스며있는 옛 사람들의 _____ 참 놀랍다.
   a) 말을 – 지혜가
   b) 규정을 – 말이
   c) 연구를 – 습관이
   d) 일을 – 버릇이

47. 뭣 좀 배웠다고 유식한 ____ 뻐기는 여인에게는 찾아볼 수 없는 소박한 지혜와 예의 범절, 착한 심성과 후덕한 인심, 그리고 정숙하고 밝고 깔끔하고 규모있는 성품, 하늘이 무너져도 참고 견뎌내는 인내심을 어머니는 두루 갖추고 계셨다.

　　a) 것　　　　　b) 만큼　　　　c) 체　　　　　d) 바

48. 좋은 _____ 먹는 데는 여러 가지 방법이 있겠지만 요즘 부쩍 유행하는 음식을 색깔별로 구분해 먹는 방법이 눈길을 끈다. 음식은 고유의 색깔에 따라 특별한 효능이 있기 때문에 _____ 파악하고 자신의 몸 상태에 따라 이런 음식을 골라 먹자는 것이다.

　　a) 거를 – 이것을　　　　　　b) 것을 – 저를
　　c) 거를 – 이를　　　　　　　d) 것을 – 이것을

49. 대부분의 사람들은 무슨 일에 대한 원리와 방법을 배우고 난 뒤에는 꼭 _____ 실제로 한번 해보고 싶은 마음을 가지게 됩니다. 오토바이를 앞에 두고 _____ 움직이는 원리와 운전하는 방법을 배우면 당장 타 보고 싶어지고, 컴퓨터를 앞에 두고 인터넷에 대해서 배우고 나면 금세 그 세계에 빠져들고 싶어지는 것이지요. 그리고 남은 일은 실제로 즐기는 것입니다.

　　a) 저것을 – 이것이　　　　　b) 저것을 – 그것이
　　c) 그것을 – 그것이　　　　　d) 그것을 – 저것이

50. 돈 때문에 사기치고 돈 때문에 목숨 거는 _____ 너무나 많다. 그들은 돈이면 다 된다는 _____ 살고 있는 정신이상 증세가 있는 사람들이다.

　　a) 부자들이 – 상상에　　　　b) 가정들이 – 잡념에
　　c) 상인들이 – 마음에　　　　d) 사람들이 – 착각에

51. 바닷물은 태양으로부터 받은 열을 저장하여 지구의 온도를 조절하고, 지구상의 모든 폐기물을 흡수하여 환경을 보호하며 지구가 지니고 있어야 할 여러가지 균형을 유지시켜 준다. 지구 전체 물의 97%를 차지하는 바닷물은 지구상에 생명체를 발생시켰을 ____ 아니라, 지금은 수많은 생명의 원천이 되고 있다.

　　a) 듯　　　　　b) 뿐　　　　　c) 것　　　　　d) 데

52. 갈비나 고기를 익히기 위해서는 당연히 열이 필요하다. 이때 모두 경험으로 알고 있지만 가스 불과 숯불로 구운 고기 맛은 서로 다르고, 그 ____ 숯불고기가 단연 앞선다. 숯불고기가 더 맛있는 이유는 숯불의 재와 원적외선에 그 _____ 있다.
   a) 맛은 – 비밀이   b) 신선도는 – 맛이
   c) 불은 – 수분이   d) 냄새는 – 지방이

53. 현대 사회에서는 수많은 지식과 정보가 물밀듯이 쏟아져 나오고 있다. 이 많은 지식과 정보 중에서 _____ 필요한 것을 빠르고 정확하게 얻으려는 것이 바로 독서의 목적이라고 할 수 있다.
   a) 저들에게   b) 너에게   c) 그들에게   d) 자신에게

54. 사람이 살아가는 데 꼭 필요한 것은 옷, 음식, 그리고 집이다. 옷은 _____ 몸을 보호하고 예절을 지키기 위해서 필요하다. 음식은 우리의 건강을 유지하고 생명을 이어가게 하는 데 필요하다. 집은 재산을 보호할 수 있고 _____ 편히 쉴 수 있는 공간이기도 하다.
   a) 우리는 – 우리가   b) 우리를 – 우리만
   c) 우리의 – 우리가   d) 우리의 – 우리만

55. 영화 제작자들이 폭력을 선호하는 ____ 극적 긴장감을 높여 관객의 흥미를 유발하기 쉽고 정교한 번역이 필요 없어 세계시장에 내다 팔기 좋고 _____ 싸게 먹히기 때문이다.
   a) 배경은 – 흥행이   b) 이유는 – 제작비가
   c) 욕설은 – 진행이   d) 의문은 – 영향이

56. 우리는 가까운 장래에, 만화 영화에서 보았던 것처럼 컴퓨터가 자동으로 운전하는 차를 타고 거리를 달릴 것입니다. 그리고 _____ 방 책상 앞에 앉아서 컴퓨터 화면으로 선생님과 함께 이야기하면서 질문하고 대답하는 수업을 할지도 모릅니다.
   a) 우리   b) 그들   c) 저들   d) 자기

Section III - Reading Comprehension

Directions: Read the following selections carefully for comprehension. Each selection is followed by one or more questions or incomplete statements based on its content. Choose the answer or completion that is best according to the selection and fill in the corresponding oval on the answer sheet.

<u>Questions 57-59.</u>

> 미국 사람들은 사람을 만날 때 상대방에게 세가지 제스처를 기대합니다. 첫째는 '미소', 둘째는 '시선의 만남', 그 다음은 '상쾌한 악수'입니다. 이 중에서 악수는 우리 한국 사람에게 없던 관습입니다.
>
> 꽉 쥐는 듯하면서도 부드럽고, 부드러우면서도 힘차게 느껴지게, 그리고 손바닥 전체가 접촉되게 하는 악수, 상하로 흔들되 상대방과 호흡이 맞게 흔드는 악수, 정성이 담긴 악수가 제대로 된 악수입니다.

57. What is the main topic of the passage?
    a) smiling
    b) shaking hands
    c) making eye contact
    d) about bowing

58. Each of the following are characteristics of a proper hand shake except:
    a) firm yet gentle
    b) shaking up and down
    c) grasp the fingers rather than the palm
    d) filled with sincerity

59. Each of the following is a greeting gesture mentioned in the passage *except*:
    a) smile
    b) shake hands
    c) make eye contact
    d) bow

새해 새 하늘
새해 첫날부터 삼백예순 다섯 날을
모두 뜻있고 행복한 일로 가득하십시오.

희망찬 새 아침에
건강과 행운을 기원하오며
새해에도 변함없는 성원을 부탁드립니다.
새해 복 많이 받으십시오.

60. What kind of card would most likely contain the message above?

    a) New Year's card

    b) thank you card

    c) birthday card

    d) Christmas card

61. The message contains wishes for all of the following *except*:

    a) blessings

    b) health

    c) wealth

    d) hope

Question 62-63

병원 복도에서 두 사람이 똑같이 말을 했다. "딸이에요." 한 사람의 목소리는 빠르고 활기 차고 큰데, 다른 한 사람의 목소리는 느리고 기운이 없다. 듣는 이는 아마 한 사람은 딸을 얻어 기뻐하고, 다른 한 사람은 딸을 얻은 것을 섭섭해 하고 있음을 짐작할 수 있을 것이다.

62. Where does this passage take place?

    a) in the hallway of a house   b) in a hospital

    c) in a doctor's office   d) at the pharmacy

63. Each of the following describes the contrast between the two people in the passage *except*:

   a) happy / disappointed

   b) speak fast / speak slowly

   c) speak with vitality / speak weakly

   d) proud / excited

Questions 64-66

모시는 말씀

사랑과 축복 속에 행복한 첫걸음을 시작합니다.
귀댁에 평안과 행복이 함께 하시기를 기원하며 알려드립니다.

남우식
         의 장남   David 군과
박영희

김기영
         의 차녀   Jennifer 양이
이말순

여러 어르신과 친지를 모시고 예식을 올리게 되었습니다.
이들의 아름다운 앞날은 위해 가까이서 지켜봐 주시고
격려해 주시면 더 없는 기쁨이 되겠습니다.

일시: 2 월 14 일 토요일 오전 11 시
장소: 올림픽 호텔 2 층 올림피아홀

64. What kind of announcement is this passage?

   a) grand opening of a store   b) celebration of a newborn baby
   c) celebration of 60th birthday   d) wedding invitation

65. What time is the event?

   a) 11:00 A.M   b) 2:00 P.M.   c) 3:00 P.M   d) 11:00 P.M.

66. What is David's birth order?

   a) first son   b) second son   c) third son   d) last son

초대의 말씀

김지영 변호사께서 미국의 법률제도를 한국 사람들에게 알리고자 <시민과 대통령>을 펴내셨습니다. 이 기회에 책의 출판을 축하하고 아울러 친지 여러분들과 정담을 나누고자 다음과 같이 모임을 갖기로 했으니 바쁘시더라도 꼭 참석해 주시면 고맙겠습니다.

일시: 8 월 24 일 (목요일) 오후 6 시 30 분
장소: 그랜드 호텔 2 층 장미실
연락처: 서울대학교 총동창회 회장 김욱진 교수 555-1234
        김지영 변호사 사무실 555-4567

67. What is the author's profession?

    a) professor   b) lawyer   c) doctor   d) president

68. What is the best translation of the book title?

    a) The Citizen and the Mayor

    b) The People and the Governor

    c) The People and the President

    d) The Governor and the President

69. The purpose of the book was to:

    a) Inform Koreans about elections

    b) Convince Koreans to get involved in politics

    c) Convince Koreans to become lawyers

    d) Inform Koreans about the American justice system

Questions 70-72.

한국 사람 다섯 명 중 한 명은 김 씨인 것으로 나타났다.
이, 박, 최 등 상위 10 대 성씨의 비중은 전체의 64.1%에 달했다. 통계청의 발표에 의
하면 한국의 인구는 286 개의 성씨로 구성되어 있다고 한다. 이중 김씨는 전체 인구
의 21.6%를 차지해 가장 많았으며 다음으로 이씨 14.8%, 박씨 8.5%, 최씨 4.7%, 정씨
4.4%, 강씨와 조씨, 윤씨가 각각 2.1%, 장씨가 2.0%, 임씨가 1.7% 등이다.

70. Which Korean last name is the most common?

    a) Kim   b) Lee   c)Park   d) Choi

71. How many Korean last names are there in all?

    a) 10   b) 641   c) 286   d) 216

72. What percentage of the Korean population has the last name Chang?

    a) 2.1%   b) 2.0%   c) 4.4%   d) 8.5%

Questions 73-74.

우리 어머니는, 그야말로 세상에서 둘도 없이 곱게 생긴 우리 어머니는, 금년
나이 스물네 살인데 과부랍니다. 과부가 무엇인지 나는 잘 몰라도, 하여튼 동
네 사람들이 나더러 '과부의 딸'이라고들 부르니까, 우리 어머니가 과부인 줄은
알지요. 남들은 다 아버지가 있는데, 나만은 아버지가 없지요. 아버지가 없다고 아마
'과부 딸'이라나 봐요.

73. Which of the following is the most likely speaker in the passage?

    a) mother   b) father   c) 6-year-old girl   d) 24-year-old woman

74. What are the neighbors calling the little girl?

    a) "orphan girl"   b) "poor little girl"

    c) "widower's daughter"   d) "widow's daughter"

가정교육은 매우 중요한 의미를 가진다. 사람의 성격은 대부분 가정교육을 통해서 형성되며, 이것이 사회에 영향을 미치기 때문이다. 좋은 버릇이란 바로 가정에서의 훈련을 뜻한다. 버릇은 어렸을 적부터 잘 들여야 한다. 우리 속담에 "세 살 버릇 여든까지 간다" 라는 말이 있는 데, 그만큼 버릇이란 일단 몸에 배면 고치기 힘든 것이다.

어렸을 적부터 좋은 버릇을 키우는 훈련은 인격 형성을 위한 꼭 필요한 조건이 아닐 수 없다. "바늘 도둑이 소 도둑 된다"라는 속담은, 버릇을 애초에 고치지 않으면 나쁜 결과를 가져온다는 경고로 받아들여야 한다.

75. According to the passage, how are good habits and a good personality built up?

a) training from the parents

b) training from the teacher

c) training from the church

d) training from college

76. Which of the following proverbs best corresponds with the proverbs in the passage?

a) "Like father like son."

b) "Rome was not built in a day."

c) "It takes a village to raise a child."

d) "What's learned in the cradle is carried to the grave."

이 세상 대다수의 나라에서는 거의 예외 없이 시집가면 여성이 자신의 본성을 상실하고 남편의 성을 따른다. 이탈리아, 독일, 스위스, 오스트리아, 브라질은 민법으로 그것을 못박아 놓고 있고, 영국과 미국은 법률상의 의무가 아니고 처녀 때의 성을 취할 수도 있게 했으나 남편의 성을 택하는 것이 대부분이다. 소련도 부부의 어느 한쪽 성을 택해도 되고 각자의 결혼전의 성을 택해도 되게끔 돼 있으나, 이 역시 남편성을 따르고 있다.

스페인, 포르투갈은 이색적이다. 시집을 가면 남편의 성 아래 아내의 성을 잇는 복합성으로 여자의 성을 살린다. 유명한 스페인의 화가 피카소의 본명은 파블로 디에고 루이지 피카소다. 파블로가 이름이요, 디에고가 세례명, 루이지가 부계의 성, 피카소가 모계의 성이다.

중국에서는 대체로 여자의 성명이 없었기에 시집가면 남편의 성을 따르게 마련 이었는데 새 민법에서는 자유롭게 해 놓고 있다. 그러고 보면 이 세상에서 시집을 가서도 남편의 성에 예속되질 않고 본래의 성을 유지하는 나라는 한국뿐이다. 시집을 가도 시집의 성을 따르지 않으며 데릴사위도 처가의 성을 따르지 않는다.

77. In what country is it standard for the woman to keep her maiden name after marriage?

    a) Switzerland   b) Germany   c) Brazil   d) Korea

78. What was Pablo Picasso's father's last name?

    a) Pablo   b) Diego   c) Luigi   d) Picasso

대가족 제도의 장점은 여러 세대가 한 가족이라는 울타리 안에 살아가기 때문에 세대간에 지켜야 할 적절한 예의를 쉽게 배울 수 있다는 것이다. 대가족이라는 것은 한 가정에 할아버지부터 손자에 이르기까지 함께 사는 것이다. 따라서 여러 세대가 함께 살면서 질서를 유지하기 위해서 어른을 공경하고 아랫사람을 따뜻하게 보살피는 가족간의 원만한 질서가 형성된다. 또한 아랫 세대들은 윗 세대가 터득한 생활의 지혜를 가정생활 속에서 자연스럽게 전해 받을 수 있다. 그리하여 장차 어른이 되었을 때, 한 가정을, 나아가 한 나라를 책임지고 이끌어갈 수 있는 지혜를 갖추게 되는 것이다.

79. According to the passage, all of the following are advantages of an extended family *except:*

   a) younger generations gain wisdom from older generations naturally

   b) younger generations learning proper manners from older generations

   c) grandparents can help take care of grandchildren while the parents work

   d) proper respect is given elders and young ones are properly taken care of in an order manner

80. According to the passage's definition, which of the following pairs of relatives *must* live under the same roof in order to qualify as an extended family?

   a) grandson (granddaughter) / grandfather (grandmother)

   b) husband/ wife

   c) aunt (uncle) / nephew (niece)

   d) brother (sister) / sister-in-law (brother-in-law)

Test 2

School

Extra-curricular activities

Phone Conversation

Answering Machine Message

SATII Korean Practice Test Answer Sheet

Name _____ Date _____ Test No.: __2__

1. (a) (b) (c) (d)	28. (a) (b) (c) (d)	55. (a) (b) (c) (d)
2. (a) (b) (c) (d)	29. (a) (b) (c) (d)	56. (a) (b) (c) (d)
3. (a) (b) (c) (d)	30. (a) (b) (c) (d)	57. (a) (b) (c) (d)
4. (a) (b) (c) (d)	31. (a) (b) (c) (d)	58. (a) (b) (c) (d)
5. (a) (b) (c) (d)	32. (a) (b) (c) (d)	59. (a) (b) (c) (d)
6. (a) (b) (c) (d)	33. (a) (b) (c) (d)	60. (a) (b) (c) (d)
7. (a) (b) (c) (d)	34. (a) (b) (c) (d)	61. (a) (b) (c) (d)
8. (a) (b) (c) (d)	35. (a) (b) (c) (d)	62. (a) (b) (c) (d)
9. (a) (b) (c) (d)	36. (a) (b) (c) (d)	63. (a) (b) (c) (d)
10. (a) (b) (c) (d)	37. (a) (b) (c) (d)	64. (a) (b) (c) (d)
11. (a) (b) (c) (d)	38. (a) (b) (c) (d)	65. (a) (b) (c) (d)
12. (a) (b) (c) (d)	39. (a) (b) (c) (d)	66. (a) (b) (c) (d)
13. (a) (b) (c) (d)	40. (a) (b) (c) (d)	67. (a) (b) (c) (d)
14. (a) (b) (c) (d)	41. (a) (b) (c) (d)	68. (a) (b) (c) (d)
15. (a) (b) (c) (d)	42. (a) (b) (c) (d)	69. (a) (b) (c) (d)
16. (a) (b) (c) (d)	43. (a) (b) (c) (d)	70. (a) (b) (c) (d)
17. (a) (b) (c) (d)	44. (a) (b) (c) (d)	71. (a) (b) (c) (d)
18. (a) (b) (c) (d)	45. (a) (b) (c) (d)	72. (a) (b) (c) (d)
19. (a) (b) (c) (d)	46. (a) (b) (c) (d)	73. (a) (b) (c) (d)
20. (a) (b) (c) (d)	47. (a) (b) (c) (d)	74. (a) (b) (c) (d)
21. (a) (b) (c) (d)	48. (a) (b) (c) (d)	75. (a) (b) (c) (d)
22. (a) (b) (c) (d)	49. (a) (b) (c) (d)	76. (a) (b) (c) (d)
23. (a) (b) (c) (d)	50 (a) (b) (c) (d)	77. (a) (b) (c) (d)
24. (a) (b) (c) (d)	51. (a) (b) (c) (d)	78. (a) (b) (c) (d)
25. (a) (b) (c) (d)	52. (a) (b) (c) (d)	79. (a) (b) (c) (d)
26. (a) (b) (c) (d)	53. (a) (b) (c) (d)	80. (a) (b) (c) (d)
27. (a) (b) (c) (d)	54. (a) (b) (c) (d)	81. (a) (b) (c) (d)

Section I – Listening

Directions: In this part of the test you will hear several spoken selections. They will not be printed in your test book. You will hear them only once. After each selection you will be asked one or more questions about what you have just heard. These questions, with four possible answers, are printed in your test booklet. Select the best answer to each question from among the four choices printed and fill in the corresponding oval on your answer sheet.

Questions 1-2.
Listen to this conversation about Thomas Edison. Then answer questions 1 and 2.

1. Thomas Edison's research can be characterized as:
   a) practical   b) scientific   c) scholarly   d) flawed

2. Why did the teacher expel Edison from the classroom?
   a) Edison was too slow in his studies
   b) Edison got in a bad fight at school
   c) The teacher caught Edison smoking at school
   d) The teacher feared Edison would be a bad influence on the other students

Questions 3-4.
Listen to this conversation between a man and a woman. Then answer questions 3 and 4.

3. The man and the woman are Minsoo's:
   a) teachers   b) coaches   c) parents   d) siblings

4. Why is the woman upset?
   a) Minsoo is too lazy
   b) Minsoo is failing in school
   c) Minsoo is always late for school
   d) Minsoo plays too many video games

Questions 5-6.

Listen to this conversation between a man and a woman.   Then answer questions 5 and 6.

5. What is the man   b) an essay for his class
   c) his graduate thesis   d) a graduation speech

6. What is the woman's relationship to the man?
   a) wife   b) professor
   c) assistant   d) co-worker

Questions 7-9.

Listen to this conversation between Tony and Anna. Then answer questions 7, 8 and 9.

7. What is the relationship between Tony and Anna?
   a) husband and wife   b) brother and sister
   c) boyfriend and girlfriend   d) father and daughter

8. What is Anna doing?
   a) watching a baseball game   b) watching a basketball game
   c) watching a football game   d) watching a tennis game

9. What are their plans for the evening?
   a) work out at the gym   b) go watch a movie
   c) stay home and rent a video   d) go to a football game

Questions 10-11.

Listen to this conversation between two teachers. Then answer questions 10 and 11.

10. Why did Ms. Kim have a hard time teaching this morning?
    a) she was not prepared with a lesson plan
    b) she overslept and was late for school
    c) the principal walked in and watched at the back of the room
    d) her students were not paying attention to her lecture

11. Where is this conversation most likely taking place?

   a) at a high school

   b) at a university

   c) at Ms. Kim's house

   d) at a gymnasium

Questions 12-13.

Listen to this conversation between a father and daughter. Then answer questions 12 and 13.

12. When did the father start driving?

   a) high school junior

   b) high school senior

   c) college junior

   d) college senior

13. According to the passage, which of the following statements is not true?

   a) The father will allow his daughter to drive in high school.

   b) The father hit a police car within a month of learning how to drive.

   c) The father became a safer driver in college.

   d) The daughter wants to drive in high school.

Questions 14-16.

Listen to the following taped announcement.   Then answer questions 14, 15 and 16.

14. For what organization is this recorded announcement?

   a) Oriental Medical Group

   b) Tae-Kwon-Do Studio

   c) Korean Cultural Center

   d) Eastern Gymnasium

15. Each of the following times are available for practicing Tae-Kwon-Do *except:*

   a) Monday – Friday 9-10am

   b) Monday – Friday 3-4pm

   c) Saturday – Sunday 10-11am

   d) Saturday – Sunday 6-7pm

16. What other activity could one learn or practice at this location?

    a) Yoga and meditation

    b) traditional Korean fan dance

    c) jazz dance

    d) acupuncture

Questions 17-18.

Listen to the following answering machine message. Then answer questions 17 and 18.

17. Besides being out, what reason does the speaker give for not answering her phone?

    a) She is in her backyard

    b) She is in the restroom

    c) She is busy working in the kitchen

    d) She is taking care of her toddler

18. What instruction is left for the caller?

    a) Try my cell phone number

    b) Try my work phone number

    c) Leave your name and a brief message

    d) Call back in one hour

Questions 19-21.

Listen to this phone conversation with a 9-1-1 operator. Then answer questions 19, 20 and 21.

19. Why did the man call 9-1-1?

    a) he thinks he is having a heart attack

    b) his wife is in diabetic shock

    c) he was attacked in his kitchen

    d) his wife suddenly fainted

20. How many times has this happened before?

    a) never   b) once before

    c) twice before   d) three times before

21. How does 9-1-1 respond to the emergency?

    a) counsel the man through how to handle the situation himself

    b) send an ambulance to the house

    c) send police and an ambulance

    d) connect him with the nearest hospital

Questions 22-23.

Listen to this conversation between Anita and Janet. Then answer questions 22 and 23.

22. What are the women scheduling?

    a) a lunch date   b) a hair appointment

    c) a dinner date   d) an afternoon of shopping together

23. When will they meet?

    a) Monday   b) Tuesday   c) Wednesday   d) Thursday

Questions 24-25.

Listen to this debate between two friends. Then answer questions 24 and 25.

24. Why does the first girl think listening to music while studying is effective?

    a) it helps you concentrate on your studies

    b) it keeps you up when you're tired or bored

    c) it helps you remember what you're studying

    d) it increases your appreciation of classical music

25. Why does the second girl think listening to music is *in*effective?

    a) it makes you want to party

    b) you start dancing in your room

    c) it bothers the people around you

    d) you cannot concentrate on your studies

Listen to this conversation between a student and her teacher. Then answer questions 26, 27 and 28.

26. What is the girl asking the teacher?
    a) to delay the test until tomorrow
    b) to change the final exam into a final project
    c) to make the exam an open-book test
    d) to change the test into a take-home exam

27. What made the girl make this request?
    a) She always pushes her limits
    b) Another teacher did this for her in the past
    c) She was not ready for her test
    d) She crammed for the test last night

28. What is the teacher's response?
    a) She agrees with the student.
    b) She says that would not be a real test.
    c) She says that would not be fair to the other students.
    d) She completely disagrees with the student.

Section II - Usage

Directions: This section consists of a number of incomplete statements, each of which has four suggested completions. Select the word or phrase that best completes the sentence structurally and logically and fill in the corresponding oval on the answer sheet.

29. 남들은 거리낌없이 일상생활 속에서 사용하는 것 같아 보이는 인터넷, e-메일 쓰는 법을 알면 재미있는 일, 할 일이 많을 것 같았고, _____ 이제까지 인쇄물이나 우편으로 이루어지던 일들이 갑자기 온라인으로 처리되는 바람에 이러다간 뒤쳐져 손해 볼 것 같은 _____ 드는 것이다.
    a) 무엇도 --- 생각까지
    b) 무엇보다도 --- 생각만
    c) 무엇보다도 --- 생각까지
    d) 무엇이 --- 생각도

30. 신학과 천문학 _____ 케플러의 본업은 무엇이었을까? 독일의 작곡가 바그너는 _____ 자신이 쓴 시를 더 높이 평가했다. 시에서 영감을 얻어 아름다운 음악을 작 곡할 수 있었다는 것이다. 그렇다면 바그너는 시인인가, 작곡가인가?
    a) 부터 – 음악까지
    b) 중에서 – 음악보다는
    c) 까지 – 음악도
    d) 중이면 – 음악마다

31. 한국 부모들은 자식의 _____ 자식의 성공을 우선으로 생각 한다.
    a) 행복을   b) 행복보다   c) 행복에서   d) 행복과

32. 우리 옛 선조들이 고기를 먹을 때 마늘 양념을 치거나 마늘을 더불어 먹는 그 지혜는 지극히 과학적이었다고 할 수가 있다. 생마늘을 먹으면 소화가 잘 안되지만 고기를 먹을 때 마늘과 같이 먹으면 단백질인 고기의 소화를 _____ 육식의 효력을 빠르게 또 많이 내게 한다.
    a) 촉진시킴에서
    b) 촉진시킴까지
    c) 촉진시킴으로써
    d) 촉진시킴조차

33. 미니 분수는 가습기와 달리 _____ 계속해서 흐르면서 공기에 수분을 보충해 주기 때문에 오염될 우려가 없고 인테리어와 가습, 두 가지 _____동시에 볼 수가 있다.
    a) 물이 ---효과를
    b) 물을 ---효과가
    c) 물도 ---효과까지
    d) 물이 ---효과만

34. 한국의 콩음식 가운데 걸작은 콩나물이다. 일본이나 중국, 그리고 유럽이나 미국 등지에 녹두를 길러 먹는 숙주나물은 있어도 콩나물은 없다. 콩나물은 가장 한국적인 _____ 나물이다.

   a) 한국인에   b) 한국인으로써   c)한국인이든   d)한국인의

35. 한복의 치마는 몸에 맞게 둘러 감치는 인간 주체의 옷이다. 그러기에 몸이 커지거나 작아지거나 아랑곳없다. 또 입었을 때는 _____ 벗어놓으면 옷이 아닌 보자기가 된다. 그러기에 치마는 아이를 감싸는 포대기도 되고, 곡물이나 야채를 나르는 용기도 되고, 또 슬플 때는 눈물을 닦는 수건이 되기도 한다.

   a) 옷도   b) 옷을   c) 옷으로   d) 옷이지만

36 여러분! 세상에는 많은 사람들이 불우한 환경 속에서 고통받고 있습니다. 그들은 진실로 우리의 도움을 필요로 하며, _____ 그들에게 따스한 손을 내밀 수 있는 자리에 있습니다. _____ 나아가 손을 잡아 주고 격려의 말을 해 준다면 그들은 아마도 좀 더 강한 의지를 가지고 불우한 환경와 싸울 수 있을 것입니다.

   a) 우리는 – 우리에게   b) 그들은 – 저들에게
   c) 우리는 – 그들에게   d) 그들은 – 우리에게

37. 오늘은 _____ _____ 너무 많이 먹었다.
   a) 떡으로 — 과일이며   b) 떡이랑 — 과일이야
   c) 떡이며 — 과일이야   d) 떡이랑 — 과일이랑

38. 담배를 처음 피웠던 아메리카 인디언들의 담뱃대는 키의 두 배가 되었다 한다. 이 인디언의 담배 피우는 풍습을 그대로 배워와, 영국 _____ 최초로 담배를 피웠던 월터 로오리 경의 경우, 담배 피우는 그림을 보면 그 길이가 사람 키보다 훨씬 크다.

   a) 사람마다   b) 사람까지   c) 사람으로   d) 사람이라도

39. 흰색 _____ 입는 날은 유난히 음식이 잘 튀는 것 같다. 여자들은 공들여 입은 옷에 음식이 튀어 얼룩이 질까봐 여간 신경을 쓰는 게 아니다. 그러나 이런 얼룩도 _____ 조금만 하면 쉽게 지울 수 있다.

   a) 옷도 – 노력부터   b) 옷을 – 노력을
   c) 옷이 – 노력은   d) 옷에 – 노력도

40. 어른은 살이 찔 때 지방 세포의 크기가 늘어 나나, 성장기의 어린이는 지방 세포의 수와 크기가 동시에 늘어난다고 합니다. 그래서 살이 빠져도 세포수는 줄지 않고 크기만 줄어들어서 일단 살을 빼도 언제든지 다시 찔 가능성이 많습니다. 전문가는 "10 ~ 13 세 어린이의 비만 중 약 70%는 성인 _____ 옮아가며, 30 ~ 40%는 지방간, 고지혈증을 가지고 있고 비만이 지속되면 동맥 경화 _____ 보인다."고 말합니다.
   a) 비만까지 – 증세까지   b) 비만부터 – 증세로
   c) 비만으로 – 증세까지   d) 비만까지 – 증세가

41. 청소년은 스스로 살아가는 방법을 _____ 하지만, 어른들을 통해 많은 것을 배우기도 한다. _____ 무엇을 보고 배우며, 청소년기를 어떻게 보내느냐에 따라 사람의 일생은 결정된다.
   a) 터득하기도 – 청소년기에   b) 터득하여 – 청소년기만
   c) 터득하며 – 청소년기에서   d) 터득하기만 – 청소년기에도

42. 핵가족 제도와 대가족 _____ 각기 장단점을 가지고 있다. 핵가족 제도는 부부와 자식 _____ 이루어져 있어, 가족끼리 더 자유롭게 지낼 수 있다.
   a) 제도에서 – 만을   b) 제도는 – 만으로
   c) 제도만 – 만에   d) 제도로 – 만에게

43. 한국이 축구의 _____ 온 나라가 기쁨에 들떠있다.
   a) 우승까지   b) 우승에서
   c) 우승부터   d) 우승으로

44. 외국어라고는 영어밖에 모르는 내 친구 한 ____ 프랑스에 간 일이 있습니다. 프랑스 말을 모르기 때문에 영어로 말을 물어 보았다고 합니다. 그랬더니 그 프랑스 사람은 영어를 알고 있으면서도 프랑스 _____ 대답을 하더라는 것입니다.
   a) 사람께서 – 말이
   b) 사람이 – 말로
   c) 사람을 – 말은
   d) 사람에게 – 말도

45. 인간은 태어나면서부터 사회적 유대관계를 맺고 있다. 즉 인간은 사회의 _____ 함께 협동하면서 각자의 삶을 영위해 나간다. 그런데 오늘날 현대 사회는 자기 중심적인 이기주의자가 날로 심해짐에 따라, 자신의 이익을 위해서 이웃의 불행에 눈감아 버리는 예가 많다. 이런 사회 속에서 현대인들은 어떻게 살아가야 할 것인가?

    a) 일원이   b) 일원에   c) 일원으로써   d) 일원으로서

46. 이 컴퓨터는 몇 가지 우수한 성능을 보유하고 있습니다. 속도가 크게 향상되었습니다. 중앙 처리 장치와 모니터 사이에 신호를 직접 전달하는 장치를 새롭게 도입하여 처리 속도가 예전의 두 배 가량 빨라졌습니다. 본체와 모니터의 표면을 특수 섬유로 _____ 몸에 해로운 전자파를 80%이상 차단 했습니다.

    a) 코팅함으로써   b) 코팅함으로서
    c) 코팅하므로서   d) 코팅하므로써

47. 셰익스피어가 작품을 씀으로 하여 _____ 참으로 훌륭해진 것입니다. 영국 사람들이 셰익스피어를 인도와도 바꾸지 않겠다고 한 ____이런 까닭이 있다고 하겠습니다.

    a) 영어는 – 것은   b) 영어로 – 것에
    c) 영어랑 – 것과   d) 영어에 – 것이

48. 우리의 가족 생활을 살펴보자. _____ 아버지와 아들과 손자가 모두 함께 한 집에서 살았다. 그리고 가족이 늘 함께 있었고, 아버지는 아들에게, 어머니는 딸에게 살아가는 방법을 가르쳤다. 할아버지는 집안의 _____ 모든 결정권을 가지고 있었다.

    a) 옛날에도 – 어른으로서   b) 옛날에도 – 어른으로써
    c) 옛날에는 – 어른으로써   d) 옛날에는 – 어른으로서

49 뚱뚱한 체형도 고민이지만 너무 마른 _____ 옷을 입는데 더 많은 고민이 따른다. 이럴 땐 핑크, 연보라 등 파스텔 _____ 광택이 들어간 화려한 패딩 점퍼를 입으면 마른 체형도 숨기고 귀여운 이미지도 살릴 수 있다.

    a) 체형이 – 색상이   b) 체형도 – 색상이나
    c) 체형만 – 색상으로   d) 체형으로 – 색상까지

50. 나무는 목재로 이용하기 위한 목재수, 아름답게 가꾸어진 모습을 보기 위한 관상수, 그리고 열매를 먹기 위한 _____ 세 종류로 나눌 수 있습니다. 목재수에는 나왕, 티크 등이 있고, _____ 향나무, 사철나무 등이 있으며, 과수에는 사과나무, 배나무 등이 있습니다.

    a) 과수도 – 관상수에도   b) 과수는 – 관상수까지
    c) 과수의 – 관상수에는   d) 과수가 – 관상수라면

51. 서구화와 운동 부족, 스트레스 증가 등으로 인해 최근 _____ 당뇨병 환자가 급증하는 추세다.

    a) 한국에서도   b) 한국에게서   c) 한국에만   d) 한국이라도

52. 시험만 보면 _____ 하는 아이들이 있다. 이런 아이들은 다 아는 것 같은데, 매번 _____틀리니, 운이 좋지 않다고 생각한다.

    a) 실수를 – 실수로   b) 실수도 – 실수부터
    c) 실수로 – 실수도   d) 실수까지 – 실수만

53. 스웨덴 왕립 과학원은 18 일, 프랑스의 경제학자 모리스 알레 교수(78 세)를 금년도 노벨 경제학상 수상자로 결정했다고 발표했다. 이에 앞서 16 일, 스웨덴의 카를린스카 연구소는 금년도 노벨 의학상을 영국의 제임스 블랙 경 (64 세)과 미국의 의학 연구소 연구원 거트루드 엘리온 (73 세), 조지 히칭스 박사 (83 세) 등 _____ 공동으로 주기로 했다고 발표했다.

    a) 3 명부터   b) 3 명에게
    c) 3 명도   d) 3 명만

54. 미역과 김 등 해조류를 먹는 민족은 이 세상에 한국 사람과 일본 사람밖에 없다. 옛 중국 문헌에 보면 미역은 신라와 고려에서 나는 것으로 국을 끓여 먹으면 좋다고 했고, 고래가 새끼를 낳으면 미역을 뜯어 _____ 상처가 아물게 하는 것을 보고 고려 사람들이 _____ 먹인다고 했다.

    a) 먹음으로서 – 아기에게
    b) 먹음으로써 – 산부에게
    c) 먹어도 – 생일날에
    d) 먹으니까 – 백일잔치에

55. 교통 표지판은 그 기능에 따라 크게 주의표지, 규제표지, 지시표지의 셋으로 구분됩니다. 먼저 주의 표지는 전방의 상황을 알림으로써 운전자가 위험에 빠지지 않도록 주의를 주는 _____, 교차로 예고표지, 건널목 예고표지, 미끄러운 도로 표지 등이 있습니다.

   a) 표지도   b) 표지에서   c) 표지로서   d) 표지로

56. 청소년은 미래의 주인공이다. 청소년은 사회를 위해 창의력을 발휘하고, 사회에 새로운 희망을 심어 주어야 한다. 그리고 사회는 청소년을 길들이고 _____하여금 사회가 바라는 가치관을 가지고 사회를 위해서 올바른 일을 할 수 있는 능력을 지니도록 지도해야 한다. 그래야만 사회가 발전할 수 있다.

   a) 청소년으로   b) 청소년까지   c) 청소년부터   d) 청소년이면

Section III - Reading Comprehension

Directions: *Read the following selections carefully for comprehension. Each selection is followed by one or more questions or incomplete statements based on its content. Choose the answer or completion that is best according to the selection and fill in the corresponding oval on the answer sheet.*

Questions 57-58

> 남가주 청소년 합창단은 연습할 때는 아주 노래를 잘 불렀다. 그렇지만 어제 저녁 연주는 아주 망쳐버렸다. 단원들은 노래를 부르는 동안 객석을 보았다. 부모들이 객석에서 손을 흔들어 주었다. 단원들은 부모님들을 보고 웃다가 박자를 놓치기도 하고 화음도 제대로 맞추지 못했다. 연주가 끝나자 합창 단원들은 창피해서 고개를 들지 못했다.

57. Each of the following happened at the Southern California Youth Chorus concert except:

   a) they sing a song very well

   b) they missed the harmony

   c) their rhythm was off

   d) they laughed too much

58. How did the chorus members feel after the concert?

   a) angry

   b) proud

   c) ashamed

   d) excited

우리 언니 제이미와 우리 오빠 브라이언 그리고 나 캐런은 방과 후에 바쁘게 지내지요. 브라이언 오빠는 야구를 하지요. 오빠는 야구를 좋아하기도 하지만 아주 잘해요. 동화작가가 되고 싶은 우리 언니는 언제나 도서관에 가서 책을 읽지요. 나 캐런은 발레를 하지요. 나는 발레를 무척이나 좋아하지요. 우리 발레 선생님이 나더러 이 다음에 발레리나가 되라고 하셨어요.

59. What sport does Brian play?

  a) baseball

  b)basketball

  c) football

  d) tennis

60. What does my sister want to become?

  a) librarian

  b) teacher

  c) science fiction writer

  d) children's book author

61. My ballet teacher told me:

  a) I should become a ballet teacher

  b) I should open a ballet school

  c) I should become a ballerina

  d) I should quit ballet

온라인 교육의 가장 큰 매력은 등교하지 않아도 된다는 것, 컴퓨터만 있으면 세계 어디에서든지 온라인 학교에 출석할 수 있고 개인의 편의에 따라 수업시간 변경이 가능하다.

온라인 수업을 듣게 되면 지난 강의내용이나 질문, 과제를 언제나 다시 볼 수 있다. 또한 강의를 듣지 못한 부분은 언제든지 인터넷을 통해 복습할 수 있고 중요한 자료들이 컴퓨터에 입력돼 있어 잃어버릴 염려도 없다.

62. Where can one take online courses?

a) in your hometown

b) within your state

c) within your country

d) anywhere in the world

63. What is the benefit of online education?

a) I do not need to go to school everyday.

b) My instructor does not check up on me.

c) I have to carry my book with me wherever I go.

d) My instructor is available to answer my questions.

자녀를 마약으로부터 보호하는 방법이 있습니다.

마약에 관해 기본적인 지식을 갖고 계시면 아이들과 더욱 깊은 대화를 나누실 수 있습니다. 대화는 솔직하고 진지하게 하십시오. 그리고 부모님이 소중하게 생각하는 것은 다른 어떤 것 보다 아이들 자신임을 잘 느낄 수 있도록 해주십시오. 아이들의 일과 취미를 아시면 아이들의 생활을 이해하는데 많은 도움이 됩니다. 좀더 깊은 관심을 가지고 아이들 세계를 이해할 수 있도록 노력해 보십시오.

마약의 증상이나 그에 따른 대처 방법은 전화 1-888-258-3137 이나 인터넷 www.theantidrug.com/korean 을 이용하시면 자세히 알 수 있습니다.

64. What is the parents' responsibility for their children?

    a) protect them from the harmful effects of drugs

    b) have a hobby activity together with their children

    c) try to understand their children

    d) give them their independence

65. What is the most important attitude a parent can have when approaching their children?

    a) know about your children's interests and hobbies

    b) be honest and sincere when talking to your children

    c) prioritize your children above all other aspects of your life

    d) try to understand your children's life apart from your own

장학생 선발공고

본 협회에서는 다음과 같이 장학생 10 명을 선발하고자 하오니 많은 응모 있으시기 바랍니다.

자격: 대학에서 회계, 경영, 경제를 전공하여 공인회계사가 되려고 하는 자.
제출서류:　대학 성적증명서 사본
　　　　　본인의 장래계획에 관한 수필
　　　　　부모님 세금보고서 사본
장학금: 1 인당 1000 불
마감: 12 월 31 일
보낼 곳: KACPA　(1234 Main Street　Los Angeles CA 90020)
문의처: 총무 홍길동 (213) 555-2294

미주 공인회계사 협회

66. What is the subject of this announcement?

  a) job opening　　　　　　　　b) scholarship

  c) tax services　　　　　　　　d) college recruitment event

67. What paperwork must be submitted?

  a) official transcripts　　　　　　b) copy of your last year's tax report

  c) letter of recommendation　　　　d) application

68. Each of the following college majors are mentioned in the announcement *except:*

  a) accounting　　　　　　　　b) management

  c) economics　　　　　　　　d) political science

69. What is important about December 31?

  a) it is the due date

  b) it is the night of the fundraising banquet

  c) it is the night of a New Year's Eve party

  d) it is the night of a party for KACPA members

　　미국에서 태어났어도 영어를 모르는 채 학교에 들어가 이중언어 반에 들어가야 하는 많은 이민 자녀의 아이들이 있습니다. 또 한편으로는 자신들이 영어 못하는 것이 서러워 아이들을 영어만 가르쳐 부모와 간단한 말 외에는 의사소통이 안 되는 자녀들을 가진 부모가 많이 있습니다. 그러나 내 아이들이 영어와 모국어인 한국어를 자유자재로 구사할 수 있다면 얼마나 좋을까요?

70. From whose point of view is the passage written?

　　a) 2nd generation Korean-American

　　b) Immigrant parent

　　c) Sociology professor

　　d) High school teacher

71. According to the passage, what happens to many American born children of immigrant parents?

　　a) disregard the mother tongue

　　b) they learn only in English

　　c) they learn Korean first

　　d) they learn both languages simultaneously

72. What is the hope of the author of this passage?

　　a) that immigrant youth learn English and succeed

　　b) that immigrant youth only learn Korean in school

　　c) that parents have more say in their children's education

　　d) that immigrant youth would be bilingual

Questions 73-76.

I 학원 매니저 구함 대인 관계에 명랑하고 믿을 수 있고 창의력 있는 분 영어 한국어 이중언어 능통자 이력서를 먼저 e-mail 이나 팩스로 보내주세요. e-mail: nni@hakwon.com Fax: (949) 000-0909	**II** 미국 속에 한국을 알리는 대표방송인 라디오 한국 방송에서는 유능한 인재를 모집합니다. 영어, 한국어 이중언어를 구사할 수 있는 분 취업에 결격사유가 없는 분 이력서를 팩스로 보내주세요.. 라디오 한국 방송 총무국 Fax: (323) 999-8888
III 양로보건센터에서는 노인 분들을 사랑과 정성으로 돌볼 분을 찾습니다. 이중언어 구사자 경험자 우대 시민권자나 영주권자 이력서를 보내주세요 Fax: (213) 333-4444	**IV** 가나다 보험회사 미국 굴지의 보험회사 중의 하나인 가나다 보험회사에서 새로운 사원을 모집합니다. 자동차 보험에서부터 장 례 보험에 이르기까지 다양한 상품이 있습니다. 이 일을 하시면서 꿈을 이 루시기 바랍니다. 연락처 (800) 888-4444

73. Susan has been work for Teacher's Assistant 3years.   She is fluent in English and Korean. She needs to earn money during the summer before going back to college. Which of these ads is best suited to her background?

a) I   b) II   c) III   d) IV

74. William has been working in real estate for 3 years.   Unsatisfied with his career, he is looking for a change .   He would like to see what it is like to work as an insurance agent. Which of these ads is best suited to his background?

a) I   b) II   c) III   d) IV

75. Peter has been working for his university broadcasting station since his sophomore year.   He is about to graduate, and is seeking similar employment.   Which of these ads is best suited to his background?

a) I   b) II   c) III   d) IV

76. Sandy has 5 years experience as a nursing assistant.   Now that her baby is 3 years old, she
    wants to return to work.   Which of these ads is best suited to her background?

    a) I   b) II   c) III   d) IV

Questions 77-80.

전화번호부 찾아보기

가	변호사 ----------- 104	식당—한식------ 192	차
가구점 -------------64	병원—가정의--- 105	일식 ----- 199	철공소 ----------250
간판 ----------------65	검안과 ----- 106	중국식 --- 200	철물점 -----------251
건축설계----------66	내과 ------- 108	양식 ------ 203	청소재료상 ------252
공인회계사-------68	산부인과-- 110	식품점 ----------- 205	청소회사 ---------253
공증 ----------------70	소아과 ----- 114	신문사------------211	
꽃집 ----------------73	안과 -------- 116	실내장식--------- 212	카
광고 ----------------74	외과 -------- 118		카펫, 카텐 ------264
교육기관----------76	정신과 ----- 120	아	캐더링 -----------265
	치과 -------- 124	안경원----------- 215	컴퓨터 -----------266
나	한의원 ----- 130	애완동물--------- 218	콘크리트 ---------268
냉동 에어컨 ------85	보석, 시계------ 142	약국 ------------- 219	
노래방-------------90	보험 -------------- 143	양복점 ----------- 210	타
	봉제공장 --------- 149	여행사------------ 212	태권도장 ---------276
다	부동산회사------ 150	열대어------------ 213	택시 -------------278
당구장-------------91		옷수선 ----------- 214	
떡집 ----------------92	사	운동구점-------- 215	파
도난 방지기 ------93	사무기기 -------- 160	유리 ------------- 216	페인팅 -----------288
	사무용품 --------- 162	은행 ------------- 217	PC방-------------290
마	사진 촬영------- 164	이발관----------- 218	피아노 조율-----293
미용실-------------95	사진 현상-------- 168	인쇄소----------- 219	
미용재료상-------98	상패 -------------- 170		하
	생활용품 --------- 172	자	학교—미술학원 303
바	서적 -------------- 178	자동차매매----- 229	음악------304
반찬 ------------- 100	세탁소 ----------- 180	수리-- --- 234	무용-------305
방앗간----------- 102	수도설비 --------- 182	운전학교--237	피아노----306
빵집 ---------------- 103	수영장 건설----- 184	폐차장 ---- 240	한국학교-307
			화장품 -----------309

77. Phillip wants to buy a bulldog.   What page will he find the relevant information?

   a) 212   b) 213   c) 215   d) 218

78. I am trying to do a tax report. What page will he find the relevant information?

   a) 66   b) 68   c) 93   d) 160

79. Dennis got into an automobile accident.   His car was completely totaled. What page will he find the relevant information?

   a) 234   b) 237   c) 240   d) 250

80. Tony needs to get a custom-fitted suit. What page will he find the relevant information?

   a) 106   b) 108   c) 110   d) 124

Test 3

Sentences ·Spacing ·Punctuation

Health

Food

SATII Korean Practice Test Answer Sheet

Name _____ Date _____ Test No.: __3__

1. ⓐ ⓑ ⓒ ⓓ	28. ⓐ ⓑ ⓒ ⓓ	55. ⓐ ⓑ ⓒ ⓓ
2. ⓐ ⓑ ⓒ ⓓ	29. ⓐ ⓑ ⓒ ⓓ	56. ⓐ ⓑ ⓒ ⓓ
3. ⓐ ⓑ ⓒ ⓓ	30. ⓐ ⓑ ⓒ ⓓ	57. ⓐ ⓑ ⓒ ⓓ
4. ⓐ ⓑ ⓒ ⓓ	31. ⓐ ⓑ ⓒ ⓓ	58. ⓐ ⓑ ⓒ ⓓ
5. ⓐ ⓑ ⓒ ⓓ	32. ⓐ ⓑ ⓒ ⓓ	59. ⓐ ⓑ ⓒ ⓓ
6. ⓐ ⓑ ⓒ ⓓ	33. ⓐ ⓑ ⓒ ⓓ	60. ⓐ ⓑ ⓒ ⓓ
7. ⓐ ⓑ ⓒ ⓓ	34. ⓐ ⓑ ⓒ ⓓ	61. ⓐ ⓑ ⓒ ⓓ
8. ⓐ ⓑ ⓒ ⓓ	35. ⓐ ⓑ ⓒ ⓓ	62. ⓐ ⓑ ⓒ ⓓ
9. ⓐ ⓑ ⓒ ⓓ	36. ⓐ ⓑ ⓒ ⓓ	63. ⓐ ⓑ ⓒ ⓓ
10. ⓐ ⓑ ⓒ ⓓ	37. ⓐ ⓑ ⓒ ⓓ	64. ⓐ ⓑ ⓒ ⓓ
11. ⓐ ⓑ ⓒ ⓓ	38. ⓐ ⓑ ⓒ ⓓ	65. ⓐ ⓑ ⓒ ⓓ
12. ⓐ ⓑ ⓒ ⓓ	39. ⓐ ⓑ ⓒ ⓓ	66. ⓐ ⓑ ⓒ ⓓ
13. ⓐ ⓑ ⓒ ⓓ	40. ⓐ ⓑ ⓒ ⓓ	67. ⓐ ⓑ ⓒ ⓓ
14. ⓐ ⓑ ⓒ ⓓ	41. ⓐ ⓑ ⓒ ⓓ	68. ⓐ ⓑ ⓒ ⓓ
15. ⓐ ⓑ ⓒ ⓓ	42. ⓐ ⓑ ⓒ ⓓ	69. ⓐ ⓑ ⓒ ⓓ
16. ⓐ ⓑ ⓒ ⓓ	43. ⓐ ⓑ ⓒ ⓓ	70. ⓐ ⓑ ⓒ ⓓ
17. ⓐ ⓑ ⓒ ⓓ	44. ⓐ ⓑ ⓒ ⓓ	71. ⓐ ⓑ ⓒ ⓓ
18. ⓐ ⓑ ⓒ ⓓ	45. ⓐ ⓑ ⓒ ⓓ	72. ⓐ ⓑ ⓒ ⓓ
19. ⓐ ⓑ ⓒ ⓓ	46. ⓐ ⓑ ⓒ ⓓ	73. ⓐ ⓑ ⓒ ⓓ
20. ⓐ ⓑ ⓒ ⓓ	47. ⓐ ⓑ ⓒ ⓓ	74. ⓐ ⓑ ⓒ ⓓ
21. ⓐ ⓑ ⓒ ⓓ	48. ⓐ ⓑ ⓒ ⓓ	75. ⓐ ⓑ ⓒ ⓓ
22. ⓐ ⓑ ⓒ ⓓ	49. ⓐ ⓑ ⓒ ⓓ	76. ⓐ ⓑ ⓒ ⓓ
23. ⓐ ⓑ ⓒ ⓓ	50 ⓐ ⓑ ⓒ ⓓ	77. ⓐ ⓑ ⓒ ⓓ
24. ⓐ ⓑ ⓒ ⓓ	51. ⓐ ⓑ ⓒ ⓓ	78. ⓐ ⓑ ⓒ ⓓ
25. ⓐ ⓑ ⓒ ⓓ	52. ⓐ ⓑ ⓒ ⓓ	79. ⓐ ⓑ ⓒ ⓓ
26. ⓐ ⓑ ⓒ ⓓ	53. ⓐ ⓑ ⓒ ⓓ	80. ⓐ ⓑ ⓒ ⓓ
27. ⓐ ⓑ ⓒ ⓓ	54. ⓐ ⓑ ⓒ ⓓ	81. ⓐ ⓑ ⓒ ⓓ

Section I – Listening

Directions: *In this part of the test you will hear several spoken selections. They will not be printed in your test book. You will hear them <u>only once</u>. After each selection you will be asked one or more questions about what you have just heard. These questions, with four possible answers, are printed in your test booklet. Select the best answer to each question from among the four choices printed and fill in the corresponding oval on your answer sheet.*

<u>Questions 1-2.</u>
Listen to this conversation. Then answer questions 1 and 2.

1. Which of the following is the most likely relationship between the two women?
   a) mother/ daughter   b) sisters
   c) close friends   d) co-workers

2. Which of the following is ***not*** true about the woman in the passage?
   a) she eats an early lunch
   b) she usually skips breakfast
   c) she only drinks coffee in the morning
   d) she gets hungry before lunch

<u>Questions 3-4.</u>
Listen to this discussion between two women. Then answer questions 3 and 4.

3. What is the topic of their conversation?
   a) the pain of ear infections
   b) the pain of getting your ears pierced
   c) the difficulty of having migraine headaches
   d) the discomfort of sinus problems

4. When did one of the women have this problem before?
   a) in elementary school
   b) in middle school
   c) in high school
   d) in college

Questions 5-6.

Listen to this conversation between co-workers. Then answer questions 5 and 6.

5. How did the man hurt himself?
   a) hurrying down the stairs
   b) coming out of a taxi
   c) slipping on a wet floor
   d) falling off a bicycle

6. What is the man's injury?
   a) he broke his arm
   b) he broke his leg
   c) he sprained his ankle
   d) he threw out his back

Questions 7-8.

Listen to this conversation between a man and a woman. Then answer questions 7 and 8.

7. What is the relationship between the speakers?
   a) husband / wife
   b) brother-in-law / sister-in-law
   c) father-in-law / daughter-in-law
   d) boss / secretary

8. What does the woman give the man during the conversation?
   a) gal-bi (Korean barbecue ribs)   b) a napkin
   c) a pillow   d) green tea

Questions 9-10.

Listen to this short exchange between a man and a woman. Then answer questions 9 and 10.

9. What is the relationship between the man and the woman?
   a) doctor / patient   b) dentist / patient
   c) teacher / student   d) boss / secretary

10. What is the woman's request?

    a) Please give me an extension on my project.

    b) Please let me bring my son into the office with me.

    c) Please let me pay with my credit card.

    d) Please be careful so the procedure doesn't hurt.

Questions 11-12.

Listen to this conversation between a husband and a wife. Then answer questions 11 and 12.

11. What vegetables are good to eat with meat?

    a) onions and garlic

    b) onions and ginger

    c) garlic and green onions

    d) green onions and ginger

12. What is the man's concern?

    a) too much meat will raise your cholesterol

    b) he does not like eating very much meat

    c) he does not like eating vegetables

    d) he sees no reason to suddenly eat more vegetables

Questions 13-14.

Listen to this conversation about cold noodles. Then answer questions 13 and 14.

13. How does the man feel about cold noodles?

    a) They are his favorite food

    b) They are his favorite type of noodle

    c) He eats it, but they are not his favorite

    d) He only eats hot noodles

14. What makes the cold noodles taste better?

    a) vinegar and mustard   b) soy sauce and mustard

    c) vinegar and hard-boiled-egg   d) soy sauce and hard-boiled egg

Questions 15-16.

Listen to this conversation between a man and a woman. Then answer questions 15 and 16.

15. According to the passage, all of the following are causes for stuffy/ runny noses *except:*
    a) air conditioning in the summer
    b) allergies
    c) constant exposure to cold air
    d) the flu

16. How often does the woman experience a head cold?
    a) all year long
    b) all summer long
    c) only when she is exposed to cold air
    d) once a year

Question 17-19.

Listen to this conversation at a doctor's office. Then answer questions 17, 18 and 19.

17. What kind of doctor is Dr. Kim?
    a) obstetrician
    b) pediatrician
    c) podiatrist
    d) ophthalmologist

18. Which of the following is one of Annie's symptoms?
    a) swollen tonsils
    b) swollen ankles
    c) high fever
    d) diarrhea

19. About how long before Annie is expected to recover?
    a) 8-10 days   b) 5-7 days
    c) 3-4 days   d) 2-3 days

Questions 20-22.

Listen to this short exchange between a man and a woman. Then answer questions 20, 21 and 22.

20. What is most likely the relationship between the man and the woman?

    a) husband / wife

    b) brother / sister

    c) father / daughter

    d) son / mother

21. What are they having for dinner?

    a) Korean barbecue

    b) glass noodles with mixed vegetables

    c) sweet and sour chicken

    d) vegetable dumplings

22. What does the woman need to get at the store?

    a) beef   b) onions

    c) glass noodles   d) mushrooms

Questions 23-24.

Listen to this conversation at the optometrist's office. Then answer questions 23 and 24.

23. How does the girl know she has an eye problem?

    a) she is having difficulty reading street signs

    b) she is having difficulty recognizing her friends from a distance

    c) she is having difficulty reading the chalkboard

    d) she failed the eye exam

24. What letter does the optometrist ask the girl to identify?

    a) E

    b) M

    c) Z

    d) She cannot tell

Listen to this conversation between two friends. Then answer questions 25 and 26.

25. Misook shows all of the following ailments **except:**

    a) sneezing

    b) fever

    c) coughing

    d) runny nose

26. How will Misook contact the doctor?

    a) He is her regular doctor- she will call for an appointment

    b) He is her friend's doctor- her friend will make the appointment for her

    c) He is her friend's doctor- her friend will give her the phone number

    d) Her friend gave her his name, but she must look up the doctor's number in the phone book

Questions 27-29.

Listen to this conversation about what to have for dinner. Then answer questions 27, 28 and 29.

27. What is the relationship between the man and the woman?

    a) husband / wife

    b) father / daughter

    c) customer / waitress

    d) waiter / customer

28. What does the man want to eat?

    a) Fried fish and soybean paste stew

    b) Korean barbecue and soybean paste stew

    c) Fried fish and cold noodles

    d) Cold noodles and soybean paste stew

29. What does the man want to drink?

    a) water   b) cola

    c) green tea   d) beer

Directions: *This section consists of a number of incomplete statements, each of which has four suggested completions. Select the word or phrase that best completes the sentence structurally and logically and fill in the corresponding oval on the answer sheet.*

30. 어머니가 자식의 성공과 장래를 위해서 _____ 고생할 때, 아내가 남편을 위하여 큰일 작은일에 정성스러운 노력을 기울일 때, 우리는 삶에 보람을 느낀다.

    a) 밤낮으로   b) 밤나즈로   c) 밤낮으로   d) 밤낫으로

31. 달걀을 그릇에 깨뜨려 _____ 소금 1/4 작은 술과 설탕 1/2 작은 술을 넣어 젓가락으로 _____.

    a) 넣코 – 성는다   b) 너코 – 석는다

    c) 넣고 – 섞는다   d) 너고 – 섞은다

32. 항상 교실을 청결하게 _____감기에도 걸리지 _____ 건강한 학교 생활을 할 수 있다.

    a) 하므로서 – 안코   b) 함으로써 – 않고

    c) 하므로써 – 안고   d) 함으로서 – 않코

33. 아무리 많은 자원이 있다 하더라도 국민이 병들었으면 그 나라는 잘 살 수 없다. 따라서 우리는 국민 모두 _____ 정신을 가지도록 하기 위해 최선의 노력을 기울이지 않으면 안 된다.

    a) 올발른   b) 옳바른   c) 올바른   d) 옳발른

34. 여자아이들은 음식 만드는 법과 바느질 솜씨를 가정에서 _____, 웃어른 공경하고 섬기는 것도 집안 어른들에게서 배운다.

    a) 익키고   b) 이키고   c) 익히고   d) 이히고

35. 책을 많이 _____ 세계 여러 나라의 문화를 배울 수 있다. 또 _____으로나마 자신이 직접 경험해 보지 못한 것을 경험할 수도 있다.

    a) 일그면 – 갑적적   b) 읽으면 – 간적접

    c) 일으면 – 간접쩍   d) 읽그면 – 간접적

36. 칵테일은 알코올 섭취로 인해 파괴되는 비타민, 단백질 등의 영양을 부재료를 통해 보완하여 알코올 도수를 낮추어 위와 간의 부담을 적게 한다.
칵테일을 만드는 사람, 바텐더는 바(bar)를 부드럽게(tender) 해준다는 뜻으로 세이키 (칵테일 만드는 통)와 술병을 자유자재로 돌리며 손님을 _____.
a) 즐겁게 한다   b) 즐겁게 할까?
c) 즐겁게 합시다   d) 즐겁게 하세요

37. 그가 발표한 새로운 이론을 믿을 수가 없어요. 그는 이름도 알려지지 않은 후진국에서 온 학자인데, 그런 사람이 제대로 된 이론이 뭔지 _____
a) 알기나 하겠어요?   b) 알기는 할 것이다.
c) 알게 해 줍시다   d) 너무 잘 압니까?

38. 소방서의 통계에 따르면 전기 사고로 인한 화재가 가장 많이 발생한다고 합니다. 따라서 우선은 전기 시설을 미리 점검하고 합선이나 과열로 인한 화재가 발생하지 않도록 주의해야 할 것입니다. 날씨가 건조해지면 화재가 빈번히 발생하게 됩니다. 불은 많은 재산 피해를 내며 소중한 사람의 목숨까지 빼앗아가는 _____.
a) 위험한 존재가 아닙니다   b) 위험한 존재입니다
c) 위험한 존재라고 합니다   d) 위험한 존재입니까?

39. 결혼은 인생의 비밀을 찾아 기꺼이 모험을 같이 할 동지를 택하는 것이다. 아내나 남편을 진정으로 사랑하며 부부가 아니면 맛볼 수 없는 결혼생활의 비밀을 찾았으면 좋겠다. 그리고 그 출발점은 결혼의 의미와 신비를 _____.
a) 믿는 것일까?   b) 믿어야 한다
c) 믿는 것이다   d) 믿으면 안된다

40. 우울증 같은 정신 질환이나 심한 코골이, 자면서 다리를 움직이는 사지운동증 등도 불면의 원인이다. 현대인들을 자기 시간을 갖는다고 무조건 수면시간을 줄이는 경우가 많은데 이는 오히려 정상적인 사회활동을 저해하게 되므로 _____.
a) 피해야 할까?   b) 피하도록 하시지요
c) 피하면 안된다   d) 피해야 한다

41. 우리 가족은 등산을 자주 다닌다. 아버지께서 등산을 좋아하시기 때문이다.

_____.

   a) 아버지께서 등산을 다니시게 된 것은 건강 때문이라고 하신다
   b) 아버지께서 등산을 다니시게 된것은 건강 때문이라고 하신다
   c) 아버지께서 등산을 다니시게 된 것은 건강 때문 이라고 하신다
   d) 아버지께서 등산을 다니시게 된것은 건강 때문 이라고 하신다

42. 찌는듯한 무더위에 거리는 한산했다. 사람들은 건물밖으로 나오기를 꺼렸고,

_____.

   a) 그 나마 거리를 오 가는 사람들의 발 걸음도 지친 듯 느릿느릿했다
   b) 그나마 거리를 오 가는 사람들의 발걸음도 지친듯 느릿느릿 했다
   c) 그나마 거리를 오가는 사람들의 발걸음도 지친 듯 느릿느릿했다
   d) 그나마 거리를 오가는 사람들의 발 걸음도 지친듯 느릿느릿했다

43. 온돌방은 세계적으로 고유한 한옥의 양식이라 해도 좋을 만큼 독창적이다.
_____, 양식상으로는 흔히 침대방과 구별되는 의미를 부여한다.
   a) 말뜻 그대로는 따뜻한 돌바닥으로 된 방을 일컫고
   b) 말 뜻 그대로는 따뜻한 돌 바닥으로 된방을 일컫고
   c) 말 뜻 그대로는 따뜻한 돌바닥으로 된 방을 일컫고
   d) 말뜻 그대로는 따뜻한 돌 바닥으로 된 방을 일컫고

44. 요즘 미국에는 날개가 돋힌 듯이 팔리는 화제의 책이 하나 있다. 이름하여

_____.

   a) '지구를 구하는데 당신이 할 수 있는 50가지 간단한 일들?'이다
   b) '지구를 구하는 데 당신이 할 수 있는 50가지 간단한 일들'이다
   c) '지구를 구하는데 당신이 할 수 있는 50가지 간단한 일들'이다
   d) '지구를 구하는데 당신이 할수 있는 50가지 간단한 일들!'이다

45. 신문의 구실은 나라 안팎, 먼 곳, 가까운 곳의 소식을 전해 주는 데에 있다. 이와 같은 새로운 소식은 누구에게나 _____.
   a) 궁금한 것일 뿐 아니라, 반드시 알아야 할 일들이 적지 않다
   b) 궁금한것일 뿐 아니라, 반드시 알아야 할일들이 적지 않다
   c) 궁금한 것일 뿐아니라, 반드시 알아야 할 일들이 적지않다
   d) 궁금한 것일 뿐 아니라, 반드시 알아야할 일들이 적지않다

46. 영국 사람들은 그들의 국어인 영어를 얼마나 사랑하는지 모릅니다. 독일 사람들도 그 렇습니다. _____
   a) 모두 자기네 국어보다 더좋은 언어가 없다고 자랑합니다.
   b) 모두 자기네 국어보다 더 좋은 언어가 없다고 자랑합니다.
   c) 모두 자기네 국어보다 더좋은 언어가 없다고 자랑 합니다.
   d) 모두 자기네 국어보다 더 좋은 언어가 없다고 자랑 합니다.

47. 피터: 이거 누구 사진이니?
   수지: 내 어릴 적 사진이야.
   피터: _____
   a) 와, 옛날 엔 예뻤었구나!
   b) 와, 옛날 엔 예뻤었구나?
   c) 와, 옛날엔 예뻤었구나!
   d) 와, 옛날엔 예뻤었구나?

48. 선생님: 자, 모두들 숙제를 내 주세요.
   학생: _____
   a) 이크, 내가 숙제를 깜빡잊었군!
   b) 이크, 내가 숙제를 깜빡 잊었군?
   c) 이크, 내가 숙제를 깜빡 잊었군!
   d) 이크, 내가 숙제를 깜빡잊었군----

49. 어느날, 어머니는 무슨 볼일이 있어 시내까지 나를 데리고 나가셨다가, 버스에서 내려 집으로 돌아오는 길에, 빵집에 들르신 일이 있었다.
   a) "뭐, 좀 맛있는 게 있나 보자."
   b) "뭐, 좀 맛있는 게 있나 보자!"
   c) "뭐, 좀 맛있는 게 있나 보자---".
   d) "뭐, 좀 맛있는 게 있나 보자?"

50. _____ 이 문제는 많은 과학자들 사이에 논란이 되고 있다. 그런데 지금까지 화성에 생명체가 있는지 확인 할 수가 없다.
   a) 화성에도 사람이 살 수 있을까?
   b) 화성에도 사람이 살 수 있을까!
   c) 화성에도 사람이 살 수 있을까---.
   d) 화성에도 사람이 살 수 있을까.

51. 우리는 숨을 쉬면서 전혀 공기에 대해 생각하고 있지 않듯이 이 땅에 살면서
_____.
   a) 그 아름다움을 따로 떼어 생각하지 않고 있다
   b) 그 아름 다움을 따로 떼어 생각하지 않고 있다
   c) 그 아름다움을 따로 떼어 생각 하지 않고 있다
   d) 그 아름다움을 따로 떼어 생각하지 않고있다

52. 서른다섯 살의 짧은 삶을 마감한 모짜르트를 비롯해 그 시대를 전후해 활동한 음악가
들은 대개 요절했다. 흥미로운 것은 요절한 음악가들일수록 그들의 _____
_____.
   a) 천재성은 일찍부터 드러 나기 시작 했다는 점이다
   b) 천재성은 일찍부터 들어나기 시작했다는 점이다
   c) 천재성은 일찍부터 드러나기 시작했다는 점이다
   d) 천재성은 일찍부터 들어 나기 시작 했다는 점이다

53. 2차대전 당시 무솔리니는 이탈리아 전차의 후진 기어를 모두 없애도록 명령했다. 후진
기어를 없애 버린 전차는 앞으로 나갈 수는 있어도, _____.
   a) 뒤로 물러날 수는 없을 것이다
   b) 전진할 수는 없을 것이다
   c) 앞으로 물러날 수는 없을 것이다
   d) 앞으로도 뒤로도 후퇴는 없을 것이다

54. 성인은 식견과 덕망이 매우 뛰어난 인물로서 예수, 공자, 석가와 같은 이들은 수천 년
이 지난 오늘날까지도 _____.
   a) 그들의 가르침을 수 많은 사람들이 따르고 있다
   b) 그들의 가르침을 수 많은 사람들이 후회하고 있다
   c) 그들의 가르침을 수 많은 사람들이 믿지 않고 있다
   d) 그들의 가르침을 수 많은 사람들이 무시하고 있다

55. 컴퓨터를 통해 전자서점을 이용하는 사람들은 서점에 가는 시간과 비용을 절감할 수
있으며, 출판사와 서점은 인력과 비용을 절감하고 _____.
   a) 재고에 대한 부담도 줄 수 있는 장점이 있다
   b) 재고에 대한 부담을 덜 수 있는 단점이 있다
   c) 재고에 대한 부담을 덜 수 있는 장점이 있다
   d) 재고에 대한 부담도 줄 수 있는 단점이 있다

Section III - Reading Comprehension

Directions: Read the following selections carefully for comprehension. Each selection is followed by one or more questions or incomplete statements based on its content. Choose the answer or completion that is best according to the selection and fill in the corresponding oval on the answer sheet.

Questions 56-58.

당신이 피우는 담배가 당신의 가장 가까운 사람들, 특히 아이들에게 해가 된다는 것을 아십니까? 조사 결과에 따르면, 흡연 부모의 아이들이 기관지염, 천식, 중이염으로 인한 병원치료를 훨씬 많이 받는다고 합니다. 뿐만 아니라 간접흡연은 아이들에게 감기나 폐렴 등 호흡기 질환에 걸릴 가능성을 더욱 높게 합니다.

담배에 불을 붙이실 때는 먼저 아이들을 생각해 보세요.
바로 당신이, 간접흡연의 해로움으로부터 당신의 아이를 지킬 수 있습니다.

금연에 관한 정보가 필요하시면 **캘리포니아 금연상담소**
1-800-555-5564로 문의하십시오.

56. Each of the following are effects on children with parents who smoke *except*:
    a) bronchitis   b) mid-ear disease
    c) asthma   d) strep throat

57. Research shows children with parents who smoke:
    a) go to the hospital more often than children of non-smokers
    b) go to the hospital at the same rate as children of non-smokers
    c) go to the hospital less than children of non-smokers
    d) the research is as yet inconclusive

58. How does the announcement encourage smoking parents?
    a) do not smoke around your children
    b) quit smoking immediately
    c) think of your children's need before your own
    d) sign up for our program to help you quit

장수 순두부

말랑말랑하면서도 부드러운 순두부,
아무도 흉내낼 수 없는 무공해 두부로 만든
장수 순두부를 즐겨보세요.
장수 순두부는 단백질과 지방이 풍부하여 피부를 곱게 하고
노화를 방지하며 성인병 예방에 탁월한 효과가 있습니다.
장수 순두부를 잡수시고 장수하세요.

주 7일 24시간 영업을 하며 배달도 해드립니다.
전화 (323) 499-8989

59. How does "Jangsu Soondubu" describe its tofu?

   a) firm yet tender

   b) tender and soft

   c) chewy and well-seasoned

   d) spicy and delicious

60. Each of the following are positive aspects of eating soondubu *except:*

   a) it softens your skin

   b) it helps preserve your youth

   c) it helps prevent geriatric diseases

   d) it helps your digestion

61. Which of the following is true about Jangsu Soondubu's service?

   a) it is open 24 hours a day, and delivery is available

   b) it is open 24 hours a day, but delivery is not available

   c) delivery is only available after 7pm

   d) it's grand opening is on July 24th

Questions 62-64.

재료(4인분)

　　쇠갈비 2 Lbs
　　참기름 3 큰 술, 진간장 5 큰 술, 후추가루 약간,
　　파 1단, 마늘 1/4 통,　배 반개, 설탕 2 큰 술,
만드는 법
　　1. 연한 암소 갈비 살을 칼로 얇게 저며 잔 칼집을 고루 넣는다.
　　2. 파, 마늘을 곱게 다지고 배는 갈아서 다른 조미료와 함께 양념간장을
　　　만든다.
　　3. 갈비살에 양념간장이 고루 배게 잘 주물러서 재운다.
　　4. 냉장고에 하루 정도 보관하였다가 숯불에 뜨겁게 달군 석쇠에
　　　얹어서 굽는 게 맛이 있다. 돌판 구이, 솥뚜껑 구이도 있다.

62. From what type of text is the passage most likely an excerpt?

　　a) grocery list　　　　　　　　b) cookbook

　　c) receipt　　　　　　　　　　d) menu

63. How long are the ribs marinated?

　　a) 20 minutes　　　　　　　　b) 1 hour

　　c) 3 hours　　　　　　　　　　d) 1 day

64. What is the recommended method of cooking the ribs?

　　a) on a stone pan　　　　　　b) inside the inverted lid of a large pot

　　c) char-broiled　　　　　　　d) in a frying pan

콜드큐

잘 낫지 않는 요즘 감기에 잘 맞도록 고안된 새로운 처방의 복합 감기약입니다.

I) 특징

1. 열을 내리고 기침을 멈추게 하며, 두통 근육통 등의 감기 몸살에 효과를 나타냅니다.

2. 재채기 콧물, 코 막힘 등 코감기의 치료효과를 더욱 높여 줍니다.

3. 감기로부터 빠른 회복을 도와줍니다.

II) 용법, 용량: 성인 1회 2정, 어린이 1회 1정, 1일 3회 식후 30분에 복용하십시오. 본 약품은 우수 의약품 제조 관리 기준에 따라 제조 및 품질 검사를 마친 제품입니다.

만약 구입시 사용기간이 경과되었거나 변질된 의약품을 구입하였을 때는 구입처를 통해 교환하여 드립니다.

신한국 제약주식회사   전화 555-8888

65. What kind of medicine is described above?

   a) cough medicine   b) aspirin

   c) allergy medicine   d) cold medicine

66. How many times a day should an adult take this medicine?

   a) Two pills at a time, three times a day

   b) One pill at a time, one time a day

   c) Two pills at a time, twice a day

   d) One pill at a time, three times a day

67. What do you do when you purchase this medicine that is already expired?

   a) send it into the manufacturer for an exchange

   b) get a full refund at the drug store where you purchased it

   c) return it to the drug store where you purchased it for an exchange

   d) read the label carefully before you purchase any medication

지금 하와이에서는 한국음식이 점점 대중화 되어가고 있다. 그 예로 대표적인 하와이의 서양 식당 "알로하"가 김치를 주 재료로 만든 메뉴를 선보였다. "알로하"의 김치요리 메뉴는 김치 볶음밥, 김치 찌개, 김치 버거, 김치 비프 샌드위치등 모두 4가지이다.

김치 메뉴에는 한글로 '김치'라고 적혀 있으며, 다른 음식을 먹을 때 김치만 따로 주문 할 수도 있다. 한국사람이 운영하는 식당이 아닌 곳에서 이렇게 다양한 김치 요리를 선 보인 것은 작년 4월부터이며, 고객들로부터 꾸준한 인기를 얻고 있다.

식당 "알로하"는 하와이에 48개의 지점을 가지고 있는 식당이다.

68. Each of the following are on the "kimchi" menu   *except:*

    a) kimchi fried rice

    b) kimchi burger

    c) kimchi beef sandwich

    d) kimchi salad

69. What side dishes are available?

    a) bean sprouts

    b) kimchi

    c) coleslaw

    d) pickled cucumbers

70. What type of restaurant is the Aloha restaurant?

    a) Korean barbecue restaurant

    b) Specialty restaurant

    c) Hawaiian restaurant

    d) Western style restaurant

Questions 71-72.

얼굴 때문에 고민인 당신에게 **희소식!**

여드름, 기미, 주근깨, 거친 피부?
이런 것 때문에 고민한다구요?

매끄럽고 윤기나는 피부!
하얗게 빛나는 얼굴!
이런 것이 소원이라구요?

원인은 달라도 비결은 하나. **보니따!**
보니따는 세계 최고의 미용비누입니다.
이제 당신의 얼굴은 **보니따**에게 맡겨 주세요.

71. What kind of advertisement is this?

    a) beauty bar

    b) acne cream

    c) lotion

    d) cleanser

72. Each of the following are benefits from using this product *except:*

    a) softer skin

    b) clearer skin

    c) wrinkle-free skin

    d) whiter skin

당신은 얼마나 건강하십니까? 질문에 대답하세요.

1. 하루에 몇 시간 잠을 잡니까?

   가) 7시간 이상 ----3점   나) 5시간~ 7시간 ---- 2점

   다) 5시간 정도 ----1점   라) 4시간 미만 ----- 0점

2. 한 주에 얼마나 운동을 합니까?

   가) 30분 이상 3번 -- 3점   나) 30분 이상 2번 --- 2점

   다) 30분 정도 ------1점   라) 안 한다 --------- 0점

3. 하루에 물은 몇 잔이나 마십니까?

   가) 다섯 잔 이상 --- 3점   나) 네 잔 ~ 세 잔 --- 2점

   다) 두 잔 ~ 네 잔 --1점   라) 한 잔 정도 ------ 0점

4. 하루에 얼마나 자주 치아를 닦습니까?

   가) 3분간 3번 이상 -- 3점   나) 3분간 2번 ----- 2점

   다) 2분간 2번 --------- 1점   라) 1분간 1번 ----- 0점

5. 점수를 모두 더해 보세요.

   11점~12점: 축하합니다. 지금까지와 같이 계속하세요.

   7점~10점: 건강을 위해 좀 더 노력하세요.

   0점~6점: 안됩니다. 건강을 위해서 생활태도를 바꾸세요.

73. What type of document is the above passage?

    a) multiple choice quiz

    b) final exam

    c) survey

    d) questionnaire for a mail-in rebate

74. Each of the following topics are included in the document *except:*

    a) oral hygiene   b) alcohol intake

    c) exercise   d) hours of sleep

75. What is the ideal score range?

a) 0-6 points

b) 7-10 points

c) 11-12 points

d) each individual has their own ideal score range

Questions 76-78

어느 날 저녁, 엄마와 수지는 부엌에서 요리를 하고 있었다. 엄마는 배추를 씻고 수지는 파를 썰고 있었다. 갑자기 수지의 손에서 칼이 미끄러지면서 수지는 손을 베었다. 수지의 둘째 손가락에서 피가 나왔다. 엄마가 보시고 얼른 반창고를 붙여 주셨다. 그리 심한 상처는 아니지만 손가락을 베고 나니 아주 불편하다. 피가 묻은 파를 버리고 엄마가 다시 파를 썰었다. 나머지는 엄마 혼자서 다 하셨다. 엄마를 도와드린다고 하다가 일만 저질렀다. 엄마한테 미안하다.

76. Which finger did Suzy hurt?

a) thumb

b) index finger

c) middle finger

d) ring finger

77. Suzy's mother can best be described as:

a) helpful

b) angry

c) tired

d) nice

78. Suzy's feelings can best be described as:

a) very hurt

b) calm

c) panicking

d) sorry

　　가지고 다니며 먹는 가장 편리한 휴대용 식품 콘테스트가 있다면 이 세상의 그 많은 휴대용 식품 가운데서 우리 한국인이 먹어온 '떡'이 금메달을 차지할 것이다. 혹시 서양 사람들이 먹는 빵이나 크래커 같은 것이 오히려 떡보다 가볍기에 보다 간편한 휴대식품이 아니겠느냐고 반문할지도 모른다. 하지만 빵은 가벼운 대신 치즈나 버터 없이는 영양가로 미루어 불완전 식품이다. 이에 비해 떡은 고 칼로리의 영양분뿐 아니라 비타민A, B 그리고 C, F, K라는 희귀 비타민까지 갖춘 완전 식품이다. 바꿔 말하면 떡은 우주식품을 제외하고는 맛이 있으면서 가장 많은 열량과 영양가를 갖춘 최소 부피의 식품인 것이다. 더구나 빵은 방부제를 넣는다 해도 어느 시간이 경과하면 부패한다.

　　그러나 떡은 표면에 콩가루나 계피가루 등 고물을 묻혀 공기와 차단시켜 놓기만하면 빵보다 훨씬 오랫동안 썩지 않고 보존된다.

79. How are rice cakes better than bread?

　　a) Most people agree that they taste better

　　b) they are more portable to take on the run

　　c) rice cakes are lower in calories than bread

　　d) the nutritional value is high for its relative size

80. What kind of rice cake lasts longer than bread?

　　a) all kinds

　　b) rice cakes coated with sugar or salt

　　c) rice cakes coated with bean or cinnamon powder

　　d) no kinds

Test 4

VERBS: Tenses · Conjugation

Clothes

Money

Shopping

Price

SATII Korean Practice Test Answer Sheet

Name _____ Date _____ Test No.: __4__

1. ⓐ ⓑ ⓒ ⓓ	28. ⓐ ⓑ ⓒ ⓓ	55. ⓐ ⓑ ⓒ ⓓ
2. ⓐ ⓑ ⓒ ⓓ	29. ⓐ ⓑ ⓒ ⓓ	56. ⓐ ⓑ ⓒ ⓓ
3. ⓐ ⓑ ⓒ ⓓ	30. ⓐ ⓑ ⓒ ⓓ	57. ⓐ ⓑ ⓒ ⓓ
4. ⓐ ⓑ ⓒ ⓓ	31. ⓐ ⓑ ⓒ ⓓ	58. ⓐ ⓑ ⓒ ⓓ
5. ⓐ ⓑ ⓒ ⓓ	32. ⓐ ⓑ ⓒ ⓓ	59. ⓐ ⓑ ⓒ ⓓ
6. ⓐ ⓑ ⓒ ⓓ	33. ⓐ ⓑ ⓒ ⓓ	60. ⓐ ⓑ ⓒ ⓓ
7. ⓐ ⓑ ⓒ ⓓ	34. ⓐ ⓑ ⓒ ⓓ	61. ⓐ ⓑ ⓒ ⓓ
8. ⓐ ⓑ ⓒ ⓓ	35. ⓐ ⓑ ⓒ ⓓ	62. ⓐ ⓑ ⓒ ⓓ
9. ⓐ ⓑ ⓒ ⓓ	36. ⓐ ⓑ ⓒ ⓓ	63. ⓐ ⓑ ⓒ ⓓ
10. ⓐ ⓑ ⓒ ⓓ	37. ⓐ ⓑ ⓒ ⓓ	64. ⓐ ⓑ ⓒ ⓓ
11. ⓐ ⓑ ⓒ ⓓ	38. ⓐ ⓑ ⓒ ⓓ	65. ⓐ ⓑ ⓒ ⓓ
12. ⓐ ⓑ ⓒ ⓓ	39. ⓐ ⓑ ⓒ ⓓ	66. ⓐ ⓑ ⓒ ⓓ
13. ⓐ ⓑ ⓒ ⓓ	40. ⓐ ⓑ ⓒ ⓓ	67. ⓐ ⓑ ⓒ ⓓ
14. ⓐ ⓑ ⓒ ⓓ	41. ⓐ ⓑ ⓒ ⓓ	68. ⓐ ⓑ ⓒ ⓓ
15. ⓐ ⓑ ⓒ ⓓ	42. ⓐ ⓑ ⓒ ⓓ	69. ⓐ ⓑ ⓒ ⓓ
16. ⓐ ⓑ ⓒ ⓓ	43. ⓐ ⓑ ⓒ ⓓ	70. ⓐ ⓑ ⓒ ⓓ
17. ⓐ ⓑ ⓒ ⓓ	44. ⓐ ⓑ ⓒ ⓓ	71. ⓐ ⓑ ⓒ ⓓ
18. ⓐ ⓑ ⓒ ⓓ	45. ⓐ ⓑ ⓒ ⓓ	72. ⓐ ⓑ ⓒ ⓓ
19. ⓐ ⓑ ⓒ ⓓ	46. ⓐ ⓑ ⓒ ⓓ	73. ⓐ ⓑ ⓒ ⓓ
20. ⓐ ⓑ ⓒ ⓓ	47. ⓐ ⓑ ⓒ ⓓ	74. ⓐ ⓑ ⓒ ⓓ
21. ⓐ ⓑ ⓒ ⓓ	48. ⓐ ⓑ ⓒ ⓓ	75. ⓐ ⓑ ⓒ ⓓ
22. ⓐ ⓑ ⓒ ⓓ	49. ⓐ ⓑ ⓒ ⓓ	76. ⓐ ⓑ ⓒ ⓓ
23. ⓐ ⓑ ⓒ ⓓ	50 ⓐ ⓑ ⓒ ⓓ	77. ⓐ ⓑ ⓒ ⓓ
24. ⓐ ⓑ ⓒ ⓓ	51. ⓐ ⓑ ⓒ ⓓ	78. ⓐ ⓑ ⓒ ⓓ
25. ⓐ ⓑ ⓒ ⓓ	52. ⓐ ⓑ ⓒ ⓓ	79. ⓐ ⓑ ⓒ ⓓ
26. ⓐ ⓑ ⓒ ⓓ	53. ⓐ ⓑ ⓒ ⓓ	80. ⓐ ⓑ ⓒ ⓓ
27. ⓐ ⓑ ⓒ ⓓ	54. ⓐ ⓑ ⓒ ⓓ	81. ⓐ ⓑ ⓒ ⓓ

Section I – Listening

Directions: *In this part of the test you will hear several spoken selections. They will not be printed in your test book. You will hear them <u>only once</u>. After each selection you will be asked one or more questions about what you have just heard. These questions, with four possible answers, are printed in your test booklet. Select the best answer to each question from among the four choices printed and fill in the corresponding oval on your answer sheet.*

Question 1.

Listen to this conversation at a department store. Then answer question 1.

1. What method of payment does the man use?
   a) cash
   b) personal check
   c) credit card
   d) ATM / debit card

Questions 2-3.

Listen to this conversation at a department store. Then answer questions 2 and 3.

2. What does the customer want to buy?
   a) a pair of socks   b) a pair of pants
   c) a pair of sunglasses   d) a pair of shoes

3. What was wrong with the first item the customer tried on?
   a) it was too big   b) it was too small
   c) it was too low in quality   d) it was too expensive

Questions 4-5.

Listen to this conversation between two friends. Then answer questions 4 and 5.

4. What is the woman's occupation?
   a) waitress   b) restaurant owner / operator
   c) cashier   d) retail store owner / operator

5. Which of the following items satisfied the customers?

    a) good food and good service

    b) good merchandise and low prices

    c) good food and low prices

    d) good merchandise and good service

Question 6-7.

Listen to this conversation about people's health. Then answer questions 6 and 7.

6. Each of the following hurts the health of people in contemporary society *except*:

    a) Social drinking

    b) Eating out to entertain guests

    c) Eating too many sweets

    d) Eating irregularly

7. At what age do poor eating habits strongly affect men's health?

    a) in their 30's

    b) in their 40's

    c) in their 50's

    d) in their 60's

Questions 8-10.

Listen to this conversation between Alice and her sister. Then answer questions 8, 9 and 10.

8. How long has Alice's sister tried to get the stain out?

    a) 3 minutes   b) 13 minutes

    c) 30 minutes   d) 3 hours

9. What does Alice suggest?

    a) try a stronger detergent

    b) soak it in soapy water before trying again

    c) get it dry cleaned

    d) give up and get a new pair of pants

10. What does Alice offer to do?

   a) wash the pants for her

   b) take it to the cleaners for her

   c) cook her dinner

   d) give her a shoulder rub

Questions 11-13.

Listen to this conversation between Peter and his teacher. Then answer questions 11, 12 and 13.

11. Why was Peter sleeping in class?

   a) he was up late finishing a research paper

   b) he was up late studying for an exam

   c) he was out late at a club

   d) he was out late at a dance party

12. How late was Peter up?

   a) 12:30 a.m.   b) 1:00 a.m.

   c) 1:30 a.m.   d) 2:00 a.m.

13. What is the teacher's main concern?

   a) Peter's health

   b) That Peter's partying doesn't interfere with his schoolwork

   c) That Peter will not get into a good college

   d) That Peter is spending too much time studying and not enough time socializing

Questions 14-15.

Listen to this conversation about clothes alterations. Then answer questions 14 and 15.

14. Which of the following alterations does the woman need?

   a) shorten the sleeve   b) lengthen the skirt

   c) let out the waist   d) change the collar

15. When will the alterations be completed?

    a) Friday morning

    b) Friday afternoon

    c) Saturday morning

    d) Saturday afternoon

Questions 16-17.

Listen to this hospital announcement. Then answer questions 16 and 17.

16. Requirements for the nurses include:

    a) be on time

    b) be on time, in uniform

    c) wear your uniform and rubber-soled shoes

    d) wear your uniform and have good bedside manner

17. According to the passage, what is done several times a day at the hospital?

    a) nurses forget their uniforms

    b) the floor is mopped

    c) operations are performed

    d) loved ones visit the patients

Questions 18-20.

Listen to this conversation between a woman and her real estate agent. Then answer questions 18, 19 and 20.

18. What is the monthly rent for a 2-bedroom apartment?

    a) $500   b) $750   c) $1000   d) $1250

19. Which utility is paid for by management?

    a) water   b) electricity

    c) gas   d) phone

20. Which part of the apartment is used jointly with the other tenants?

    a) The pool   b) The garden

    c) The workout room   d) The washer & dryer

Listen to this conversation about spending money. Then answer questions 21 and 22.

21. All of the following ideas about spending money are from the passage *except:*

    a) keeping record of your spending habits

    b) making and sticking to a budget

    c) spending on your needs and saving the rest

    d) asking your parents for money whenever you run out

22. One of the friends complains that

    a) his mother doesn't give him enough spending money

    b) he's working too many hours to be able to spend any money

    c) too many friends ask to borrow money

    d) everything is too expensive these days

Questions 23-24.

Listen to this conversation between two women shopping together. Then answer questions 23 and 24.

23. What is the relationship between the two women?

    a) Mother / daughter   b) Sisters

    c) Friends   d) Co-workers

24. What is the proper care for the sweater they are looking at?

    a) machine wash

    b) gentle cycle only

    c) hand wash

    d) dry-clean only

Questions 25-26.

Listen to this conversation between two women. Then answer questions 25 and 26.

25. Where is this conversation taking place?

    a) in a restaurant   b) at a department store

    c) at the post office   d) at an airport

26. What is the man missing?

   a) his receipt

   b) his photo ID

   c) his credit card

   d) his checkbook

Questions 27-28.

Listen to this conversation between a man and a saleswoman. Then answer questions 27 and 28.

27. What is the man trying to purchase?

   a) a DVD player

   b) a CD player

   c) a radio

   d) a tape recorder

28. When will he return?

   a) in an hour

   b) the next day

   c) that weekend

   d) the next week

Section II – Usage

Directions: This section consists of a number of incomplete statements, each of which has four suggested completions. Select the word or phrase that best completes the sentence structurally and logically and fill in the corresponding oval on the answer sheet.

29. 닭고기는 세계적으로 애용되는 육류이다. 홍콩이나 태국을 출발하여 인도를 경유, 사우디 쪽으로 가는 비행기를 타게 되면 기이한 현상을 보게 된다. 인도는 힌두교의 나라이므로 쇠고기를 _____않는다. 반면 파키스탄이나 중동의 여러 국가는 모슬렘교로써 돼지고기를 먹지 않는다. 때문에 항공기 내에서 식사를 서브할 경우는 일일이 승객에게 무슨 고기를 _____묻는다. 종류별로 준비한 식사 수와 승객의 요청이 맞아 떨어지지 않으면 무조건 닭고기 식사를 준다.
    a) 먹기만 – 먹느냐고
    b) 먹지 – 먹는데
    c) 먹지 – 먹겠느냐고
    d) 먹지만 – 먹겠느냐고

30. 놀면서 _____ 수 있는 교육용 장난감이 연말 대박을 예감하고 있다.
    a) 기를
    b) 만질
    c) 구별할
    d) 배울

31. 녹차를 진하게 _____ 위장을 자극 할 수 있기 때문에 빵이나 비스켓 등과 함께 _____ 것이 좋다.
    a) 마시고 – 마신다는
    b) 마시며 – 마셨다는
    c) 마시면 – 마시는
    d) 마시고 – 마시는

32. 1840년대 캘리포니아에 금광을 쫓아서 온 리바이 스트라우스라는 사람이 금광보다는 작업복을 만들어서 _____것이 더 돈을 많이 벌겠다고 생각하고 천막을 만들기 위해 준비하였던 천으로 작업복을 만들어서 광부에게 _____ 시작한 것이 오늘날의 청바지이다.
    a) 팔 – 팔고
    b) 파는 – 팔며
    c) 파는 – 팔기
    d) 팔고 – 팔기

33. 피곤하다는 것으로 병에 걸렸다고 말하는 사람은 없다. 누구나 한번쯤 몸이 찌뿌드드하고 밥맛이 없고 기운이 없는 때가 있는데 실제로 하루쯤 쉬면 몸이 정상으로 돌아오는 경우가 많다. 이렇게 휴식을 취해서 피로가 _____ 문제가 되지 않는다.
    a) 사라져
    b) 사라진다면
    c) 사라지므로
    d) 사라진다고

34. 간접적인 흡연은 기침, 재채기, 안질환, 두통 그리고 코와 목의 통증 등을 유발할 수 있습니다. 간접 흡연에 노출된 아이들은 다른 아이들에 비해 중이염, 목의 이상, 감기 그리고 폐질환 발생 확률이 훨씬 높습니다. 흡연 환경이 회복을 지연시키기 때문에 간접 흡연에 노출된 아이들은 어떤 병에 _____ 앓는 기간이 길어집니다.

    a) 걸리고   b) 걸렸으면   c) 걸리든   d) 걸리지만

35. 광고의 종류는 그 분류 방법에 따라 여러 가지가 있다. 먼저 광고의 대상이 누구인가에 따라 소비자광고, 유통광고로 _____ 수 있다. 소비자 광고는 상품을 직접 소비하는 사람 들에게 하는 광고이며, 유통광고는 다시 팔 목적으로 그 상품을 사려는 사람들에게 하는 광고이다. 또 광고의 목적에 따라 상품광고와 기업 광고로 _____ 한다.

    a) 나눌 – 나누기도   b) 나누일 – 나누기는
    c) 나누는 – 나누기만   d) 나눌 – 나누면서

36. 아이가 자기 주장이나 생각을 또렷이 말하도록_____, 어린아이라도 많은 것을 보고 듣고 _____ 하여 스스로의 판단력과 상상력을 키워줍시다.

    a) 배우고 – 상상하도록   b) 키워주고 – 만지고
    c) 즐기고 – 생각   d) 가르치고 – 느끼게

37. 불면을 일으키는 가장 큰 적은 뭐니뭐니 해도 스트레스다. 직장인의 경우 스트레스를 심하게 받으면 '코티졸'이라는 각성 호르몬이 분비되는데, 여기에 정신적 육체적 피로가 겹치면 불면증이 _____ 된다. 또한 불규칙적인 생활습관이나 약해진 체력도 숙면을 방해하는 요인이다.

    a) 생기게   b) 생기면   c) 생기니   d) 생기면서

38. 서양 사람들의 음식에 짠맛을 내게 하는 것은 소금밖에 없다. 그러기에 식탁에는 반드시 소금이 놓여 있다. 하지만 우리 한국인의 밥상에는 설렁탕을 먹는 이외에는 소금으로 짠맛을 낸다는 법이 없다. 소금보다는 한결 맛있게 조미가 된 간장이나 된장, 젓갈로 짠 맛을 낸다 소금을 _____ 끓인 국과 간장이나 된장을 넣고 _____ 국과 어느 쪽이 더 맛이 나는가?

    a) 넣어 – 끓이니   b) 넣고 – 끓인
    c) 넣으면 – 끓였던   d) 넣으면 – 끓이려면

39. 유행이란 긍정적인 면보다는 부정적인 면이 더 많다고 생각한다. 특히 유행에 있어서 민감한 부분은 말과 의복인데, T.V.의 코미디나 연속극에서 배우가 하는 말을 무분별하게 _____ 값비싼 의복을 유행이라하여 마구 _____ 입고 다니는 모습은 결코 아름다운 현상은 아니다.
   a) 따라서 하고 – 빌려서   b) 비교하고 – 만들어서
   c) 사용하거나 – 사서   d) 써버리거나 – 골라서

40. 눈의 긴장을 풀어주는 운동도 있다. 눈알을 아래, 위, 안쪽, 바깥쪽으로 돌리고 이리 빙글 저리 빙글 _____ 눈을 질끈 감고 크게 뜨는 식이다. 또 이마에 주름을 잡았다가 펴고, 입술을 이리저리 일그러뜨리는 것으로도 나름대로 눈의 피로를 풀 수 있다. 한 시간에 한번쯤 창 밖이나 먼 하늘을 _____ 눈을 쉬게 하는 것과 가끔씩 찬 물수건을 눈 위에 얹어주면 좋다.
   a) 돌리다가 – 쳐다보면서   b) 돌리니까 – 쳐다보고
   c) 돌려도 – 쳐다보지만   d) 구하고 – 쳐다보아도

41. 아침식사를 하지 않는 사람들이 아침식사를 꼭 하는 사람들의 활동력을 비교해 본 결과에 _____ 아침식사를 거르는 사람들은 집중력과 문제 해결 능력이 감소하는 것으로 나타났다.
   a) 따르면   b) 보면   c) 활발하게   d) 받으면

42. 출산 전후의 임산부들이 사이버 베이비에 인터넷으로 접속하면, 인터넷상에서 사이버 아기를 직접 _____ 태아와 신생아에 대한 각종 정보를 얻을 수 있다.
   a) 만져보면서   b) 키워보면서
   c) 쳐다보면서   d) 안아보면서

43. 디저트로 아이스크림을 _____ 경우에도 일반 아이스크림 대신 소프트 아이스크림을 _____ 칼로리를 절반까지 줄일 수 있다.
   a) 먹는 – 먹으면   b) 먹지만 – 먹고.
   c) 먹이는 – 먹거든   d) 먹은 – 먹으면

44. 어제 골목길을 지나가다가 분식가게에 들어_____. 떡볶이를 1인분 시켜 _____. 그런데 얼마나 맛있던지.
   a) 가려고 해 – 먹겠지   b) 갔었어 – 먹었지
   c) 가겠지 – 먹으려고 해   d) 갈거야 – 먹을거야

45. 된장, 김치, 젓갈 등 발효식품을 서양 사람들이 싫어하는 것은 그것의 비장한 감칠맛을 맛볼 혓바닥의 생리구조가 돼 있지 않기 때문이며, 오로지 그 냄새만 _____ 싫어할 뿐인 것이다.

    a) 맞고   b) 맛고   c) 맡고   d) 맏고

46. 나의 장래희망은 계속_____. 의사가 되는 게 꿈이었다가 선생님이 되는 게 꿈이기도 했다. 그러나 지금은 축구 선수가 되고 싶다.

    a) 변했다   b) 변할 것이다   c) 변하겠다   d) 변하려고 한다

47. 음식에는 잠을 부르는 음식과 쫓는 음식이 있다. 잠을 _____ 대표적인 음식은 우유, 상추, 대추, 호두, 양파, 등. 따뜻한 우유 한 잔이 수면제 역할을 한다는 것은 널리 알려져 있다. 반면 카페인이 든 커피와 차, 초콜릿, 콜라 같은 탄산음료는 수면을 방해한다.

    a) 부르니   b) 부르는   c) 부르면   d) 부르지만

48 감기가 들면 잘 먹어야 낫는다는 말이 있다. 실제로 네델란드 아카데미 메디컬 센터 연구팀이 조사한 결과, 음식을 잘 먹으면 감기 바이러스를 _____ 면역세포가 늘어나는 것으로 나타났다. 연구팀이 하루 식사를 굶은 자원자들에게 유동식을 먹이자 감기 바이러스 킬러인 감마 인터페론이 4배나 증가했다.

    a) 죽인다고   b) 죽이며   c) 죽이고   d) 죽이는

49. 두 사람은 결국 결혼을 하게_____. 서로 사랑하기 때문에 그 결혼은 이루어 질 수 있었을 것이다. 서로 사랑하는 두 사람의 앞길에 큰 축복이_____.

    a) 된다 – 있으려고 한다   b) 될 것이다 – 있었다
    c) 되었다 – 있을 것이다   d) 되려고 한다 – 있다

50. 오래된 가구에서 나는 케케묵은 냄새는 넣어둔 옷에까지 배어 여간 신경이 쓰이는 게 아니다. 이럴 때는 식초가 만능 해결사. 작은 플라스틱 용기에 무색 식초를 넣고 뚜껑에 송곳 등 날카로운 것으로 구멍을 _____ 하룻밤 넣어놓으면 냄새가 깜쪽같이 사라진다. 냄새가 심한 경우에는 가구 내부를 식초에 적신 헝겊으로 닦아주는 것도 좋다.

    a) 뚫으니   b) 뚫으면   c) 뚫어   d) 뚫어도

51. 독일의 예술가 제니퍼 바우마이스터는 중고 슬롯 머신을 개조해 "투 엑스 라지 위로 장치(comfort XXL)"를 만들었다. 버튼을 누르면 "당신은 너무 멋져요!" "당신 정말 환상적이군" 같은 메시지와 영상, 노래가 흘러 나온다. 이 장치는 독일의 경찰서 및 병원, 약국, 교회 등 스트레스로 고민하는 사람들이 많이 모이는 공공장소에 _____ 예정이다.
   a) 설치될   b) 가져올   c) 계획될   d) 제거될

52. 개구리는 달아나고 뱀이 그 뒤를 쫓아갈 때, 개구리가 빨리 _____하면 뱀은 천천히 가면서 마치 따라가지 못할 것처럼 행동한다.
   a) 달아나겠다   b) 달아나도록   c) 달아난다   d) 달아나려

53. 남북전쟁 당시 의사 리처드 개틀링은 "만약 군인 혼자서 백 명의 역할을 해낼 수 있는 총이 있다면, 그 많은 군인들이 전쟁터에 _____ 죽지 않겠지" 하며 회전통을 중심으로 6개의 총구를 묶고 장전되는 기관총을 만들었다. 하지만 그의 성스러운 의도와는 달리 1분에 350발의 탄환을 _____ 기관총은 가장 효과적인 전투용 무기가 되고 말았다.
   a) 다니면서 – 장전되는   b) 나가서 – 발사하는
   c) 돌아와서 – 보유하는   d) 갔다 와서 – 이동하는

54. 미국에 살다보면 파티를 _____ 선물을 주고받을 일이 많다. 크리스마스 때는 가족이나 친구, 주변의 고마운 사람들이 함께 모여 파티를 즐기며 서로 선물을 선사하고, 결혼식 때도 동양에서는 축의금을 내지만, 미국에서는 선물을 주고받는다. 또한 결혼을 하거나 출산을 앞두고도 브라이덜 샤워, 베이비 샤워 등의 파티를 즐기며 선물을 _____.
   a) 열으니 – 열어본다   b) 열거나 – 나눈다
   c) 열어도 – 주기만 한다   d) 열었지만 – 받는다

55. 자라는 아이들은 하룻밤 _____ 키가 훌쩍 커진다는 얘기를 흔히 한다. 이것이 과학적으로 입증됐다.
   a) 자고 나면   b) 자고 나서니   c) 새우면   d) 놀고 나면

56. 정부 통계에 의하면 프랜차이즈 시스템을 통해서 스몰 비즈니스를 시작하게 되면 독립적으로 할 때보다 실패할 확률이 크게_____ 한다.
   a) 맞히었다고   b) 올라간다고
   c) 추측된다고   d) 떨어진다고

Section III - Reading Comprehension

Directions: *Read the following selections carefully for comprehension. Each selection is followed by one or more questions or incomplete statements based on its content. Choose the answer or completion that is best according to the selection and fill in the corresponding oval on the answer sheet.*

Questions 57-59.

산지의 신선함을 그대로
오세요, 보세요, 비교하세요! 그리고 선택하세요!
매일 매일 염가 판매를 하고 있습니다.

고객의 건강을 최우선으로 하는 동양마켓은
가장 신선하게 좋은 제품을 가장 저렴하게
여러분의 건강한 식탁을 항상 책임지겠습니다.

www.dongyang.com
동양마켓의 인터넷 회원이 되어 보세요.
다양한 상품 및 세일 정보는 물론 동양마켓이 제공하는 각종 정보를
언제나 손쉽게 얻을 수 있습니다.

---

57. Where would you most likely see this advertisement?
   a) telephone book
   b) the internet
   c) on a flier
   d) on television

58. What is the slogan of this _____?
   a) Come! Look! Buy! And save!
   b) Come! Look! Try us! And see!
   c) Come! Look! Compare! And select!
   d) Come! Look! Save! And tell your friends!

59. What benefits does the customer have by going on the website?

   a) download online coupons

   b) see our latest sale items

   c) find the store nearest you!

   d) Give us your feedback on your shopping experience

Questions 60-62.

Koreatown Mall

101 날개 　　(여자 옷 가게)		
102 철수와 영이 　　(아기 옷 가게)		201 재미나극장
103 맵시 　　(남자 옷 가게)		
104 빛나라 보석상		
105 멋지다 사진관		205 북경 왕만두
106 예쁘다 화장품		206 맛나 떡집
107 신나라 여행사		207 장터국수
108 이조 가구점		208　서울 곰탕

60. Which store would you most likely be able to buy cosmetics for your mother's birthday?

   a) 10   b) 106   c) 107   d) 205

61. Which store would you most likely be able to buy rompers for your baby?

   a) 102   b) 103   c) 106   d) 206

62. What is available on the second floor?

    a) video store and travel agency

    b) movie theater and jewelers

    c) noodle restaurant and photography studio

    d) movie theater and food court

Questions 63-64.

전 회사원에게 알립니다.

날짜: 4월 8일 수요일
주제: 원가 절감
수요일 오전 8시 30분에 전 사원은 회사 대강당에서 생산 원가 절감에 대해서 모임을 갖겠습니다. 한 분도 빠짐 없이 참석해 주시기 바랍니다.

대한종합제철 주식회사
회장   장 은식

---

63. What is this passage about?

    a) a company meeting

    b) a special concert

    c) a church meeting

    d) a birthday party

64. Who most likely sent this announcement?

    a) university music department chair

    b) pastor's association chair

    c) steel company chair

    d) small business association chair

중앙 전화국 기술자들은 다음과 같은 안전 수칙을 반드시 지켜야 합니다. 가장 중요한 안전수칙 중의 하나는 일을 하는 동안 항상 안전 허리띠를 매어야 한다는 것입니다. 전화기술자들은 항상 높은 전봇대 위에 올라가서 일을 해야 합니다. 전봇대에 안전 허리띠를 연결하여 몸을 안전하게 지탱할 수 있어야 하고, 수리를 하는 동안 전봇대에서 떨어지지 않고 두 손을 자유롭게 움직일 수 있어야 합니다.

65. According to the passage, who *must* wear safety belts on the job?

    a) bus driver

    b) taxi driver

    c) Department of Water and Power technician

    d) phone company technician

66. According to the passage, wearing a safety belt allows you to:

    a) drive safely

    b) free your hands for your work

    c) be eligible for workman's compensation

    d) help others

도매상의 선구자 Wholesale Club에 지금 가입하세요!

여러분이 만일 모든 물품을 도매가로 구입하고 싶으시면 지금 club에 가입하세요. 신청서에 서명만 하시고 1년 회비 10불만 내시면 됩니다. 상점 입구에서 카드만 보여주시면 됩니다.

최고의 품질을 최저의 가격으로 여러분에게 공급하고 있습니다. 옷, 운동용품, 자전거, 장난감, 책, 전자 제품 등 다양한 제품을 판매하고 있습니다.

67. According to the passage, what can you get for $10 at this wholesale club store?

a) a small toy   b) a paperback book

c) a shirt   d) a 1-year membership

68. Which of the following items can you purchase at this club store?

a) clothing, toys and dinnerware

b) bicycles, cosmetics and sporting goods

c) toys, electronics and books

d) strollers, sporting goods and cosmetics

69. What are the membership requirements for this wholesale club store?

a) Must be a government employee, fill out the application and pay the membership fee

b) Must be a business owner, fill out the application and pay the membership fee

c) Must be a full-time student, fill out the application and pay the membership fee

d) Fill out the application and pay the membership fee

Questions 70-72.

I. 세탁소 급매
  샌디에고 지역
  현주인 11년 운영
  월 매상 1만 3천불 이상
  (562) 333-4444
	II. 스튜디오 있는 사진관
	  사진 경험 있는 분만 연락바람
	  고정 손님이 많이 있음
	  $ 145,000
	  (714) 888-8282

III. 라스베가스 여자 옷 가게
  좋은 조건 최고의 위치
  금, 토, 일 3일 open (10시-6시)
  (702) 894-4989
	IV. 콜로라도 덴버 지역에 성업중인
	  한식 즉석 갈비 집 매매
	  영어하시고 경험 있으시면 돈 버는
	  가게 (303) 666-7777

V. 구두 수선 가게 매매
  가격 1만 5천불
  종업원 운영 월세 400불
  무경험자 훈련시켜 드림
  (310) 444-8282
	VI. 꽃가게
	  주인 타주 이사감
	  새 가게, 새 장비, walk in cooler
	  월세 싸고 안전한 지역
	  (323) 999-7777

70. What kind of advertisement is this?

    a) help wanted

    b) job wanted

    c) business to sell

    d) want to buy a business

71. Which entry talks about steady customers?

    a) I.   b) II.   c) V.   d) VI.

72. Which entry was written by someone who is about to move to another state?

    a) I.   b) III.   c) IV.   d) VI.

Questions 73-74.

I. 한인타운에 위치 마루바닥, 새 카펫, 리모데링한 부엌 넓은 방 4개 화장실 2개 월세 2500불 (323) 555-8282	II. 하숙집 편리한 교통, 깨끗한 시설 작은 독방, 큰 독방, 화장실 달린 방 주차장 완비, 염가제공 (213) 555-7890
III. 아주 깨끗한 이층 단독주택 초등학교, 중학교, 고등학교 걸어서 5분거리 방 3개 화장실 2개 서재1개 놀이방 1개 가격 28만불 (562) 555-8989	IV. 사무실 임대 이층 사무실 2,000sq 아래층 창고 18,000sq 높은 천정, 밝은 실내, 넓은 주차장 (909) 555-1515

73. Which ad was written by a college student seeking housing?

    a) I.   b) II.

    c) III.   d) IV.

74. What is the phone number to the office space?

    a) (323) 555-8282

    b) (213) 555-7890

    c) (562) 555-8989

    d) (909) 555-1515

www.uriumma.com

가족의 건강을 생각하는 우리 엄마의 손 맛

엄마 도시락

깔끔하고 위생적인 엄마 도시락으로 행복한 식사를 하세요
반찬은 계절에 맞게 다양하게 바꾸어 만들어 드립니다.
도시락 / 단체급식 / 파티 / 교회 및 회사, 단체용 도시락 주문 환영
(213) 555-4545   (310) 555-4545   (714) 555-4545

75. What is being advertised?

    a) Boxed-lunch take-out and delivery service

    b) Catering service

    c) Mother's Day cooking service

    d) Mother-daughter picnic

76. All of the following services are available *except:*

    a) group meals

    b) picnics

    c) parties

    d) church and company meals

> 은행은 여러 가지 사업을 하고 있습니다. 이 사업은 당신의 돈을 안전하게 보관하는 것입니다. 그래서 많은 사람들이 은행을 이용하지요. 만일 당신이 많은 현금을 집에 보관하고 있다면 어떤 사람이 그것을 훔쳐갈 수 있습니다. 그렇지만 은행에 돈을 두면 안전하고 이자도 생기지요.
>
> 개인 수표는 쉽게 쓸 수 있고 안전합니다. 수표를 가지고 다니면서 아무 때나 쓸 수 있고 또 보낼 수도 있습니다. 물론 은행에서는 수수료를 받지요. 그러나 당신의 돈은 안전하게 보관되어 있습니다.

77. The advantages of putting your cash in the bank are:

    a) You won't spend as much money and no one can steal it

    b) your money is safe and it earns interest

    c) you won't spend as much money and you will earn interest on it

    d) your money is safe and no one can steal it

78. What is the disadvantage of putting your money in the bank?

    a) it might get robbed

    b) it's hard to keep track of it

    c) cash is not readily available

    d) you may be charged monthly fees

예약 의뢰서

서울 유통 주식회사
구매담당   이승철님 귀하

바쁘신 중에 죄송스러우나 이번에 당사에서 새로 개발한 신제품에 대해서 설명을 드리고 싶습니다. 가능하시면 이번 수요일 아침 10시경에 찾아 뵙고 싶은데 귀사의 사정이 어떠신지 알고 싶습니다. 만나 뵐 수 있기를 바랍니다.
자세한 내용은 만나 뵙고 말씀드리겠습니다. 만일 사정이 어려우시면 전화로 연락을 해 주시면 고맙겠습니다. 감사합니다.

4월 18일
주식회사 국제 화학
영업담당 부장   김영식 드림

79. What type of letter is this?

a) business letter

b) personal letter

c) letter of complaint

d) letter of reference

80. What is the main subject of this letter?

a) To request a phone call

b) to cancel an appointment

c) to schedule an appointment

d) To find out about the condition of a company

Test 5

ADJECTIVES: Conjugation

Work

Friends

Arguing

Expressing Opinions

SATII Korean Practice Test Answer Sheet

Name _____ Date _____ Test No.: __5__

1. ⓐ ⓑ ⓒ ⓓ	28. ⓐ ⓑ ⓒ ⓓ	55. ⓐ ⓑ ⓒ ⓓ
2. ⓐ ⓑ ⓒ ⓓ	29. ⓐ ⓑ ⓒ ⓓ	56. ⓐ ⓑ ⓒ ⓓ
3. ⓐ ⓑ ⓒ ⓓ	30. ⓐ ⓑ ⓒ ⓓ	57. ⓐ ⓑ ⓒ ⓓ
4. ⓐ ⓑ ⓒ ⓓ	31. ⓐ ⓑ ⓒ ⓓ	58. ⓐ ⓑ ⓒ ⓓ
5. ⓐ ⓑ ⓒ ⓓ	32. ⓐ ⓑ ⓒ ⓓ	59. ⓐ ⓑ ⓒ ⓓ
6. ⓐ ⓑ ⓒ ⓓ	33. ⓐ ⓑ ⓒ ⓓ	60. ⓐ ⓑ ⓒ ⓓ
7. ⓐ ⓑ ⓒ ⓓ	34. ⓐ ⓑ ⓒ ⓓ	61. ⓐ ⓑ ⓒ ⓓ
8. ⓐ ⓑ ⓒ ⓓ	35. ⓐ ⓑ ⓒ ⓓ	62. ⓐ ⓑ ⓒ ⓓ
9. ⓐ ⓑ ⓒ ⓓ	36. ⓐ ⓑ ⓒ ⓓ	63. ⓐ ⓑ ⓒ ⓓ
10. ⓐ ⓑ ⓒ ⓓ	37. ⓐ ⓑ ⓒ ⓓ	64. ⓐ ⓑ ⓒ ⓓ
11. ⓐ ⓑ ⓒ ⓓ	38. ⓐ ⓑ ⓒ ⓓ	65. ⓐ ⓑ ⓒ ⓓ
12. ⓐ ⓑ ⓒ ⓓ	39. ⓐ ⓑ ⓒ ⓓ	66. ⓐ ⓑ ⓒ ⓓ
13. ⓐ ⓑ ⓒ ⓓ	40. ⓐ ⓑ ⓒ ⓓ	67. ⓐ ⓑ ⓒ ⓓ
14. ⓐ ⓑ ⓒ ⓓ	41. ⓐ ⓑ ⓒ ⓓ	68. ⓐ ⓑ ⓒ ⓓ
15. ⓐ ⓑ ⓒ ⓓ	42. ⓐ ⓑ ⓒ ⓓ	69. ⓐ ⓑ ⓒ ⓓ
16. ⓐ ⓑ ⓒ ⓓ	43. ⓐ ⓑ ⓒ ⓓ	70. ⓐ ⓑ ⓒ ⓓ
17. ⓐ ⓑ ⓒ ⓓ	44. ⓐ ⓑ ⓒ ⓓ	71. ⓐ ⓑ ⓒ ⓓ
18. ⓐ ⓑ ⓒ ⓓ	45. ⓐ ⓑ ⓒ ⓓ	72. ⓐ ⓑ ⓒ ⓓ
19. ⓐ ⓑ ⓒ ⓓ	46. ⓐ ⓑ ⓒ ⓓ	73. ⓐ ⓑ ⓒ ⓓ
20. ⓐ ⓑ ⓒ ⓓ	47. ⓐ ⓑ ⓒ ⓓ	74. ⓐ ⓑ ⓒ ⓓ
21. ⓐ ⓑ ⓒ ⓓ	48. ⓐ ⓑ ⓒ ⓓ	75. ⓐ ⓑ ⓒ ⓓ
22. ⓐ ⓑ ⓒ ⓓ	49. ⓐ ⓑ ⓒ ⓓ	76. ⓐ ⓑ ⓒ ⓓ
23. ⓐ ⓑ ⓒ ⓓ	50 ⓐ ⓑ ⓒ ⓓ	77. ⓐ ⓑ ⓒ ⓓ
24. ⓐ ⓑ ⓒ ⓓ	51. ⓐ ⓑ ⓒ ⓓ	78. ⓐ ⓑ ⓒ ⓓ
25. ⓐ ⓑ ⓒ ⓓ	52. ⓐ ⓑ ⓒ ⓓ	79. ⓐ ⓑ ⓒ ⓓ
26. ⓐ ⓑ ⓒ ⓓ	53. ⓐ ⓑ ⓒ ⓓ	80. ⓐ ⓑ ⓒ ⓓ
27. ⓐ ⓑ ⓒ ⓓ	54. ⓐ ⓑ ⓒ ⓓ	81. ⓐ ⓑ ⓒ ⓓ

Section I – Listening

Directions*: In this part of the test you will hear several spoken selections. They will not be printed in your test book. You will hear them <u>only once</u>. After each selection you will be asked one or more questions about what you have just heard. These questions, with four possible answers, are printed in your test booklet. Select the best answer to each question from among the four choices printed and fill in the corresponding oval on your answer sheet.*

<u>Questions 1-2.</u>
Listen to this conversation between two women. Then answer questions 1 and 2.

1. What is the woman's problem?
   a) She has too many things to do
   b) She made two appointments for the same time
   c) She forgot to cancel an appointment
   d) She can't remember an errand she is supposed to run

2. Which of the following has she already done this day?
   a) mail a letter at the post office
   b) pick up paychecks from the accounting office
   c) set up appointments with 3 potential clients
   d) send out an urgent memo to the whole company

<u>Questions 3-4.</u>
Listen to this conversation about an upcoming birthday. Then answer questions 3 and 4.

3. How much did the girl receive for her birthday?
   a) $25   b) $50   c) $75   d) $100

4. What did she buy with it?
   a) a new pair of shoes   b) a new pair of pants
   c) new art supplies   d) a new computer game

Question 5.

Listen to this conversation between two women. Then answer question 5.

5. What are the two women talking about?

    a) their children

    b) their grandchildren

    c) kindness

    d) what another couple is talking about

Questions 6-7.

Listen to this conversation between two co-workers. Then answer questions 6 and 7.

6. What made the man nervous?

    a) he doesn't know how to operate a computer

    b) his boss walked in while he was checking his e-mail

    c) he had double his normal workload that day

    d) his boss looked over his shoulder as he was working

7. Which of the following words best describe the man?

    a) Incompetent to complete his work

    b) Good at working unsupervised

    c) Confident at all he does

    d) Too lazy to do his work

Questions 8-9.

Listen to this conversation between a man and a woman. Then answer questions 8 and 9.

8. Where is this conversation taking place?

    a) at an amusement park

    b) at a movie theater

    c) at a post office

    d) at an airport

9. How long have they been waiting in line?

    a) 1 hour

    b) 1 hour 15 minutes

    c) 1 hour 30 minutes

    d) 1 hour 45 minutes

Questions 10-12.

Listen to this conversation between two acquaintances. Then answer questions 10, 11 and 12.

10. What does the man notice about the woman's appearance?

    a) she has a pale complexion

    b) she hasn't been walking straight

    c) she has been losing weight

    d) she looks stressed out

11. What is the woman's actual problem?

    a) she has the flu

    b) she is pregnant

    c) she has been having back pain

    d) she has been constipated

12. What kind of medical treatment has the woman been receiving?

    a) antibiotics

    b) physical therapy

    c) herbal medicines

    d) acupuncture

Questions 13-14.

Listen to this conversation between two women. Then answer questions 13 and 14.

13. Where does this conversation take place?

    a) At a department store

    b) In a home

    c) At the swap meet

    d) In a coffee shop

14. Why was the china dish inexpensive?

    a) It wasn't a brand name.

    b) It was overstocked at the department store.

    c) It was flawed merchandise.

    d) It was very cracked.

Questions 15-16.

Listen to this conversation about a trip to China. Then answer questions 15 and 16.

15. Why did the woman travel to China?

    a) as a tourist   b) to visit family

    c) to teach English   d) on business

16. What would she like to do the next time she travels there?

    a) see interesting places

    b) meet more native Chinese people

    c) go mountain climbing

    d) keep a photo-journal

Questions 17-18.

Listen to the following presentation about cooking. Then answer questions 17 and 18.

17. What is he teaching how to cook?

    a) how to cook Korean cold noodles

    b) how to cook Korean bibimbap (meat and vegetables mixed with rice)

    c) how to cook ramen

    d) how to cook Korean fried rice

18. What does he recommend you eat with this dish?

    a) kimchi

    b) Korean barbecue

    c) Korean dumplings

    d) a hard boiled egg

Questions 19-20.

Listen to this conversation between high school students. Then answer questions 19 and 20.

19. What happened between Jason and Peter during lunch time?

    a) They had a pleasant lunch together

    b) They debated over political issues

    c) They had an argument that almost got physical

    d) They had a fist fight

20. What happened as a result?

    a) they got suspended from school

    b) they were sent home for the day

    c) they stopped being friends

    d) they apologized to each other

Questions 21-22.

Listen to this short exchange about a controversial topic. Then answer questions 21 and 22.

21. What is the topic of their discussion?

    a) basketball

    b) video games

    c) violent movies

    d) the internet

22. What are the man's and woman's positions about this topic?

    a) both in favor of it

    b) man in favor, woman against

    c) woman in favor, man against

    d) both are against it

Listen to this conversation between a man and a woman. Then answer questions 23, 24 and 25.

23. What is the relationship between the man and the woman?
   - a) husband / wife
   - b) brother / sister
   - c) co-workers
   - d) friends

24. What is the woman's problem?
   - a) she woke up late
   - b) her car broke down
   - c) she needs to borrow some money
   - d) she got laid off from her job

25. When will they see each other again?
   - a) that afternoon
   - b) the next day
   - c) the coming weekend
   - d) in a week

Questions 26-28.

Listen to this conversation between Jenny and her friend. Then answer questions 26, 27 and 28.

26. Where is this conversation taking place?
   - a) over the internet
   - b) over the telephone
   - c) at a café
   - d) at Jenny's house

27. Jenny must run each of the following errands today *except:*
   - a) take her mother to the airport
   - b) pick up her car
   - c) pick up a package at the post office
   - d) return books at the library

28. When will the man and the woman next meet?

    a) right away

    b) after she picks up her car

    c) after she takes her mother to the airport

    d) tomorrow

Section II - Usage

Directions: This section consists of a number of incomplete statements, each of which has four suggested completions. Select the word or phrase that completes the sentence structurally and logically and fill in the corresponding oval on the answer sheet.

29. 독서를 하는 데 있어서 중요한 것은 마음을 가라 앉히고 신경을 집중시키는 것이다. 여러 가지 일에 신경을 쓰다 보면 아무래도 이해가 잘 안 되고 속도가 느려지게 마련 이므로, 우선 잡념을 버리고 긴장을 풀어야 한다. 일상 생활의 _____ 행동을 하 듯이 여유있는 마음가짐으로 _____ 책을 읽으면, 다소 소란스러운 곳에서일지라 도 주의를 집중하여 독서를 할 수 있을 것이다.
    a) 가벼운 – 즐겁게   b) 무거운 – 기쁘게
    c) 버거운 – 슬프게   d) 슬픈 – 아름답게

30. 혈액의 혈중 농도가 _____ 사람이 간을 맞춘 음식은 짜고 그 반대는 싱겁다. 화가 났을 때, 신경을 썼을 때, 노심초사한 때면 혈중 염분 농도가 저하되기에 그런 사람이 만든 음식은 짤 수밖에 없는 것이다.
    a) 적은   b) 높은   c) 작은   d) 낮은

31. 양로원에서 진행된 한 연구에서는 성격이 괴팍해 다루기 _____ 노인이 더 오래 산 다는 결과가 나오기도 했다. 관심을 더 많이 받게 되어 그럴 수 있다는 설명이다.
    a) 어려운   b) 쉬운   c) 침착한   d) 평온한

32. 색에는 문화권에 따라 상징적인 뜻이 부여되어 왔다. 이를테면 유럽에서 빨강은 정열, 초록은 성장, 흰색은 순결, 검정색은 악을 상징하며, 남태평양의 _____ 종족들에게 있어 흰색은 삶, 건강, 남성을 상징하고 빨강은 죽음, 병, 여성을 상징한다.
    a) 많은   b) 어려운   c) 큰   d) 빠른

33. 어떤 일을 여러 번 되풀이하여 그 일이 몸에 배어버린 것이 습관이다. 이러한 습관은 좋은 것이든 나쁜 것이든 쉽게 바뀌지 않는다. 그러므로 어려서부터 좋은 습관을 갖 는 것이 중요하다. 아침에 일찍 일어나 운동을 하는 습관이 있는 사람은 늘 건강하게 지낼 수 있다. 고운 말을 쓰는 것이 습관이 된 사람은 다른 사람에게 _____ 인상을 준다.
    a) 좋은   b) 나쁜   c) 불쌍한   d) 한심한

34. 부모 세대와 자녀 세대 간의 문화적 차이가 커지고 있는 현대 사회에서는 가족은 사랑으로 인내하면서 대화하는 기회를 늘려야 한다. 가족 구성원들이 서로의 생각이나 관심사, 기호 등을 제대로 파악하기 위해서는 _____ 대화가 필요하다.

   a) 정당한   b) 충분한   c) 밝은   d) 한심한

35. 담배 연기 속에는 알데히드, 케톤, 알콜, 에스터 등 기관지 속의 가는 털에 독성을 끼치는 성분이 있다. 코와 입을 통해 담배 연기가 자주 드나들면 호흡기 점막이 메마르면서 숨쉴 때 먼지와 바이러스를 여과시키키 _____ 혈액순환이 제대로 이뤄지지 않는다. 이렇게 되면 코안이 붓고 늘어져 물혹이 나거나 냄새에 둔감해지는 등 각종 이상이 생긴다.

   a) 어렵고   b) 어렵지만   c) 어려우니   d) 어려운

36. 1565년 영국에서는 흑연을 나무에 끼워 사용하기 시작하였고, 프랑스 사람 콩태는 오늘날의 연필을 만들어냈다. 연필은 길이가 17.2cm, 지름 0.8cm의 가느다란 막대 모양으로 가운데에 흑연심이 끼워져 있으며, 연필심은 경도에 따라 HB연필을 표준으로 17종으로 나뉘는데, 제도용은 단단한 H연필이, 미술용은 부드러운 B연필이 쓰이며, 연필의 목재는 목질이 부드럽고 결이 좋아 깎기 _____ 것이 좋다. 또한 보통의 필기용 연필 이외에 색연필도 있다.

   a) 부드러운   b) 쉬운   c) 어려운   d) 복잡한

37. 처음에는 단지 _____ 소리로 밖에 들리지 않았던 이 랩음악은 점차 이것을 부르는 사람과 듣는 사람으로 하여금 동시대의 감성을 갖게 만드는 대중음악으로 가장 큰 성공을 거두었다.

   a) 시끄러운   b) 시끄러워   c) 시끄러우니   d) 시끄럽고

38. 일반적으로 약물에 중독이 되고 있는 자녀들의 심리를 분석해 보면 부모로부터 많은 압박감을 느끼는 경우이거나 오랫동안 정서적으로 _____ 대화가 단절이 되어 있는 경우가 대부분인 것을 알 수 있다.

   a) 오래된   b) 짧은   c) 어려운   d) 깊은

39. 영화는 사람의 생각과 마음을 표현하고 다른 사람에게 영향을 끼치는 중요한 표현 수단이다. 영화의 가장 중요한 것은 사람들의 마음을 사로 잡을 수 있는 뭔가를 가져야 한다는 사실이다. 그것은 감독의 독특한 감각일 수도 있고, 아주 _____ 영화의 소재일 수도 있다.

   a) 평범한   b) 특이한   c) 중요한   d) 이상한

40. 약으로 인한 피해는 양약뿐 아니라 한약에 의해서도 발생할 수 있다. 모든 약은 기대되는 약효가 있는 반면에 거의가 역효과도 가져온다. 정확한 용법과 용량을 지키지 못하기 때문이다. 약은 어디까지나 질병을 예방하고 퇴치하기 위한 것이므로, _____ 처방에 따라 약을 복용하는 습관을 길러야 하겠다.
   a) 아까운   b) 좋은   c) 친절한   d) 정확한

41. 수박과 같은 과일은 씨의 주위가 가장 달다. 다른 과일과 마찬가지로 수박도 태양빛을 잘 쏘인 것은 한쪽이 조금 튀어 나왔으며 이 부분이 더 달다. 과당이 많기 때문에 _____ 냉장고에 넣어 두면 단맛을 높일 수 있다.
   a) 시원하게   b) 시원하면   c) 시원하지   d) 시원하니까

42. 눈 쌍꺼풀을 만들거나 낮은 코를 높이거나 하는 것이 젊은이들이 하는 수술이고 늘어진 눈꺼풀, 피부, 얼굴 주름, 등을 없애는 것이 나이든 사람이 ____ 보이고자 하는 수술이다.
   a) 늙어   b) 늘거   c) 젊어   d) 절머

43. 손님 접대를 위해 빠뜨릴 수 없는 커피는 건강을 증진시키고 감기, 두통을 치료하고 정신을 _____ 하는 신비로운 열매이다.
   a) 맑으니   b) 맑게   c) 맑아서   d) 맑도록

44. 알코올 중독에 걸리는 데에는 타고난 유전자도 _____ 역할을 하지만 어머니와의 관계나 어린 시절의 사회생활도 큰 영향을 미치는 것으로 나타났다.
   a) 조용한   b) 중요한   c) 비슷한   d) 민감한

45. 재미있게 살려면 어떻게 해야 할까. 아주 사소한 일에도 _____모든 일에 호기심을 갖고 베푸는 자세로 살아가야 하는 것이다.
   a) 불평하며   b) 여유롭게   c) 노래하며   d) 감사하며

46. 양식은 한식과 근본적으로 ____ 음식이다. 맛도 다르고 요리의 방법도 다르고 사용하는 재료도 많이 다르며 차리는 방법도 _____근본적으로 그 구성과 형태가 다르다는 것을 우리는 지나치기 쉽다.
   a) 다른 – 다르지만   b) 다른 – 다르다고
   c) 다르지만 – 다른   d) 다르지만 –다르고

47. 행복은 절대 혼자서 만들지 못한다. 어떤 관계이든 그 관계 속에서 어느 하나가
_____ 못하면 다른 쪽도 행복해질 수 없다.
a) 행복하게   b) 행복하면   c) 행복하지   d) 행복하도록

48. 크리스마스를 앞둔 요즈음은 산타클로스 할아버지의 손길이 분주해지는 계절. 아이들
이 우는지, 부모님 말씀 잘 듣고 있는지, 저 멀리 북극에서 슈퍼모니터를 지켜보느라
얼마나 _____.
a) 바쁘실까   b) 바쁘군요   c) 바쁘네요   d) 바쁘시지요

49. 우리가 학교 생활을 해 나가는 가운데 부닥치는 가장 큰 문제는 뭐니뭐니 해도 성적
문제이다. 어떻게 하면 성적을 향상시킬 수 있을 것인가? 세상의 모든 일이 그렇듯이
우선 성적을 올려야겠다는 _____ 의지를 갖고 계획을 세워서 그 의지를 실천해야
한다. 그러나 당장 _____ 효과가 나타나기를 기대해서는 안 된다. 꾸준히 노력해
야만 기대한 목적을 달성할 수 있는 것이다.
a) 굳게 – 뚜렷하게   b) 굳으니 – 뚜렷하니
c) 굳은 – 뚜렷한   d) 굳으면 – 뚜렷하고

50. 서양 식기의 거의가 접시같이 평면성인 데다가 뚜껑이 없는 것은 음식을 _____ 할
필요가 없기 때문이며, 오히려 음식으로부터 열을 발산시키기 위한 식기구조라 할 것이
다.
a) 덥히니   b) 덥게   c) 덥히고   d) 덥다고

51. 미국 보건복지부의 공중위생 담당 총괄국장 데이비드 새처가 13일 발표한 비만보고서
에 따르면 1년에 30만여명의 미국인이 비만과 직, 간접으로 연관된 질병으로 사망하
고 있고 비만이 원인이 된 암이나 당뇨, 천식, 관절염 환자도 매년 늘어나는 추세다.
미국 성인의 60%가 비만이며 특히 비만 연령층이 점차 낮아지고 있다는 것이 미국의
가장 _____ 고민이다.
a) 행복한   b) 작은   c) 아픈   d) 큰

52. 돼지는 미련해 보여도 후각만은 여느 개 못지 않게 뛰어나다. 프랑스 고급 식품 가운
데 야생죽순 드류프라가 있다. 땅 속 깊이 묻혀있어 쉽게 찾을 수 없는 이 보물을 추
적해 낼 수 있는 건 오로지 돼지 후각뿐이다. 독일에서는 마약이나 폭탄, 범칙물을 수
색하는 데 경찰견 대신 경찰돈이 활약할 정도니 돼지 코가 얼마나 _____.
a) 무디다고 한다   b) 대단한가
c) 잘 생겼나   d) 미련한가

53. 합리적이고 검소한 독일인들은 물건을 살 때 1센트의 가격 차이에도 매우 민감하다고 한다. 이 때문에 독일에서는 1, 2 센트 동전이 여전히 자주 사용되고 독일 정부는 화폐 가치보다 _____ 제조 비용을 감수하면서 1센트 유로 동전을 만들고 있다.

    a) 높으며   b) 높다고   c) 높은   d) 높아서

54. 인간의 두뇌는 좌우로 나뉘어 있으며, 각각 서로 다른 일을 하고 있는 것으로 알려져 있다. 즉 왼쪽 뇌는 기억하고 분석하는 일을 주로 하고, 오른쪽 뇌는 느끼고 감상하고 종합하는 일을 주고 한다고 한다. 그래서 왼쪽 뇌가 발달한 사람은 학교 성적이 _____, 오른쪽 뇌가 발달한 사람은 학교 성적보다는 예술적 재능이나 창의적인 면이 뛰어난 것으로 알려져 있다.

    a) 좋으나   b) 좋아서   c) 좋으니   d) 좋으면

55. 현재까지 진행된 연구 결과 녹차를 마시면 피부암, 유방암, 폐암, 결장암 등 각종 암의 위험을 줄이는 것으로 나타났다. 또 녹차와 홍차, 우롱차에 포함된 산화 방지제가 건강에 해로운 LDL콜레스테롤을 줄이는 반면 건강에 _____ HDL콜레스테롤은 늘려주며 동맥의 기능도 향상시킨다는 연구도 나와있다.

    a) 이로우니   b) 이로운   c) 이로워서   d) 이롭지만

56. 몇 해 전만 해도 한국이 지구상의 어디에 붙어 있는지조차 모르던 사람들이 이제 비로소 한국의 존재를 확실하게 인식하고, 우리 국민의 부지런함과 성실함에 감탄하여 마지않게 되었으니, 한국을 조국으로 가진 우리 모두의 _____ 자랑이다.

    a) 좋은   b) 복된   c) 행복한   d) 커다란

Section III - Reading Comprehension

Directions: Read the following selections carefully for comprehension. Each selection is followed by one or more questions or incomplete statements based on its content. Choose the answer or completion that is best according to the selection and fill in the corresponding oval on the answer sheet.

Questions 57-58

2월 18일

정인수 사장님귀하

지난 주 사장님으로부터 주문받은 물건의 견본발송이 늦어졌음을 사과드립니다. 중국에서 홍콩으로 견본을 발송할 때 이태리 견본과 같이 발송하였습니다. 그런데 지난 토요일 홍콩 사무실에서 받아 처리하는 과정에서 견본이 바뀌었습니다.

다행히 지배인이 서류를 확인하는 과정에서 발견하여 토요일 오후에 견본을 되돌려 받으려고 운송회사를 방문하였으나 찾지 못하고, 월요일에야 찾아서 다시 보내게 되었습니다. 이 점 깊이 사과드리고 다시는 이런 잘못을 하지 않도록 주의하겠습니다.

김영식 드림

57. What type of letter is this passage?

    a) Thank you letter   b) Letter of apology

    c) Letter of complaint   d) Letter of request

58. What was the problem?

    a) sample were delivered late

    b) the company wants to change the sample design

    c) the factory did not send out all the samples requested

    d) the factory could not make new samples

Questions 59.

천리안 도난방지회사

여러분의 귀중한 재산과 생명을 지켜드립니다.

전화 **(415) 625-8282**

---

59. What is the subject of this advertisement?

    a) life insurance   b) safety deposit box

    c) funeral service   d) alarm system

Questions 60-62

　　이 메일을 언제부터 쓰셨나요? 대부분의 이용자들은 3년, 길면 5년 정도가 고작일 것이다. 그래서 전자우편의 나이를 알면 많은 사람들이 "그렇게 오래됐어요?" 하고 깜짝 놀란다. 1971년 가을 어느날 미국의 컴퓨터 기술자 로이 톰린슨이 처음으로 전자우편을 시도했다. 당시에는 전산망에 연결된 사람들끼리만 문자메시지를 주고 받았는데 톰린슨은 외부기관에 있는 사람에게도 문자 메시지를 보낼 수 있는 전자우편을 만들었다. 이메일의 성공요인으로는 정식 편지와 달리 할 말만 간단히 해도 흠 잡히지 않는다는 점이 꼽혔다.

　　전세계적으로 이메일이 요즘 크게 증가하고 있는데, 특히 기업들의 주요한 마케팅 수단으로 확실하게 자리잡고 있다. 하지만 이메일이 늘면서, 그 부작용도 만만치 않다. 최대의 골칫거리는 역시 마구 뿌려지는 광고성 전자우편(스팸메일)과 바이러스다. 이제는 필요한 이메일을 읽고 쓰는 시간보다는 스팸메일을 지우고 메일에 붙어 들어오는 바이러스를 가려내느라고 더 많은 시간을 소비할 지경에 이르렀다.

---

60. According to this passage, what is one of the benefits of e-mail?

    a) you can keep in touch with friends and family all over the world.

    b) it allows businesses to be more informal in their communication.

    c) students can stay better connected with their professors.

    d) its contribution to paper reduction is good for the environment.

61. According to this passage, what is a liability of e-mail?

    a) dealing with all the viruses

    b) it takes too much time

    c) there are more services for which you must pay

    d) it is often a distraction from work

62. How long has e-mail been around?

    a) 3-5years   b) 5-7 years

    c) 10-15years   d) over 30years

Questions 63-64

> 저희 어머니는 저에게 항상 공부만 열심히 하라고 말씀하십니다. 하지만 남들처럼 친구들과 함께 운동도 하고, 어울려 다니면서 놀기도 하고 싶습니다. 며칠 전제 생각을 어머니께 말씀드렸더니 어머니는 쓸데 없는 생각이라고 친구들과 어울리는 것을 허락하지 않으셨습니다. 오히려 제게 전화라도 오면 전화를 건 친구를 마구 야단치십니다. 저는 속이 많이 상하지만 어머니의 고집을 너무나 잘 알고 있기 때문에 어떻게 해야 할지 고민입니다.

63. According this passage, what does the writer's mother want for him?

    a) become a doctor or lawyer

    b) marry a Korean woman

    c) to spend all his time studying

    d) take care of her in her old age

64. According this passage, what does the writer want for himself?

    a) to spend time with this friends

    b) to become a famous actor

    c) to work on his music

    d) to join the football team

일반적으로 고용주는 면접할 때 당신을 처음으로 봅니다.

첫째: 당신을 가장 좋게 보이세요. 머리모양은 단정하게, 옷은 깨끗하게 입으세요.

둘째: 면접시간보다 5분이나 10분전에 도착해서 기다리세요.

셋째: 면접하는 동안 질문에 확실하게 대답하세요.

넷째: 당신이 경험이 없는 일에 대해서 질문을 하면, 공손하게 이 일을 배우고 싶다고 대답하세요.

다섯째: 면접하는 동안 껌을 씹거나 담배를 피우거나 커피를 마시는 일은 하지 마세요.

여섯째: 면접할 수 있는 기회를 준 것에 감사하세요.
직장을 가질 수 없더라도 다음 번 면접을 위해 연습을 했다고 생각하세요. 면접을 어떻게 하는 것이 가장 좋은가를 알게 되면 당신은 원하는 직장을 구할 수 있습니다.

65. According to the passage, what are some things you should not do at an interview?

　　a) dress sloppily and wear sandals

　　b) drink coffee and chew gum

　　c) act nervous while answering questions

　　d) beg for the job

66. What answer is recommended you give if you have no previous experience?

　　a) I don't have any previous experience.

　　b) I don't know what to do; will somebody be able to help me?

　　c) Father has years of experience in that field; it was my father's profession

　　d) I may not have direct experience yet, but I am eager and willing to learn

67. Each of the following is good advice for going on an interview *except:*

　　a) search on-line for tips on how to have a good interview

　　b) dress neatly and arrive early

　　c) thank your interviewers at the end

　　d) consider the interview as good practice if you do not get the job

애니는 어제 저녁에도 친구 4명을 초대했다. 애니는 언제나 친구들을 불러 같이 저녁 먹기를 좋아 한다. 어제도 애니는 갈비를 굽고 된장찌개도 끓였다. 친구들은 언제나 애니가 만든 갈비구이를 너무 좋아한다. 안나가 잡채를 만들어 왔고, 토니는 사과를 사왔다. 캐롤은 군만두를 만들어 왔고 죠오지는 쑥떡을 사왔다. 모두들 저녁을 맛있게 먹고 후식으로 쑥떡과 사과를 먹었다.

68. What is the main topic of this passage?

    a) Friends go out to eat at Annie's Korean Barbecue Restaurant

    b) Friends are cooking dinner together

    c) Annie hosts a potluck dinner party

    d) Annie is hosting a birthday dinner for Peter

69. What do they eat for dessert?

    a) chocolate cake and ice cream

    b) apples and rice cakes

    c) shaved ice

    d) apples and watermelon

중고차 삽니다.

매입전문 출장, 현금 매입
방문, 중고차 최고가격 보장, 종류 불문하고 삽니다.

동서 자동차 (323) 555-8888   1234 Main Street

70. Who put out the above advertisement?

    a) Chinese tea company

    b) An individual looking for a roommate

    c) Rent-a-Car company

    d) Used car buying office

71. They guarantee each of the following *except:*

    a) guarantee the highest prices

    b) will pay full in cash

    c) will accept any kind of car

    d) guarantee the lowest prices

저는 좋은 딸이 되려고 많이 노력하고 있지요. 제가 아무리 노력을 해도 우리 부모님은 만족하시지 않아요. 부모님은 제가 집에서 엄마가 해주시는 음식만 먹기를 원하시고 아빠가 사 주시는 옷만 입기를 원하시지요. 저는 아빠를 좋아하지만 아빠가 사 주시는 옷은 정말이지 사양하겠어요.

머리는 기르고 싶으면 항상 단정하게 뒤로 묶고 다니기를 바랍니다. 머리는 풀어 놓고 다녀야 멋있지 않아요? 또 염색을 하면 절대로 안 되지요. 그런데 저는 까만색 머리는 정말이지 질색이거든요.

그리고 학교에서 언제나 좋은 성적을 받아오기를 원하십니다. 그렇지만 그건 정말이지 쉬운 일이 아니라는 것을 엄마도 잘 아십니다. 또 제 친구들이 우리 집에 왔을 때 우리 부모님께 공손하게 인사를 해야 합니다. 이것 또한 어려운 문제 중의 하나지요. 왜냐하면 우리는 10대이니까요. 어른들은 몰라요. 제가 무얼 생각하는지를 ----.

72. What kind of clothes does the girl want to wear?

  a) the hottest fashions

  b) her own choices

  c) the clothes her dad buys her

  d) the same as her friends

73. What kind of hairstyle does the girl want to have?

  a) black and in a ponytail

  b) hi-lighted and permed

  c) dyed and worn down

  d) a different one every week

74. What do her friends have to do whenever they come over?

  a) bow politely to her parents

  b) help with the chores

  c) take their shoes off before entering

  d) stay in her room only

대한출판문화 협회는 지난해 10월 1일부터 한 달간에 걸쳐 전국 50개 학교를 대상으로 우리나라 중학생의 독서 실태를 조사했다. 이 설문 조사는 고등학교 2학년 (10학년) 남녀 학생 1000명을 대상으로 한 것이다.

한달간 독서량
  1권: 62.3%   2권: 20.5%   3권: 7.4%   3권 이상: 9.8%

읽은 책의 종류
  소설: 67.5%   수필: 10.7%   잡지: 13.5%   시집: 3.2%   기타: 5%

책을 읽는 시기
  방학 기간: 49.3%   평소: 23%   시험 후: 24%   기타: 3.7%

책을 많이 읽으면 세계 여러 나라의 문화를 배울 수 있다. 또 간접적으로나마 자신이 직접 경험해 보지 못한 것을 경험할 수도 있다. 그러므로 우리는 책을 많이 읽어야 한다. 그리고 책을 많이 읽으면, 학교 공부에도 도움이 되며 생각하는 힘도 기를 수 있다.

75. When do 10th graders read the most extracurricular books?

   a) after a test   b) during school vacations
   c) only on weekends   d) regularly

76. What genre of literature is most popular among high school students?

   a) essays   b) magazines
   c) poetry   d) novels

77. Each of the following are reasons we should read more *except:*

   a) reading allows you to learn about other cultures

   b) reading helps your study habits

   c) reading about an experience is the same as directly experiencing it

   d) reading lets you indirectly experience things you haven't yet experienced

전화통화는 상대방을 보면서 하는 것이 아니기 때문에 언어의 사용에 각별한 주의를 하여야 합니다. 전화 통화 시 인상은 언사와 음성에 의해서 결정이 되는데, 언사가 30%, 음성이 70%의 비율로 작용을 한다는 것이 전문가들의 이야기입니다. 같은 말을 해도 상대방이 쉽게 이해할 수 있는 말을 해야 하고 품위를 손상치 않는 말을 써야 합니다.

적당한 높이의 음으로 평상시 대화하는 음성으로 겸손하고 명랑하게 이야기하는 것이 좋습니다. 통화가 끝나면 윗사람부터 먼저 전화를 끊는 것이 인사입니다. 아랫사람은 상대방이 끊을 때까지 기다렸다가 상대방이 끊은 다음에 수화기를 놓아야 합니다.

78. What is the main message of this passage?

   a) always be polite on the telephone

   b) be aware of how you carry yourself over the telephone

   c) don't speak too low or too high over the telephone

   d) speak differently than you do in person

79. What factors make up the listener's impression of the speaker?

   a) 30% diction, 70% tone of voice

   b) 30% tone of voice, 70% diction

   c) 30% pitch, 70% vocabulary

   d) 30% vocabulary, 70% pitch

80. Who should hang up first at the end of the conversation?

   a) the younger speaker

   b) the older speaker

   c) the person who made the call

   d) the person who answered the call

Test 6

ADVERBS: Conjugation

Travel

Transportation

Directions

Time

Weather

SATII Korean Practice Test Answer Sheet

Name _____ Date _____ Test No.: __6__

1. ⓐ ⓑ ⓒ ⓓ	28. ⓐ ⓑ ⓒ ⓓ	55. ⓐ ⓑ ⓒ ⓓ
2. ⓐ ⓑ ⓒ ⓓ	29. ⓐ ⓑ ⓒ ⓓ	56. ⓐ ⓑ ⓒ ⓓ
3. ⓐ ⓑ ⓒ ⓓ	30. ⓐ ⓑ ⓒ ⓓ	57. ⓐ ⓑ ⓒ ⓓ
4. ⓐ ⓑ ⓒ ⓓ	31. ⓐ ⓑ ⓒ ⓓ	58. ⓐ ⓑ ⓒ ⓓ
5. ⓐ ⓑ ⓒ ⓓ	32. ⓐ ⓑ ⓒ ⓓ	59. ⓐ ⓑ ⓒ ⓓ
6. ⓐ ⓑ ⓒ ⓓ	33. ⓐ ⓑ ⓒ ⓓ	60. ⓐ ⓑ ⓒ ⓓ
7. ⓐ ⓑ ⓒ ⓓ	34. ⓐ ⓑ ⓒ ⓓ	61. ⓐ ⓑ ⓒ ⓓ
8. ⓐ ⓑ ⓒ ⓓ	35. ⓐ ⓑ ⓒ ⓓ	62. ⓐ ⓑ ⓒ ⓓ
9. ⓐ ⓑ ⓒ ⓓ	36. ⓐ ⓑ ⓒ ⓓ	63. ⓐ ⓑ ⓒ ⓓ
10. ⓐ ⓑ ⓒ ⓓ	37. ⓐ ⓑ ⓒ ⓓ	64. ⓐ ⓑ ⓒ ⓓ
11. ⓐ ⓑ ⓒ ⓓ	38. ⓐ ⓑ ⓒ ⓓ	65. ⓐ ⓑ ⓒ ⓓ
12. ⓐ ⓑ ⓒ ⓓ	39. ⓐ ⓑ ⓒ ⓓ	66. ⓐ ⓑ ⓒ ⓓ
13. ⓐ ⓑ ⓒ ⓓ	40. ⓐ ⓑ ⓒ ⓓ	67. ⓐ ⓑ ⓒ ⓓ
14. ⓐ ⓑ ⓒ ⓓ	41. ⓐ ⓑ ⓒ ⓓ	68. ⓐ ⓑ ⓒ ⓓ
15. ⓐ ⓑ ⓒ ⓓ	42. ⓐ ⓑ ⓒ ⓓ	69. ⓐ ⓑ ⓒ ⓓ
16. ⓐ ⓑ ⓒ ⓓ	43. ⓐ ⓑ ⓒ ⓓ	70. ⓐ ⓑ ⓒ ⓓ
17. ⓐ ⓑ ⓒ ⓓ	44. ⓐ ⓑ ⓒ ⓓ	71. ⓐ ⓑ ⓒ ⓓ
18. ⓐ ⓑ ⓒ ⓓ	45. ⓐ ⓑ ⓒ ⓓ	72. ⓐ ⓑ ⓒ ⓓ
19. ⓐ ⓑ ⓒ ⓓ	46. ⓐ ⓑ ⓒ ⓓ	73. ⓐ ⓑ ⓒ ⓓ
20. ⓐ ⓑ ⓒ ⓓ	47. ⓐ ⓑ ⓒ ⓓ	74. ⓐ ⓑ ⓒ ⓓ
21. ⓐ ⓑ ⓒ ⓓ	48. ⓐ ⓑ ⓒ ⓓ	75. ⓐ ⓑ ⓒ ⓓ
22. ⓐ ⓑ ⓒ ⓓ	49. ⓐ ⓑ ⓒ ⓓ	76. ⓐ ⓑ ⓒ ⓓ
23. ⓐ ⓑ ⓒ ⓓ	50. ⓐ ⓑ ⓒ ⓓ	77. ⓐ ⓑ ⓒ ⓓ
24. ⓐ ⓑ ⓒ ⓓ	51. ⓐ ⓑ ⓒ ⓓ	78. ⓐ ⓑ ⓒ ⓓ
25. ⓐ ⓑ ⓒ ⓓ	52. ⓐ ⓑ ⓒ ⓓ	79. ⓐ ⓑ ⓒ ⓓ
26. ⓐ ⓑ ⓒ ⓓ	53. ⓐ ⓑ ⓒ ⓓ	80. ⓐ ⓑ ⓒ ⓓ
27. ⓐ ⓑ ⓒ ⓓ	54. ⓐ ⓑ ⓒ ⓓ	81. ⓐ ⓑ ⓒ ⓓ

Section I – Listening

Directions: *In this part of the test you will hear several spoken selections. They will not be printed in your test book. You will hear them only once. After each selection you will be asked one or more questions about what you have just heard. These questions, with four possible answers, are printed in your test booklet. Select the best answer to each question from among the four choices printed and fill in the corresponding oval on your answer sheet.*

<u>Questions 1-2.</u>
Listen to this conversation about summer plans. Then answer questions 1 and 2.

1. Where will the man be spending next summer?
   a) in Los Angeles   b) in Seoul
   c) in San Francisco   d) in Shanghai

2. What will the woman be doing next summer?
   a) visit friends   b) take summer classes
   c) look for a job   d) travel abroad

<u>Questions 3-5.</u>
Listen to this announcement given by a tour guide. Then answer questions 3, 4 and 5.

3. What will the tourists most likely do after this announcement?
   a) claim their luggage   b) go shopping
   c) call a taxi   d) leave the art museum

4. What time is the tour guide making this announcement?
   a) 10:00 a.m.
   b) 10:30 a.m.
   c) 11:00 a.m.
   d) 11:30 a.m.

5. What must the group be careful to do?

    a) don't touch the artwork

    b) stay together as one group

    c) stay with at least 1 or 2 buddies at all times

    d) be on time

Questions 6-7.

Listen to this conversation about traveling. Then answer questions 6 and 7.

6. Where will the man be traveling this summer?

    a) Japan   b) Brazil

    c) Italy   d) Europe

7. What is he concerned about?

    a) speaking the language

    b) paying for the trip

    c) making all the necessary arrangements

    d) getting his visa approved on time

Questions 8-9.

Listen to this conversation between two acquaintances. Then answer questions 8 and 9.

8. Why did the woman take the bus today?

    a) her car is in the shop

    b) her sister is borrowing her car

    c) she likes to take the bus on the weekends

    d) she can't drive long distances

9. What does the man offer her?

    a) to let her borrow his cell phone

    b) to give her bus fare

    c) to take her to the bus stop

    d) to take her home

Questions 10-11.

Listen to a woman's request for directions. Then answer questions 10 and 11.

10. What is the woman looking for?
    a) a police   b) a post office
    c) a gymnasium   d) an apartment building

11. What is it next to?
    a) a police station   b) a post office
    c) a gymnasium   d) an apartment building

Questions 12-13.

Listen to the following radio report. Then answer questions 12 and 13.

12. What type of radio announcement is this?
    a) local news
    b) police report
    c) traffic report
    d) weather report

13. From where is this report being made?
    a) San Fernando
    b) San Diego
    c) San Francisco
    d) San Gabriel

Questions 14-15.

Listen to this conversation about weekend plans. Then answer questions 14 and 15.

14. Where was Mr. Kim planning to take his family this weekend?
    a) to the beach
    b) to the mountains
    c) to an amusement park
    d) to a petting zoo

15. Why must he cancel his plans?

   a) urgent business came up

   b) the place he was going to take them is closed down for the weekend

   c) his daughter has a soccer game she is playing in

   d) it's going to rain very hard

Questions 16-18.

Listen to this weather report. Then answer questions 16, 17 and 18.

16. What is the weather this morning?

   a) warm and clear

   b) cloudy and cold

   c) foggy and humid

   d) rainy and chilly

17. What are the chances of rain this evening?

   a) 80%

   b) 60%

   c) 40%

   d) 20%

18. What will be today's highest temperature?

   a) 20°

   b) 48°

   c) 67°

   d) 80°

Questions 19-21.

Listen to this interview about a car accident. Then answer questions 19, 20 and 21.

19. Which of the following best describes the man being interviewed?

   a) he was involved in a car accident

   b) he was a witness to a car accident

   c) he was the ambulance driver that was called to the scene

   d) he was the police officer that was called to the scene

20. How did the woman in the accident appear to be injured?

   a) she was bleeding from the forehead

   b) she was thrown out of her car

   c) she was knocked unconscious

   d) she had crushed ribs

21. Which of the following occurred?

   a) someone called 9-1-1

   b) someone made conversation with the victims until the ambulance came

   c) someone helped the injured man sit up

   d) towels were used as bandages

Questions 22-23.

Listen to this short exchange about the weather. Then answer questions 22 and 23.

22. What is the relationship between the man and the woman?

   a) husband / wife

   b) father / daughter

   c) brother / sister

   d) co-workers

23. Who listened to the weather report?

   a) both the man and the woman

   b) the man only

   c) the woman only

   d) neither the man nor the woman

Questions 24-26.

Listen to this conversation between Suzy and her friend. Then answer questions 24, 25 and 26.

24. What kind of automobile is the woman going to buy?

   a) a used car

   b) a new car

   c) a used SUV

   d) a new SUV

25. Which of the following does the man recommend to the woman?

    a) to let him go along with her to the dealership

    b) to research the blue book price

    c) to find a car with good mileage

    d) to test drive any vehicle she is interested in

26. What will the woman do next week?

    a) sign the lease to her new car

    b) buy car insurance

    c) take her driver's license exam

    d) take a road trip with her friends

Questions 27-28.

Listen to this conversation between two women. Then answer questions 27 and 28.

27. Where is this conversation taking place?

    a) over the telephone

    b) at a travel agent's office

    c) at an airport

    d) at a car rental office

28. Where will the customer be traveling?

    a) Los Angeles to Seoul (one-way)

    b) Seoul to Los Angeles (one-way)

    c) Los Angeles to Seoul and back

    d) Los Angeles to Seoul to Tokyo

Section II – Usage

Directions: This section consists of a number of incomplete statements, each of which has four suggested completions. Select the word or phrase that best completes the sentence structurally and logically and fill in the corresponding oval on the answer sheet.

29. 사람은 희망을 가져야 한다. 슬픔, 아픔, 어려움 속에서도 희망을 가지고 있는 사람은 그것을 이겨 낼 수 있다. _____ 희망을 버린 사람은 이겨 낼 수 없다. _____ 희망은 용기의 샘인 것이다.
    a) 그러나 – 그러므로   b) 그러나 – 그러면
    c) 그렇지만 – 그리고   d) 그리고 – 그래서

30. 국어나 영어를 살펴보면, 언어는 첫째 소리로 되어 있다는 것을 알 수 있다. 그러나 조금만 더 생각하면, 그냥 소리로 되어 있다고만 해서는 안 된다는 것을 알게 된다. _____ 참새가 노래하는 소리나 지하철의 전동차 소리 같은 것은 언어가 될 수 없기 때문이다. 그러므로 언어란, 사람의 입에서 나오는 소리, 곧 음성으로 되어 있다고 해야 할 것이다. _____ 언어는 음성으로 되어 있다고만 하면 될까?
    a) 그러나 – 그래서   b) 그리고 – 그렇지만
    c) 왜냐하면 – 그러면   d) 그러니까 – 따라서

31. 인간의 뇌는 우주에서 _____ 복잡하고 신비한 구조물로 약 14억개의 신경세포와 그 세포에 영양을 공급하는 1000억개의 세포로 구성되어 있으며, 그 조합의 가능성은 _____ 10조 가지에 이른다고 한다.
    a) 과연 – 오히려   b) 가장 – 바로
    c) 아주 – 무려   d) 가장 – 무려

32. 아름다움이란 뭘까? 밖에서 문지르고 발라 그럴 듯하게 치장해 놓은 게 아름다움은 물론 아니다. _____ 사람들은 흔히 거죽의 아름다움만을 보려는 맹점이 있다. _____ 아름답게 보이려고 갖은 수고를 다 한다.
    a) 왜냐하면 – 그런데   b) 그런데 – 그래서
    c) 그러니까 – 그러면   d) 그렇지만 – 그러자

33. 코의 기능은 크게 두 가지, 우선 방어진지의 역할이다. 공기에 섞인 먼지는 코털에서 걸러지고 점액에 부착돼 밖으로 배출된다. 가습기의 역할도 한다. 마르고 찬 공기는 75 ~ 95%의 습도와 섭씨 37도의 온도로 바뀌어 폐로 전달된다. _____ 코가 막혔다는 것은 호흡기의 최전선이 무너졌음을 의미한다.

a) 그러나　　　　b) 그렇지만　　　　c) 따라서　　　　d) 그런데

34. 어린아이들에게 잠자기 전에 재미있는 이야기를 해주세요._____아이들은 행복한 생각을 하면서 기분이 차분히 가라앉은 상태에서 잠이 들 것입니다.

a) 그러면　　　　b) 그렇지만　　　　c) 따라서　　　　d) 더구나

35. 고추에는 사과보다 20배 이상의, 귤보다 2배 이상의 비타민 C가 들어있는데 비타민 C는 산화되기 쉽다는 결점이 있다. _____ 고추를 맵게 하는 성분인 카프사이신은 이 산화를 방지하는 강력한 작용을 한다.

a) 그리고　　　　b) 그러므로　　　　c) 따라서　　　　d) 그런데

36. 오늘날 우리가 살고 있는 현대 사회는 그 변화의 속도가 매우 빠릅니다. 우리 어른들이 어렸을 때에는 들어 보지도 못한 새로운 물건들이 쉴새없이 만들어지고 있습니다. 그뿐만 아니라 지구의 반대편에 있는 나라의 소식도 쉽게 알 수 있게 되었습니다. 도서관에 가지 않아도 수많은 책들을 쉽게 찾아볼 수 있습니다. _____ 먼 곳에 떨어져 있는 가족과 친구들의 모습을 보며 전화를 하게 될 날도 멀지 않았습니다.

a) 오히려　　　　b) 우선　　　　c) 아주　　　　d) 과연

37. 달은 크기가 지구의 1/4밖에 안 되며, 그곳에는 물도, 공기도 없다. 해가 쬐는 곳은 영상 110도C가 넘고, 그늘이 지는 곳은 영하 100도C 이하가 되며, 달 위에서의 하루의 길이는 거의 한달이나 된다. 달의 중력은 지구의 1/6밖에 안 된다. _____ 지구에서 체중 48KG인 사람이 달에 가면 8KG이 된다.

a) 그래서　　　　b) 그렇지만　　　　c) 그러나　　　　d) 그러자

38. 감기가 심해지면 독감이 된다고 생각하는 사람이 많지만, 독감은 바이러스에 의해 발생한다. 일반 감기보다 증세가 심하며 전염성도 _____ 강하다.

a) 과연　　　　b) 더욱　　　　c) 바로　　　　d) 많이

39. 간디로 하여금 위대한 인물이 되게 한 점이 한두 가지 있었다면, 그 하나는 거짓이 없었다는 점입니다. 어려서 학교에 다닐 때에도 성적보다는 정직한 마음을 존중하였으며, 일생을 사는 동안 자신과 이웃을 속이는 일을 하지 않았습니다. _____ 아무리 남에게 도움이 되는 일이라 하여도, 옳지 않은 수단과 방법은 택하지 않았습니다.

   a) 그러나   b) 그렇지만   c) 더구나   d) 따라서

40. 차가 위험할수록 운전자는 _____ 운전한다. 때문에 안전한 것이다. 반대로 차가 안전할수록 운전자는 더 거칠게 운전한다.

   a) 살짝살짝   b) 빨리빨리   c) 조심조심   d) 느릿느릿

41. 발명왕 에디슨이 밤을 새워가며 연구에만 몰두하자, 그의 아내가 그에게 좀 쉬었다 하라고 했다. _____ 에디슨은 연구가 곧 나의 휴식이라고 말했다.

   a) 그런데   b) 그리고   c) 그러자   d) 그러므로

42. 세계의 쌀은 색깔도 가지가지다. 가공하기 전 쌀의 색은 지역마다 다른데, 갈색, 적색, 자주색, 검은색을 띠는 게 대표적이다. 가공 전의 색깔 있는 쌀은 흰쌀보다 영양가가 훨씬 높다. 쌀 맛과 씹는 느낌을 즐기는 취향도 나라마다 다르다. 남아시아와 중동에선 바짝 말려 부순 쌀을 즐기고, 한국 · 일본 · 중국북부 · 이집트 등에선 _____ 끈적이는 쌀을 좋아한다.

   a) 촉촉하지만   b) 촉촉하고   c) 촉촉하니   d) 촉촉해서

43. 캐나다 심리학자 리사 드브륀에 따르며 동성간에는 닮은 얼굴, 이성간에는 다른 얼굴을 가진 사람에게 호감을 가진다. 외모가 비슷할수록 같은 유전자를 보유했을 가능성이 높아 동성간에는 닮은 사람에게 _____ 호감을 보인다. 반면 이성간에는 근친상간을 막기 위한 생물학적 억제 작용 때문에 자신의 유전자와 거리가 먼 다른 얼굴에 호감을 느끼는 것이다.

   a) 더   b) 잘   c) 가장   d) 특히

44. 언어에 관심을 가지고 언어를 대상으로 하는 공부를 하는 것은 우리의 교양을 높이고, 우리말을 이해하고, 우리말을 더 ____ 사용하는 데에는 물론, 나아가서는 다른 학문을 연구하는 데에도 큰 도움을 주는 것으로, 매우 유익한 일이다.

   a) 자주   b) 언제나   c) 처음   d) 잘

45. 비빔밥은 쌀을 이용한 음식임에도 다른 아시아 국가와 달리 쌀을 기름에 볶지 않기 때문에 칼로리가 낮은 것이 특징인데 _____ 신선한 야채와 자연 발효 식품인 고추장 등을 사용하고 참기름의 고소한 맛으로 비벼서 먹는 맛이 일품이다.

    a) 더욱   b) 과연   c) 특히   d) 벌써

46. 우리가 과학의 힘을 ____ 이용하면 그것은 우리에게 여러가지 이로움과 풍족함을 가져다 주지만, 과학의 힘을 나쁜 의도로 쓰거나 서투르게 이용할 경우 우리를 _____ 불행하게 만드는 무서운 힘이 될 수 있습니다.

    a) 잘 – 매우   b) 너무 – 정말
    c) 퍽 – 미리   d) 이제 – 늘

47. 자기가 옳다고 생각하는 일, 정의롭다고 생각하는 일을 꾸준히 지켜나간다면 _____ 남의 존경과 사랑을 받게 될 것이다.

    a) 우연히   b) 다행히   c) 자연히   d) 가만히

48.   나는 고등학교에 입학하면서부터 미술부 활동을 했고 결국 대학도 미술학과를 선택했다. 지금도 나는 미술을 매우 사랑하기 때문에 미술학과에 온 것을 _____ 후회하지 않는다.

    a) 오로지   b) 전혀   c) 가장   d) 바로

49. 씨름은 두 사람이 마주 꿇어 앉아서 서로 상대방의 허리와 다리를 걸어잡고 있다가, 심판의 구령에 따라 일시에 일어나 서로 잡은 채로 다투는 것인데, _____ 넘어지거나 손이나 무릎이 땅에 닿거나 하면 지는 것이다.

    a) 먼저   b) 아주   c) 몹시   d) 과연

50. 내 소망이 있다면 심적인 면에서나 지적인 면에서 나 자신을 지금의 상태에서 _____ 더 발전시키고 싶다.

    a) 가장   b) 꽤   c) 몹시   d) 보다

51. 영국의 크리켓을 기초로 고안한 야구는 초등학교에서부터 중학교 · 고등학교 · 대학 · 사회 · 단체 · 직장에 이르기까지 많은 야구팀이 생겨, 구기 종목 가운데 ____ 인기있는 경기의 하나로 유행하고 있다.

    a) 가장   b) 바로   c) 전혀   d) 과연

52. 학문을 하는 데에는 의심을 품는 자세가 중요하다. 그럼에도 _____ 학문을 하는 이들이 의심을 품지 못할 때가 많다.

a) 언제나 b) 왜냐 하면 c) 불구하고 d) 부득이

53. 비빔밥에는 아시안 문화의 특징인 '조화'가 담겨 있다. 뜨거운 밥과 차가운 야채가 어울려 먹기 적당한 음식으로 변하는 비빔밥은 미국사회가 다민족 문화가 공존하는 '샐러드 볼'이라는 점을 새삼 _____ 느끼게 하는 음식이기도 하다.

a) 모두 b) 다시 c) 먼저 d) 바로

54. 모양새란 겉으로 드러나는 아름다움을 가리키는 말이다. _____ 내적인 아름다움 없이 b) 그래서 c) 그러므로 d) 그렇지만

55. 나는 코미디 프로그램을 보며 우리들의 일상생활이 항상 _____ 웃음으로 가득 넘쳤으면 하는 생각을 해 본다.

a) 자주 b) 이렇게 c) 언제나 d) 몹시

56. 책을 _____ 읽을 때는 미처 못 느꼈지만 책을 여러 권 읽고 난 다음부터는 사물을 보고 판단하는 능력이 나도 모르게 향상하고 있음을 깨닫게 되었다.

a) 요즈음 b) 처음 c) 열심히 d) 자주

Section III - Reading Comprehension

Directions: *Read the following selections carefully for comprehension. Each selection is followed by one or more questions or incomplete statements based on its content. Select the answer or completion that is best according to the passage and fill in the corresponding oval on the answer sheet.*

Questions 57-58.

마시고 먹을 때 소리 내는 것을 서양 사람들은 신경질적으로 싫어한다. 그런데 우리 한국 사람들은 소리 내어 마시고, 소리 내어 먹을수록 잘 먹고 맛있게 먹는 것으로 안다. 서양의 식사 에티켓의 원칙은 먹는 식품은 반드시 입 속에 있거나 입 밖에 있지 않으면 안 된다는 것이다. 그러기에 수저 속에 든 수프를 한 모금에 퍼 넣어야 되지, 우리 한국 사람처럼 후루룩 소리 내어 빨아 넣어서는 안 된다.

---

57. According to the passage, what behavior indicates a Korean person is enjoying his or her meal?

   a) eating quickly

   b) eating a lot

   c) eating loudly

   d) eating slowly

58. What principle characterizes Western dining etiquette?

   a) Food should either be completely in your mouth or completely out of it

   b) Use the correct utensil for each type of food

   c) Only use serving spoons to put food onto your plate

   d) Chew your food thoroughly before swallowing

```
┌──────┬──────────────┐  ┌────────┬────────┬────────┐   ┌────────┬────────┐
│ 꽃   │    병원       │  │ 소방서  │  은행   │ 우체국  │   │ 빨래방  │  모텔   │
│ 집   │              │  │         │        │        │   │        │        │
└──────┴──────────────┘  └────────┴────────┴────────┘   └────────┴────────┘

                              Main Street

┌──────────────┐        ┌────────┬────────┬────────┐        ┌──────────────┐
│    약국       │        │ 선물    │        │ 구두방  │        │    호텔       │
├──────────────┤  4가    │ 가게    │  법원   ├────────┤  3가   ├──────────────┤
│   철물점      │        │ 제과점  │        │        │        │   음식점      │
├──────────────┤        ├────────┤        │ 책방    │        ├──────────────┤
│  슈퍼마켓     │        │ 고깃간  │ 박물관  │        │        │   주유소      │
└──────────────┘        └────────┴────────┴────────┘        └──────────────┘

                               Broadway

┌──────────────┐        ┌────────────────────────┐        ┌──────────────┐
│   백화점      │        │          공원           │        │   동물원      │
└──────────────┘        └────────────────────────┘        └──────────────┘
```

59. Minwoo came out of the restaurant on 3rd st, passed the hotel and turned left onto Main St. He passed the courthouse and entered a store. Where is Minwoo's destination?

   a) Bakery   b) Shoe Store   c) Gift Store   d) Book Store

60. Professor Shim and his wife left the hotel and crossed the street. They went to the store next to the shoe store. Where are they entering?

   a) Shoe Store   b) Book Store   c) Bakery   d) Drug Store

61. Suzy mailed a package at the post office and went to meet her friends. She crossed Main St. and Broadway. Where is she meeting her friends?

   a) Laundromat   b) Book Store   c) Gift Shop   d) Park

62. Betty and her mother withdrew money from their bank and went to the hospital. How do they need to get there?

   a) crossing 3rd St. on Main St.   b) crossing 4th St. on Broadway
   c) crossing 4th St. on Main St.   d) crossing Broadway on 3rd St.

63. Maria left the department store and realized she needed gas for her car. How will she get to the gas station?

    a) east on Broadway, left on 3rd.

    b) east on Broadway, left on 4th

    c) north on 4th, right on Main

    d) north on 4th, left on Main

Questions 64-65.

> 오늘의 세계가 일일 생활권화한 것은 뭐니뭐니 해도 비행기 덕분이다. 약 100년 전 미국의 라이트형제가 비행기를 발명하였는데, 사실 이들 형제는 그 시대 사람들에게서는 대접을 잘 받지 못했다. 라이트 형제가 시험비행을 하고 있을 때 한 신문은 다음과 같이 꾸짖었다.
>
> "최근 사람이 하늘을 날게 한다는 등 쓸데없는 연구를 하는 과학자가 있어 문제가 되고 있다. 현명한 과학자라면 인류를 위해 좀더 유익한 일을 해줬으면 좋겠다." 하늘을 날 수 있다는 것을 라이트 형제의 아버지가 우선 믿지 않았다. 목사님인 그에게 어떤 사람이 "50년쯤 지나면 인간이 하늘을 날 수 있게 된다더라"는 말을 하자 라이트 목사는 "여보시오, 하늘을 나는 일은 천사만 할 수 있다는 걸 모르시오?" 라고 화를 냈다고 한다.

64. What did newspapers write about the Wright Brothers test airplane 100 years ago?

    a) they were innovative scientists ahead of their time

    b) they were scientists researching useless ideas

    c) they were hard working scientists who needed the public's support

    d) they were dedicated scientists committed to helping others with their work

65. What did the Wright Brother's father say about flying airplanes?

    a) It was beyond his comprehension

    b) If anyone could make it happen, his sons would

    c) only angels fly in the heavens, not people

    d) it would create a whole new type of society

Questions 66-68.

한국 사람들은 사람을 부를 때 손바닥을 밑으로 하고 손 전체를 전후로 움직여 상하 동작을 합니다. 그런데 서양 사람들에게는 이 동작은 가라는 동작이 됩니다. 서양 사람들은 반대로 손바닥을 위로 향하게 해서 손을 전후로 움직이거나 인지를 전후로 움직입니다. 손가락으로 하나, 둘 셀 때 우리는 손바닥을 펴고 손가락으로 꼽으면서 세어나갑니다. 그러나 서양 사람들은 반대로 주먹을 쥐었다가 손가락을 펴나가면서 셉니다. 완전히 반대 동작입니다.

한편 엄지 손가락과 인지로 둥근 모양을 만들면 우리에게는 돈이라는 뜻이 되지만 서양 사람들에게는 OK라는 뜻이 됩니다.

우리는 "해냈다"는 뜻으로 주먹을 휘두를 때, 주먹을 당기는 동작을 하지만 서양 사람들은 권투하는 식으로 주먹을 앞으로 내치는 동작을 합니다. 월드컵 때 히딩크 감독이 한국팀이 골인을 하면 주먹을 앞으로 내치며 환호의 동작을 한 것을 누구나 기억할 것입니다.

서양 사람들은 자기를 가리킬 때는 주먹을 쥐고 엄지손가락으로 자기 가슴을 가리킵니다 (우리의 넘버원 사인). 그러나 우리는 인지로 자기의 얼굴 쪽을 가리킵니다. 서양에서는 손가락으로 코를 가리키면 상대방을 무시한다는 뜻이기 때문에 주의해야 합니다. 승리를 상징하는 V사인도 손바닥이 밖을 향하면 승리의 뜻이 되지만, 손바닥이 자기를 향하면 '모독'이라는 뜻이 됩니다.

66. How do Koreans motion for someone to come here?

   a) they beckon them with their index finger

   b) they wave their hand up and down with their palm away from them

   c) they wave their hand up and down with their palm towards them

   d) they put their hands to their mouth to make their voices heard louder

67. What does the Ok sign of thumb and index finger making a circle mean for Koreans?

   a) OK   b) zero   c) money   d) circle

68. What is the Korean ways of counting on your fingers?

   a) begin with palms open and put fingers in one at a time to count

   b) begin with a fist and take one finger out at a time to count

   c) count beginning with the little finger towards the thumb

   d) count beginning with the thumb towards the little finger

Questions 69-70.

자동차로 여행하실 분들이 꼭 알아야 할 것들

1. 자동차 보험회사 이름, 전화번호를 꼭 차에 넣고 가세요.
2. 길을 떠나기 전에 정비(기름, 물, 타이어)를 철저히 하세요.
3. 하루에 450마일 이상 운전하지 마세요.
4. 두 세 시간마다 차를 세우고 쉬세요.
5. 너무 피곤할 때는 운전하지 마세요.
6. 휘발유가 충분히 남아 있는가를 자주 점검하세요.
7. 가는 도중에 과일이나 땅콩 같은 가벼운 음식을 자주 먹는 게 좋아요.
8. 자동차에 구급약품을 가지고 가세요.
9. 친척과 친구들에게 어디에 있다고 매일 연락하세요.
10. 만일을 위해 담요를 가지고 가세요.

먼저 잘 생각하고 계획을 하세요. 그리고 여행을 즐기세요.

69. Each of the following is good advice for people planning a road trip except:

    a) check your oil, tire pressure and coolant before departure

    b) stop and rest every 4-5 hours

    c) notify your friends and relatives of your location each day

    d) take along a first aid kit

70. How should you eat while driving for long periods of time?

    a) eat two big meals a day at a restaurant

    b) eat three full meals a day

    c) eat a big breakfast and a light lunch

    d) eat light snacks throughout the day

#101 세계은행 #102 그림화랑	#201 유쟈니 내과 #202 김미쉘 소아과 #203 배마이클 치과 #204 미소 사진관	#301 김브라이언 　　 변호사 #302 박로날드 　　 변호사 #303 이제니 변호사 #304 최하워드 변호사	#401 이범식 　　 공인회계사 #402 Best 　　 부동산회사 #403 무역회사 #404 건설회사

71. You have a stomachache. Which office can help?

    a) #201   b) #202   c) #203   d) #204

72. What suite number is the bank?

    a) #101   b)#204   c) #303   d) #402

73. You got in a car accident and you need a lawyer. Which floor do you visit?

    a) 1st floor   b) 2nd floor   c) 3rd floor   d) 4th floor

74. A 2-year old has a fever. To which office do you take him?

    a) #201   b) #202   c) #203   d) #204

75. You want to remodel your house. Which office do you visit?

    a) #401   b) #402   c) #403   d) #404

월요일: 내리던 비가 그치고 고기압의 영향 아래 들어가 기온은 점차 예년의 기온을 회복하겠음.

화요일: 맑은 뒤 전국이 점차 흐리겠음

수요일: 기압골의 영향으로 흐린 날씨가 계속 되겠음

목요일: 한 두 차례, 비가 예상됨

금요일: 점차 맑고 쾌청한 날씨가 되겠음

토요일: 맑은 날씨가 계속 되겠음

　　　　건조한 날씨가 계속되므로 화재나 감기를 조심하시기 바람

일요일: 맑은 뒤 전국이 대체로 흐리겠음

76. According to the passage, what day is expected to have rain?

a) Thursday　　　　b) Friday　　　　c) Saturday　　　　d) Sunday

77. What day will be cloudy?

a) Tuesday and Wednesday

b) Tuesday, Wednesday and Sunday

c) Tuesday, Friday and Sunday

d) Wednesday and Sunday

78. What should you be careful of on Saturday?

a) getting caught in the rain

b) getting sunburn

c) driving

d) catching cold

흔히 서양 사람들은 네 가지 맛밖에 모르고 중국 사람들은 다섯 가지 맛밖에 모르는 데 비해 한국 사람들은 여섯 가지 맛을 안다고 한다. 서양 사람들은 단맛, 신맛, 짠맛, 매운맛의 네 가지 맛이요, 중국 사람들은 이 네 맛에 쓴 맛이 더 해 다섯 맛이 된다. 곧 다섯 맛을 조화시킨다는 '오미조화'가 중국요리의 기본이 되고 있다.

이에 비해 한국 사람들은 이 외국 사람들이 잘 모르는 '삭은 맛'을 더 맛보고 살아 왔다. 삭은 맛이란 쉽게 이야기 해서 김치가 알맞게 익었을 때 나는 맛이다. 김치 종류나 된장, 고추장, 그리고 젓갈같이 부패하기 이전까지 발효시켜 내는 맛이 곧 삭은 맛이다. 아마 우리 밑반찬을 보면 거의가 이 삭은 맛을 내는 식품이며 한국인이 맛보는 여섯 가지 맛 가운데 가장 자주 또 많이 즐기는 맛이 이 삭은 맛이다.

79. What are the 4 tastes in Western cooking?

    a) sweet, salty, bitter, spicy

    b) bitter, sweet, salty, sour

    c) sweet, salty, sour, spicy

    d) sour, spicy, bitter, sweet

80. What is the distinctive 6th taste in Korean cuisine?

    a) sweet and sour

    b) bittersweet

    c) harmonious blend

    d) slightly fermented

Test 7

Pre-nouns · Exclamations

Sports

Hobbies

Recreation

SATII Korean Practice Test Answer Sheet

Name _____ Date _____ Test No.: __7__

1. ⓐ ⓑ ⓒ ⓓ	28. ⓐ ⓑ ⓒ ⓓ	55. ⓐ ⓑ ⓒ ⓓ
2. ⓐ ⓑ ⓒ ⓓ	29. ⓐ ⓑ ⓒ ⓓ	56. ⓐ ⓑ ⓒ ⓓ
3. ⓐ ⓑ ⓒ ⓓ	30. ⓐ ⓑ ⓒ ⓓ	57. ⓐ ⓑ ⓒ ⓓ
4. ⓐ ⓑ ⓒ ⓓ	31. ⓐ ⓑ ⓒ ⓓ	58. ⓐ ⓑ ⓒ ⓓ
5. ⓐ ⓑ ⓒ ⓓ	32. ⓐ ⓑ ⓒ ⓓ	59. ⓐ ⓑ ⓒ ⓓ
6. ⓐ ⓑ ⓒ ⓓ	33. ⓐ ⓑ ⓒ ⓓ	60. ⓐ ⓑ ⓒ ⓓ
7. ⓐ ⓑ ⓒ ⓓ	34. ⓐ ⓑ ⓒ ⓓ	61. ⓐ ⓑ ⓒ ⓓ
8. ⓐ ⓑ ⓒ ⓓ	35. ⓐ ⓑ ⓒ ⓓ	62. ⓐ ⓑ ⓒ ⓓ
9. ⓐ ⓑ ⓒ ⓓ	36. ⓐ ⓑ ⓒ ⓓ	63. ⓐ ⓑ ⓒ ⓓ
10. ⓐ ⓑ ⓒ ⓓ	37. ⓐ ⓑ ⓒ ⓓ	64. ⓐ ⓑ ⓒ ⓓ
11. ⓐ ⓑ ⓒ ⓓ	38. ⓐ ⓑ ⓒ ⓓ	65. ⓐ ⓑ ⓒ ⓓ
12. ⓐ ⓑ ⓒ ⓓ	39. ⓐ ⓑ ⓒ ⓓ	66. ⓐ ⓑ ⓒ ⓓ
13. ⓐ ⓑ ⓒ ⓓ	40. ⓐ ⓑ ⓒ ⓓ	67. ⓐ ⓑ ⓒ ⓓ
14. ⓐ ⓑ ⓒ ⓓ	41. ⓐ ⓑ ⓒ ⓓ	68. ⓐ ⓑ ⓒ ⓓ
15. ⓐ ⓑ ⓒ ⓓ	42. ⓐ ⓑ ⓒ ⓓ	69. ⓐ ⓑ ⓒ ⓓ
16. ⓐ ⓑ ⓒ ⓓ	43. ⓐ ⓑ ⓒ ⓓ	70. ⓐ ⓑ ⓒ ⓓ
17. ⓐ ⓑ ⓒ ⓓ	44. ⓐ ⓑ ⓒ ⓓ	71. ⓐ ⓑ ⓒ ⓓ
18. ⓐ ⓑ ⓒ ⓓ	45. ⓐ ⓑ ⓒ ⓓ	72. ⓐ ⓑ ⓒ ⓓ
19. ⓐ ⓑ ⓒ ⓓ	46. ⓐ ⓑ ⓒ ⓓ	73. ⓐ ⓑ ⓒ ⓓ
20. ⓐ ⓑ ⓒ ⓓ	47. ⓐ ⓑ ⓒ ⓓ	74. ⓐ ⓑ ⓒ ⓓ
21. ⓐ ⓑ ⓒ ⓓ	48. ⓐ ⓑ ⓒ ⓓ	75. ⓐ ⓑ ⓒ ⓓ
22. ⓐ ⓑ ⓒ ⓓ	49. ⓐ ⓑ ⓒ ⓓ	76. ⓐ ⓑ ⓒ ⓓ
23. ⓐ ⓑ ⓒ ⓓ	50 ⓐ ⓑ ⓒ ⓓ	77. ⓐ ⓑ ⓒ ⓓ
24. ⓐ ⓑ ⓒ ⓓ	51. ⓐ ⓑ ⓒ ⓓ	78. ⓐ ⓑ ⓒ ⓓ
25. ⓐ ⓑ ⓒ ⓓ	52. ⓐ ⓑ ⓒ ⓓ	79. ⓐ ⓑ ⓒ ⓓ
26. ⓐ ⓑ ⓒ ⓓ	53. ⓐ ⓑ ⓒ ⓓ	80. ⓐ ⓑ ⓒ ⓓ
27. ⓐ ⓑ ⓒ ⓓ	54. ⓐ ⓑ ⓒ ⓓ	81. ⓐ ⓑ ⓒ ⓓ

Section I – Listening

Directions: In this part of the test you will hear several spoken selections. They will not be printed in your test book. You will hear them only once. After each selection you will be asked one or more questions about what you have just heard. These questions, with four possible answers, are printed in your test booklet. Select the best answer to each question from among the four choices printed and fill in the corresponding oval on your answer sheet.

Question 1.
Listen to this short exchange between a husband and wife. Then answer question 1.

1. What does the woman want to do today?

    a) stay at home   b) go on a picnic

    c) go to the movies   d) clean the house

Questions 2-3.
Listen to this short exchange about business matters. Then answer questions 2 and 3.

2. What is the relationship between the speakers?

    a) Siblings

    b) friends

    c) neighbors

    d) co-workers

3. What is the woman considering?

    a) going to court

    b) going to graduate school

    c) getting married

    d) moving to another state

Questions 4-5.

Listen to this conversation about smoking. Then answer questions 4 and 5.

4. Which of the following is given as a reason against smoking?
    a) air pollution
    b) emphysema
    c) lung cancer
    d) the smoker's family

5. Each of the following is a place where smokers cannot smoke *except*:
    a) airplane
    b) restaurants
    c) at home
    d) at work

Questions 6-7.

Listen to this description of a boy's friend. Then answer questions 6 and 7.

6. When did Brian begin playing baseball?
    a) 3 years ago
    b) 2 years ago
    c) 1 year ago
    d) 6 months ago

7. All of the following are true about Brian *except:*
    a) he likes Chanho Park
    b) he watches all the major league games on television
    c) he is always at the baseball field
    d) he thinks everyone should know about baseball

Questions 8-9.

Listen to this conversation between two acquaintances. Then answer questions 8 and 9.

8. Why is the man reading a book?

    a) for enjoyment

    b) for his classes

    c) as part of a book-of-the-month club

    d) to pass the time while waiting for someone

9. Why does the woman like to read?

    a) to set a good example for her children

    b) to get her mind off of other concerns

    c) to learn about other cultures

    d) to learn how about home décor

Questions 10-11.

Listen to this conversation between two men. Then answer questions 10 and 11.

10. What are the men about to do?

    a) leave on a long trip

    b) go to the store

    c) go to the bank

    d) carpool to work

11. How far does one of the men commute almost every day?

    a) 20 miles   b) 50 miles

    c) 100 miles   d) 150 miles

Questions 12-13.

Listen to this short exchange at a local business. Then answer questions 12 and 13.

12. Where is this conversation taking place?
    a) in a real estate office   b) at a car dealership
    c) in a car rental office   d) in a law office

13. What does the woman want?
    a) low interest rates
    b) time to read the contract agreement
    c) a good credit rating
    d) a co-signer for her loan

Questions 14-16.

Listen to this conversation between two women. Then answer questions 14, 15 and 16.

14. What is the relationship between the two speakers?
    a) mother / daughter
    b) sisters
    c) friends
    d) co-workers

15. Each of the following chores must be done in the bedrooms except:
    a) making the beds
    b) vacuuming
    c) picking up clutter from the floor
    d) taking out the trash

16. What does the woman remind Suzy to do in the bathroom?
    a) take a shower
    b) change the towels
    c) clean the bathroom mirrors
    d) brush her teeth

Questions 17-18.

Listen to this conversation between Minsoo and his friend. Then answer questions 17 and 18.

17. Minsoo has:
    a) pierced ears
    b) dyed hair
    c) long hair
    d) a tattoo

18. Minsoo thinks all students:
    a) break one or two school rules
    b) rebel against their parents
    c) should have long hair
    d) should wear earrings

Questions 19-20.

Listen to this conversation about computers. Then answer questions 19 and 20.

19. What has the woman enjoyed doing these days?
    a) playing chess against the computer
    b) playing video games
    c) surfing on the internet
    d) chatting with friends over the internet

20. Who does the woman think would win if a human being and a computer were matched
    against each other?
    a) The computer: it's faster
    b) The human being: he/she can think
    c) It depends on the situation
    d) She has no opinion

Questions 21-22.

Listen to this conversation between a man and a woman. Then answer questions 21 and 22.

21. What is the relationship between the man and the woman?
    a) husband / wife
    b) brother / sister
    c) boyfriend / girlfriend
    d) co-workers

22. Why do they want to go to the park today?
    a) To see a special free concert there
    b) To see a soccer game
    c) To take their little cousins
    d) Because it's such a beautiful day

Questions 23-24.

Listen to this conversation between a husband and wife.   Then answer questions 23 and 24.

23. What is the woman's hobby?
    a) knitting   b) gardening
    c) painting   d) cooking

24. Why is she worried about her daughter?
    a) she is not careful with things
    b) she is getting bad grades at school
    c) she does not have many friends
    d) she does not listen to her parents

Questions 25-26.

Listen to this conversation between two high school students, Jenny and Danny. Then answer questions 25 and 26.

25. What is the relationship between Jenny and Danny?

    a) sister / brother

    b) classmates

    c) girlfriend / boyfriend

    d) childhood friends

26. What recreational activity to they have in common?

    a) tennis

    b) soccer

    c) volleyball

    d) swimming

Questions 27-28.

Listen to this conversation about cooking. Then answer questions 27 and 28.

27. What food are the women discussing?

    a) ox-tail soup   b) hot beef broth

    c) seaweed soup   d) mushroom soup

28. What is one of the keys to making this soup delicious?

    a) let the boiled soup simmer for 1 hour

    b) let the boiled soup simmer for 30 minutes

    c) put the beef in after the water boils

    d) use a lot of ingredients

Section II – Usage

Directions: This section consists of a number of incomplete statements, each of which has four suggested completions. Select the word or phrase that best completes the sentence structurally and logically and fill in the corresponding oval on the answer sheet.

29. 1976년 어느날 뉴욕시가 12시간 정전이 되었다. 세계에서 제일 부자나라의 대도시에서 전깃불이 꺼진 가운데 인간들이 행동한 모습을 미국의 신문들은 한마디로 '연옥'이라고 표현했다. 남이 자기 얼굴을 확인할 수 없다는 생각이 든 순간, _____인간이 밖으로 뛰어나와 혼란, 무질서, 약탈, 파괴, 방화, 강간, 난동, 살인을 일삼았다. '1천만 미국인이 1천만 가지의 행동을 했다.'고 한다. 유명한 사건이다. 세계는 그 모습에 전율했다.
    a) 모든   b) 갖은   c) 바로   d) 이런

30. 기억하고 말하고 움직이는 _____ 행위는 뇌를 통하여 이루어지므로 뇌가 손상되면 기억을 상실하거나 _____ 행동을 해야 할지 모르게 된다.
    a) 다른 – 어떤   b) 모든 – 어떤
    c) 모든 – 갖은   d) 여느 – 다른

31. 사람은 말 외에 자세나 표정, 걸음걸이 등 몸짓과 손짓을 통해서도 마음 상태나 의사를 드러낸다. 행동심리학자들은 사람의 의사소통에서 말의 비중은 19%에 불과하고 나머지는 몸짓과 같은 비언어적 행동이 차지한다고 말한다. 특히 잘 발달된 얼굴 근육은 미묘한 감정의 변화까지 표현하는데, 그것을 보충하는 것이 손짓이다. 손은 관절이 많아 다양한 신호를 보낼 수 있으며, _____ 학자는 손으로 사물을 가리키는 제스처를 '말'의 모태로 보기도 한다.
    a) 모든   b) 다른   c) 이런   d) 어떤

32. 사실상 키와 지능 사이에 어떤 관계가 있다는 것을 말해주는 인류학적 근거는 _____ 것도 없다.
    a) 다른   b) 아무   c) 모든   d) 갖은

33. 인터넷은 컴퓨터들을 서로 연결하여 통신을 주고받는 것으로 나라와 나라의 경계를 넘어서도 가능한 통신 수단을 말한다. 이것은 국경이나 인종, 성별, 계급의 차이를 넘어서 전세계를 하나의 이웃으로 연결하기 때문에 또 하나의 새로운 공동체의 탄생이라 불리며 _____ 말로 '사이버 스페이스(공간 밖에 있는 가상 공간의 뜻)' 문명이라고 부르기도 한다.
    a) 다른   b) 모든   c) 이런   d) 새

34. 대학교수란 학문의 무진장한 보고의 _____ 한 부분에 들어가 자리잡고 앉아서 _____ 무엇을 찾는 사람이요 그 부분의 문을 나중 열고 들어오는 사람을 안내하고 설명하는 사람에 지나지 않는다.
    a) 어느 – 그   b) 아주 – 이
    c) 어느 – 저   d) 바로 – 그

35. 우리의 삶, 꿈과 현실, 희망과 좌절, 휴식과 일, 기쁨과 슬픔, 활기와 피로, 웃음과 눈물, 명상적인 순간과 광기의 순간 등으로 무한히 얽혀 얼룩져 있다. _____ 사람들이 다 똑같은 삶의 태도를 가지고 있지는 않다. _____ 이는 보다 감성적이고, 어떤 이는 보다 이지적이다. 어떤 이가 의지적이라면, 어떤 이는 순응적이다. 남자가 억센 성격이라면, 여자는 흔히 유순한 체질이다.
    a) 모든 – 모든   b) 모든 – 어떤
    c) 어느 – 어떤   d) 무슨 – 어떤

36. 우리는 독서를 통해 ____ 성인들을 만나기도 하고 지난 날의 여러 가지 사건들을 경험하기도 한다.
    a) 온   b) 여느   c) 옛   d) 모든

37. 지난해 하반기 뉴욕에서 열린 '빅 애플 애니메페스프(BAAF)'에 참가했던 만화가 이현세씨의 작품들을 시작으로 수입 계약이 오가기 시작한 한국 만화 작품들은 현재까지 _____ 20 작품이 계약을 마친 상태, 올해 안으로 30여 개 작품이 미국 독자들을 만나볼 준비를 하고 있다.
    a) 약   b) 온갖   c) 무슨   d) 갖은

38. 우리 생활 속을 파고들면 우리 선조들의 창조적인 지혜가 스며 있지 않은 곳이 없다. ___ 지혜는 한국의 여건에서 탄생된 한국인들에게 너무나 긴요하고 일상적인 것들이다.

a) 저   b) 그   c) 어느   d) 온

39. 집을 지을 때 설계도가 필요한 것처럼, 공부에도 설계도가 필요하다. 대부분의 학생들은 학습 계획을 짤 때, 공부는 몇 시부터 몇 시까지 하고, 휴식은 몇 시부터 몇 시까지 취한다는 식으로 정한다. 그러나 이런 계획에는 구체적인 내용이 없기 때문에 계획으로서의 구실을 충분히 하지 못한다. 그러므로 ___ 날은 무슨 과목을 어디에서부터 어디까지 공부한다는 식으로 짜는 것이 좋다.

a) 모든   b) 어느   c) 여러   d) 이런

40. '아이고! 네가 ___ 일로 여기를 다 왔니?'

a) 웬   b) 여러   c) 모든   d) 온갖

41. 많은 사람들이 문상을 가서 어떤 위로의 말을 해야 하는지를 몰라 망설이며 말을 찾고자 한다. 그러나 문상을 가서 고인에게 재배하고 상주에게 절한 후 ___ 말도 하지 않고 물러 나오는 것이 일반적이며 또한 예의에 맞다.

a) 어느   b) 딴   c) 아   d) 여러

42. 1907년 미국 인디애나 주에서 태어나 농산물 세일즈맨으로 일하던 오빌 레덴바허는 ___ 날 팝콘을 먹는데 옥수수 껍질이 자꾸만 치아 사이에 끼고 목구멍에 걸려 짜증이 났다. 레덴바허는 그날부터 40년 동안 3만번 이상의 품종 교배를 시도하여 마침내 새로운 옥수수를 개발했다.

a) 어느   b) 이런   c) 무슨   d) 모든

43. 어패류인 젓갈과 야채를 절충시켜 식물성 식품도 아니요, 동물성 식품도 아닌 그렇다고 또 따로따로 나눠놓을 수도 없도록 – 이것이기도 하고 저것이기도 한 식품문화의 이상적 경지에 최고로 도달한 챔피언이 김치인 것이다. 이 김치에는 ___ 양념이 다 들어 있다.

a) 온   b) 총   c) 갖은   d) 전

44. 터널은 대부분 둥근 반원 모양이다. 위에서 누르는 무게를 양 옆으로 고르게 분산시키기 위해서다. _____ 성문이나 돌다리 등이 아치형인 것도 같은 이유에서다. 삼각형이나 사각형으로 만들면 힘이 모서리 부분에 집중되어 산의 흙이나 나무의 무게에 의해 붕괴될 위험이 크다.

    a) 옛   b) 이런   c) 여러   d) 다른

45. 뱀이 많은 태국의 전봇대는 네모 기둥이며, 수상가옥 역시 네모다. 뱀이 전봇대에 올라가 전선을 감거나 집으로 들어오는 것을 막기 위해서다. 뱀이 어떠한 물체에 기어오르기 위해서는 움직이는 방향과 중력이 작용하는 방향이 일직선이 되면 안된다. _____ 까닭에 원기둥은 뱀이 쉽게 감아 올라갈 수 있지만 네모 기둥은 불가능하다.

    a) 저런   b) 이런   c) 모든   d) 무슨

46. 독일 대학은 독일의 위대한 정신의 전통이 그대로 흘러내려와 있는 독일의 자랑이라고 불러도 무방할 것 같았다. 그들의 광적일 정도의 공부에의 정열 _____ 낭비에 대한 극단적인 인색함(특히 그들은 시간의 구두쇠다), 환상적일 정도의 빈곤과 물질 생활의 결핍을 침착히 견디고 있는 사고방식, 아무튼 그들은 대학 생활 4년간을 문자 그대로 주야를 안 가리고 공부에 바치고 있었다.

    a) 여느   b) 아무   c) 그런   d) 온갖

47. 두더지의 몸은 땅굴을 파는 데 적절하게 발달했다. 앞다리는 짧지만 튼튼하고 넓은 발톱이 삽처럼 생겨 땅을 파기에 알맞을 뿐 아니라 헤엄 칠 때는 노 역할을 한다. 두더지는 굴의 천장에 머리를 들이받으면서 모스 부호와 같은 방식으로 _____ 두더지와 의사 소통을 한다.

    a) 어느   b) 무슨   c) 온갖   d) 다른

48. ___ 어머님께서 돌아가신 지가 벌써 10년이 넘었구나!

    a) 아   b) 흥   c) 예   d) 아니

49. _____ 내가 아까도 말하지 않았니?

    a) 글쎄   b) 에끼   c) 호호   d) 오냐

50. 그 집 전화번호가 어떻게 되더라? _____, 생각이 잘 안 나는 데.
    a) 이크   b) 하하   c) 어   d) 아차

51. "_____ 침착해야 합니다. '하늘이 무너져도 솟아날 구멍이 있다'고
    합니다."
    a) 오냐   b) 여러분!   c) 에헴!   d) 천만에

52. "감은 감인데 못 먹는 감은?" "영감." "_____ 척척 잘 맞히는 구나."
    a) 에헴   b) 아뿔사   c) 에끼   d) 참

53. "이 세상에서 가장 빠른 새는 무슨 새지?" " '눈깜짝할 새'지 뭐여요?
    "_____, 제법인데!"
    a) 거시기   b) 허허   c) 아니오   d) 에구머니

54. "_____, 어쩔꺼나!" 갑자기 뒤에서 수잔이 소리를 질렀다.
    a) 에끼   b) 애햄   c) 아이고머니   d) 아무렴

55. 아빠, 열쇠를 가지고 나오셨어요? _____ 깜빡 잊어버렸군.
    a) 히히   b) 아차!   c) 에구머니   d) 얼씨구

56. _____ 큰일 났구나. 이를 어쩌면 좋으냐?
    a) 아이쿠!   b) 아차!   c) 애개개!   d) 호호

Section III - Reading Comprehension

Directions: *This part consists of a number of incomplete statements, each having four suggested completions. select the most appropriate completion and fill in the corresponding oval on the answer sheet.*

Questions 57-58

가구당 매일 TV가 켜져 있는 시간은 7시간 40분. 한 사람이 매일 TV를 시청하는 평균시간은 4시간 이상. 최근 3일간 TV를 보다가 잠든 비율이 4명중 1명꼴. 2살에서 17살 사이의 1주일 평균 TV 시청 시간은 19시간 40분. 18세가 되기까지 미국의 청소년이 TV에서 살인 장면을 보게 되는 건수가 1만 6천건. 그런데 이것이 미국만의 문제일까?

TV는 얼굴을 마주보며 도란도란, 티격태격 함께 살아가는 일을 도둑질했고, 장시간 보관이 가능한 냉장고는 이웃과 나눠먹는 일을 도둑질했고, 단추 하나 누르면 말라서 나오는 세탁기는 우리의 옷에서 햇빛과 바람의 향기를 도둑질했다.

TV보는 시간을 줄여보자. 도서관에 가라, 화초를 길러보라, 걷기•수영•자전거를 타라, 가족•친구와 요리를 해라, 차를 마시며 대화를 해라, 집안 수리를 해라.

57. What is the author's main purpose in writing this passage?

   a) reduce the amount of time you watch TV

   b) go to the library more often

   c) learn how to garden

   d) spend more time walking, swimming and biking

58. According to the passage, what percent of TV viewers fell asleep watching TV within the last 3 days?

   a) 70%   b) 4%   c) 25%   d) 18%

만화는 여러가지 장점을 가지고 있습니다.

첫째, 만화를 보면 재미있게 시간을 보낼 수 있습니다. 더욱이 학습만화를 보면 공부를 흥미롭게 할 수 있어 도움이 됩니다.

둘째, 스트레스를 푸는데 도움이 됩니다. 재미있는 만화를 몰두해서 읽어 내려가다 보면 스트레스가 해소되는 것을 느낄 수 있습니다. 또한 내용의 이해가 쉽습니다. 같은 내용을 설명하더라도 만화를 이용하면 딱딱한 글에 비해 쉽게 알 수 있습니다. 그래서 홍보할 내용이 있으면 만화를 이용하는 경우가 많아졌습니다 만화의 장점을 살린 이런 홍보물들은 큰 효과를 얻을 수 있습니다.

마지막으로, 만화를 보면 상상력이 풍부해집니다. 과장되고 엉뚱한 생각도 시간적, 공간적 제약 없이 자유롭게 펼칠 수 있으며, 그림을 보면서 다양한 연상을 할 수 있기 때문입니다.

59. What is the main subject of this passage?

    a) youth and comic books

    b) adult and comic books

    c) cartoons in advertisement

    d) merits of comic books

60. According to the passage, each of the following are benefits of comic books *except:*

    a) they provide stress relief

    b) they improve your reading ability

    c) they help develop the imagination

    d) they provide an interesting learning environment

만능 청소기

가볍고 작아 청소가 힘이 들지 않고 들고 다니며
청소할 수 있는 다기능 청소기
일반 가정의 마루바닥, 벽, 선반, 커튼 청소..
작은 부스러기 등을 제거하는 데 적절하며
차 내부와 같이 좁은 공간에서 사용이 편리하다.

61. What is the subject of this advertisement?

    a) car interior

    b) floor cleaner

    c) vacuum cleaner

    d) drapery

62. According to the advertisement, each of the following are benefits of the product *except:*

    a) it's light

    b) it's portable

    c) it's precise

    d) it's inexpensive

Questions 63-67.

행사	대회	전시	공연
민속음악 대제전 "흥겨운 우리가락" 국립국악원 예악당 5월 15일 19:30	청룡기중고야구 선수권대회 동대문 운동장 4월3일 ~ 24일	이조 세예 회원전 세종문화회관 1,2 전시실 5월 1일 ~15일	한국의 춤, 세계의 춤 문예회관 대극장 4일 ~ 28일 18: 30
이천 도자기 축제 6월 1일~7월 31일 이천 도요지 매일 10:00 개장	초,중,고 축구대회 전주 축구장 5월 6일 ~ 6월 5일 14:00	남북 공동 사진전 예술의 전당 6월 3일~ 21일	풍물과 음악이 있는 국악 교실 세종문화회관 대강당 5월 15일 ~ 26일

63. When will the Ceramic Festival take place?

    a) June 1-July 31   b) May 6-June 5   c) May 1-15   d) May 15-26

64. When will the baseball tournament take place?

    a) May 1-1   b) April 4-28   c) April 3-24   d) June 1-July 31

65. When will the Korean Classical Music class take place?

    a) April 4-28   b) May 15   c) May 15-26   d) June 3-21

66. When will the Youth Soccer Tournament take place?

    a) April 3-24   b) May 1-15   c) May 6-June 5   d) June 1-July 31

67. When will the   b) May 1-15   c) May 15   d) June 3-21

Questions 68-70.

요즈음 학생들은 컴퓨터 게임을 너무 좋아한다. 학생들뿐만 아니라 어른들까지 컴퓨터 게임에 빠져들고 있다. 대부분의 사람들이 처음에는 컴퓨터 게임을 즐기다가 나중에는 아예 그 속에 푹 빠지게 된다.

컴퓨터게임은 우리에게 상상력을 길러주고, 머리 회전을 빠르게 한다. 재빠르게 대처하지 않으면 컴퓨터나 적에게 지게 되므로, 컴퓨터 게임은 다른 상황에서도 빨리 대처하도록 우리를 훈련시킨다. 그러나 컴퓨터 게임의 피해도 만만치 않다. 재미있게 게임을 하다가 보면 무엇보다도 시간을 낭비하게 되어 공부에 방해가 된다. 눈이 나빠지고 모험심을 길러주는 대신 허황된 생각을 하게 된다.

기분전환으로, 혹은 상상력, 모험심, 순발력을 키우는 목적으로 게임을 해야 한다. 특히 학생들은 건전한 컴퓨터 게임을 선택하여 즐기도록 해야 한다.

68. What is the author's attitude towards video games?

    a) enthusiastic support   b) utter disapproval

    c) advocating balance   d) reluctant acceptance

69. According to the passage, each of the following are positive aspects of video games *except:*

    a) they broaden the imagination

    b) they increase your sense of adventure

    c) they train you to increase your reaction time

    d) they increase your concentration

70. According to the passage, each of the following are negative aspects of video games *except:*

    a) they worsen your eyesight

    b) they trap some people in an alternate sense of reality

    c) they can lead you to waste time

    d) they keep students from studying

A아침 (명)ᴵ. 날이 새어서 아침밥을 먹을 때까지의 동안. 날이 새고 얼마 안된 때. 아침². 아침밥. ~을 먹다. **B**아침나절 (명) 아침밥을 먹은 뒤 한나절 **C**아침 문안(명) 아침에 드리는 문안 아침-밥(명) 아침 때에 끼니로 먹는 밥 아침 진지(명) 아침밥의 경칭 아파하다(자) 아픔을 느끼어 괴로워하다. 마음이 ~ **D**아프다(형) 몸이나 마음에 고통이 있다.	**E**아하 (감) 미처 생각지 못한 일을 깨달아 느낄 때 내는 소리. ~ 깜빡 잊었구나. **F**아하하 (감) 일부러 지어서 몹시 우스운 듯이 자지러지게 웃는 소리 < 어허허 **G**아홉 (수) 여덟에 하나를 더한 수. 구 악ᴵ (형) 있는 힘을 다하여 모질게 마구 쓰는 기운. 악²(명) 착하지 않음. 올바르지 않음 **H**악³(감) 남을 놀라도록 갑자기 지르는 소리 놀랐을 때 무의식적으로 지르는 소리

71. Which dictionary entry refers to breakfast?

    a) A   b) B   c) C   d)D

72. Which dictionary entry refers to a cry of surprise or alarm?

    a) D   b) F   c) G   d) H

73. Which dictionary entry comes before "nine"?

    a) breakfast   b) pain   c) laughing sound   d) cry of surprise or alarm

74. Which dictionary entries refer to sounds?

    a) A,B,H   b) E,F,H   c) B,E,H   d) D,F,G

현명한 소비자

대부분의 상점들은 여러 가지 방법으로 돈을 받고 있습니다. 당신은 현금, 개인 수표 그리고 신용카드를 사용하실 수 있습니다. 현금이나 수표를 쓰실 때는 전액을 다 지불합니다. 거기에는 어떤 수수료도 붙지 않습니다. 만일 현금을 충분히 가지고 있지 않을 때는 수표를 쓰실 수가 있습니다.

그렇지만 구좌에 충분한 돈이 예금되어 있지 않을 때는 어떻게 하겠습니까? 그때는 신용카드로 지불할 수 밖에 없습니다. 신용카드 회사가 대신 상점에 대금을 지불해 줍니다. 그리고 당신은 신용카드 회사에 돈을 내어야 합니다. 일정기한 내에 신용카드 회사에 전액을 다 보내시면 이자를 내지 않으셔도 됩니다. 신용카드 회사의 이자는 높은 편입니다. 어찌되었건 신용이 좋으면 약간의 시간을 벌 수 있습니다. 물건을 사셨을 때 가격에 대해서 생각하시고, 예산에 대해서 생각하시고. 어떻게 대금을 지불해야 할까를 결정하세요.

75. According to the author, when should you use a credit card?

a) never

b) only when you have insufficient funds in your checking account

c) most of the time

d) whenever credit cards are accepted

76. According to the author, when should you use personal checks?

a) never

b) only when credit cards are not accepted

c) when you do not have enough cash

d) whenever possible

77. Each of the following recommendations are made regarding paying for merchandise *except*:

a) consider the merchandise's price

b) consider your budget

c) consider method of payment

d) consider the current state of the economy

Questions 78-80.

> 　　낸시는 어제 옷을 사러 백화점에 갔습니다. 블라우스를 세 벌 골랐습니다. 먼저 빨간 블라우스를 입어보니 너무 작았습니다. 하늘색 블라우스는 조금 크고 레이스가 달린 흰 블라우스는 잘 맞았습니다. 그리고 치마를 골랐습니다. 몇 벌을 입어 보았는데 잘 맞지 않았습니다. 그 중에서 빨간색과 흰색의 줄무늬가 있는 치마가 제일 마음에 들었습니다. 거기에다가 50% 할인이어서 아주 싸게 살 수 있었습니다.
>
> 　　기쁜 마음으로 집으로 돌아와 다시 입어 보았습니다. 그런데 블라우스에 단 추가 하나 없었습니다. 치마는 한쪽이 약간 길었습니다. 다음날 낸시는 옷을 바 꾸러 갔습니다. 점원이 안 된다고 하면서 간판을 가리켰습니다. "모든 판매는 마지 막입니다." 낸시는 화가 났지만 어떻게 할 수가 없었습니다. 다음부터는 꼼꼼히 살펴 보고 물건을 사야 하겠습니다.

78. What items of clothing did Nancy purchase?

    a) a white blouse with lace and a red skirt

    b) a sky blue blouse and a white skirt

    c) a red blouse and a white skirt

    d) a white blouse and a red & white skirt

79. What was the problem with the skirt she bought?

    a) button was missing

    b) it was uneven

    c) there was a stain on it

    d) that zipper was broken

80. Why couldn't Nancy return the items?

    a) all sales were final

    b) she lost the receipt

    c) she waited too long

    d) the department store was closed

Test 8

Polite Form · Honorifics

Biographical Information

Routines

Post Office

SATII Korean Practice Test Answer Sheet

Name _____ Date _____ Test No.: __8__

1. ⓐ ⓑ ⓒ ⓓ	28. ⓐ ⓑ ⓒ ⓓ	55. ⓐ ⓑ ⓒ ⓓ
2. ⓐ ⓑ ⓒ ⓓ	29. ⓐ ⓑ ⓒ ⓓ	56. ⓐ ⓑ ⓒ ⓓ
3. ⓐ ⓑ ⓒ ⓓ	30. ⓐ ⓑ ⓒ ⓓ	57. ⓐ ⓑ ⓒ ⓓ
4. ⓐ ⓑ ⓒ ⓓ	31. ⓐ ⓑ ⓒ ⓓ	58. ⓐ ⓑ ⓒ ⓓ
5. ⓐ ⓑ ⓒ ⓓ	32. ⓐ ⓑ ⓒ ⓓ	59. ⓐ ⓑ ⓒ ⓓ
6. ⓐ ⓑ ⓒ ⓓ	33. ⓐ ⓑ ⓒ ⓓ	60. ⓐ ⓑ ⓒ ⓓ
7. ⓐ ⓑ ⓒ ⓓ	34. ⓐ ⓑ ⓒ ⓓ	61. ⓐ ⓑ ⓒ ⓓ
8. ⓐ ⓑ ⓒ ⓓ	35. ⓐ ⓑ ⓒ ⓓ	62. ⓐ ⓑ ⓒ ⓓ
9. ⓐ ⓑ ⓒ ⓓ	36. ⓐ ⓑ ⓒ ⓓ	63. ⓐ ⓑ ⓒ ⓓ
10. ⓐ ⓑ ⓒ ⓓ	37. ⓐ ⓑ ⓒ ⓓ	64. ⓐ ⓑ ⓒ ⓓ
11. ⓐ ⓑ ⓒ ⓓ	38. ⓐ ⓑ ⓒ ⓓ	65. ⓐ ⓑ ⓒ ⓓ
12. ⓐ ⓑ ⓒ ⓓ	39. ⓐ ⓑ ⓒ ⓓ	66. ⓐ ⓑ ⓒ ⓓ
13. ⓐ ⓑ ⓒ ⓓ	40. ⓐ ⓑ ⓒ ⓓ	67. ⓐ ⓑ ⓒ ⓓ
14. ⓐ ⓑ ⓒ ⓓ	41. ⓐ ⓑ ⓒ ⓓ	68. ⓐ ⓑ ⓒ ⓓ
15. ⓐ ⓑ ⓒ ⓓ	42. ⓐ ⓑ ⓒ ⓓ	69. ⓐ ⓑ ⓒ ⓓ
16. ⓐ ⓑ ⓒ ⓓ	43. ⓐ ⓑ ⓒ ⓓ	70. ⓐ ⓑ ⓒ ⓓ
17. ⓐ ⓑ ⓒ ⓓ	44. ⓐ ⓑ ⓒ ⓓ	71. ⓐ ⓑ ⓒ ⓓ
18. ⓐ ⓑ ⓒ ⓓ	45. ⓐ ⓑ ⓒ ⓓ	72. ⓐ ⓑ ⓒ ⓓ
19. ⓐ ⓑ ⓒ ⓓ	46. ⓐ ⓑ ⓒ ⓓ	73. ⓐ ⓑ ⓒ ⓓ
20. ⓐ ⓑ ⓒ ⓓ	47. ⓐ ⓑ ⓒ ⓓ	74. ⓐ ⓑ ⓒ ⓓ
21. ⓐ ⓑ ⓒ ⓓ	48. ⓐ ⓑ ⓒ ⓓ	75. ⓐ ⓑ ⓒ ⓓ
22. ⓐ ⓑ ⓒ ⓓ	49. ⓐ ⓑ ⓒ ⓓ	76. ⓐ ⓑ ⓒ ⓓ
23. ⓐ ⓑ ⓒ ⓓ	50 ⓐ ⓑ ⓒ ⓓ	77. ⓐ ⓑ ⓒ ⓓ
24. ⓐ ⓑ ⓒ ⓓ	51. ⓐ ⓑ ⓒ ⓓ	78. ⓐ ⓑ ⓒ ⓓ
25. ⓐ ⓑ ⓒ ⓓ	52. ⓐ ⓑ ⓒ ⓓ	79. ⓐ ⓑ ⓒ ⓓ
26. ⓐ ⓑ ⓒ ⓓ	53. ⓐ ⓑ ⓒ ⓓ	80. ⓐ ⓑ ⓒ ⓓ
27. ⓐ ⓑ ⓒ ⓓ	54. ⓐ ⓑ ⓒ ⓓ	81. ⓐ ⓑ ⓒ ⓓ

Section I – Listening

Directions: In this part of the test you will hear several spoken selections. They will not be printed in your test book. You will hear them <u>only once</u>. After each selection you will be asked one or more questions about what you have just heard. These questions, with four possible answers, are printed in your test booklet. Select the best answer to each question from among the four choices printed and fill in the corresponding oval on your answer sheet.

<u>Questions 1-2.</u>
Listen to this short exchange at a restaurant. Then answer questions 1 and 2.

1. What is the man asking for?
   a) permission to smoke
   b) permission to drink
   c) permission to light a fire
   d) permission to go out with his friends

2. What is the woman's reply?
   a) yes
   b) only in the evenings
   c) only outside
   d) no

<u>Questions 3-5.</u>
Listen to this conversation between a man and a woman. Then answer questions 3, 4 and 5.

3. What is the relationship between the man and the woman?
   a) husband / wife
   b) brother / sister
   c) father / daughter
   d) son / mother

4. What is the woman worried about?

    a) health and career

    b) health and family

    c) family and finances

    d) career and finances

5. Why is the man thinking about reducing his drinking?

    a) health

    b) family

    c) career

    d) hangover

Questions 6-7.

Listen to this conversation between two men. Then answer questions 6 and 7.

6. Who are the men talking about?

    a) their ancestors

    b) their parents' generation

    c) their generation

    d) the younger generation

7. Each of the following types of work are mentioned *except:*

    a) dirty work

    b) delightful work

    c) difficult work

    d) dangerous work

Questions 8-9.

Listen to this conversation about accidents. Then answer questions 8 and 9.

8. What is the topic of conversation?

    a) airplane accidents

    b) train accidents

    c) automobile accidents

    d) motorcycle accidents

9. What is a frequent cause of these accidents?

   a) drunk drivers

   b) too much traffic

   c) human error

   d) poor communication

Questions 10-11.

Listen to the following telephone conversation. Then answer questions 10 and 11.

10. What is Mr. Johnson's occupation?

   a) plumber

   b) air conditioner repair man

   c) electrician

   d) carpenter

11. In which of the following areas is the woman having trouble?

   a) air conditioner

   b) toilet

   c) washing machine

   d) television

Questions 12-13.

Listen to this conversation between a mother and son. Then answer questions 12 and 13.

12. Which of the following did the mother do yesterday?

   a) cooking and sewing

   b) cooking and cleaning

   c) sewing and gardening

   d) cleaning and gardening

13. Why did she do so much housework?

   a) it was work she enjoys doing

   b) she was preparing for guests

   c) it was her day off from work

   d) nobody would help her

Questions 14-15..

Listen to this conversation between two retail store sales people. Then answer questions 14 and 15.

14. Who is the woman angry at?
    a) her manager
    b) her co-worker
    c) her assistant
    d) a difficult customer

15. What is the man's take on the situation?
    a) he was rude to the woman
    b) he was just doing his job
    c) he was unfair to the woman
    d) he was acting irresponsibly

Questions 16-17.

Listen to the following business transaction. Then answer questions 16 and 17.

16. Where is this conversation taking place?
    a) at the bank
    b) at the insurance office
    c) at the post office
    d) at the airport

17. How much will the insurance cost?
    a) $320
    b) $150
    c) $3.20
    d) $1.50

Questions 18-19.

Listen to this conversation at a post office.   Then answer questions 18 and 19.

18. How is the letter being mailed?

   a) express mail and certified mail

   b) priority mail and delivery confirmation

   c) 1st class mail and certified mail

   d) media mail and certificated mail

19. What payment method does the woman use?

   a) cash

   b) personal check

   c) credit card

   d) ATM / debit card

Questions 20-21.

Listen to this conversation between a husband and wife.   Then answer questions 20 and 21.

20. What are they eating?

   a) cold, juicy oranges

   b) fresh, ripe pineapple

   c) fresh, juicy strawberries

   d) cold, ripe watermelon

21. How much will they eat?

   a) 1 piece each

   b) one quarter

   c) one half

   d) everything

Questions 22-23.

Listen to this conversation between a man and a woman. Then answer questions 22 and 23.

22. What is the man drinking?

    a) beer

    b) wine

    c) whiskey

    d) coca-Cola

23. What does the woman give him to eat?

    a) steak and potatoes

    b) fish and salad

    c) dried squid and peanuts

    d) peanuts and raisins

Questions 24-25.

Listen to this conversation between two co-workers. Then answer questions 24 and 25.

24. What is the topic of their conversation?

    a) freeways

    b) parking lots

    c) traffic jams

    d) being late

25. What happened to the woman this morning?

    a) she was 1 hour late for work

    b) she was caught in heavy traffic

    c) she accidentally got on the wrong freeway

    d) she couldn't find a parking spot

Questions 26-27.

Listen to this telephone conversation with a real estate agent.   Then answer questions 26 and 27.

26. What is the woman looking for?

    a) a one-bedroom, one bathroom apartment by the mall

    b) a two-bedroom, one bathroom apartment by the beach

    c) a two-bedroom, two bathroom apartment by a school

    d) a small two-bedroom, one bathroom house by the supermarket

27. When will she meet the real estate agent?

    a) 1:00 p.m.

    b) 2:00 p.m.

    c) 3:00 p.m.

    d) 4:00 p.m.

Questions 28-29.

Listen to this conversation about a job opening.   Then answer questions 28 and 29.

28. Each of the following are necessary qualifications for this job *except:*

    a) at least 2 years secretarial experience

    b) fluent in English and Spanish

    c) fluent in English and Korean

    d) proficient in basic computer skills

29. What else is required for the job?

    a) an interview

    b) a typing test

    c) 3 references

    d) 2 letters of recommendation

Directions: *This section consists of a number of incomplete statements, each of which has four suggested completions. Select the word or phrase that best completes the sentence structurally and logically and fill in the corresponding oval on the answer sheet.*

30. 우리 아버지께서는 올해 53세로, 목수 일을 하십니다. 가난 때문에 공부를 계속하지 못하신 것이 한이 _____ 인지 저만 보시면 '공부타령'만 하십니다. 하지만 저는 이런 아버지가 밉지 않습니다.
    a) 되셔셔   b) 되서   c) 되어서   d) 되야서

31. 직장에서 다른 사람보다 먼저 퇴근하면서 남아 있는 사람에게 '먼저 가겠습니다.' 또는 '내일 _____.'하고 인사하는 것이 보통이다.
    a) 보겠습니다   b) 뵙겠습니다   c) 만납시다   d) 오세요

32. 내 성격은 좀 급한 편이다. 이 급한 성격 때문에 나는 부모님께 자주 _____ 들었다. 초등학교 때에는 숙제물을 빼놓고 학교에 가거나, 장난감을 사 달라고 떼를 써 어머니 속을 썩여 드렸다.
    a) 야단을   b) 혼찌검을   c) 꾸중을   d) 욕을

33. 세종대왕은 한글을 만드시고 측우기, 해시계 등을 발명하여 백성들을 편히 살 수 있게 _____, 이순신 장군은 왜적의 침입을 막아 이 나라의 운명을 건지신 분이시다.
    a) 애쓰셨으며   b) 애쓰고   c) 애쓰며   d) 애쓰려고

34. 민수야, 이번 일에 대해서 꼭 어머님께 _____.
    a) 말해라   b) 알려라   c) 여쭈어라   d) 가르쳐라

35. 할머니를 _____치과에 가서 치아를 뽑아 드렸다.
    a) 데리고   b) 모시고   c) 가지고   d) 오라고

36. 피터야, 이 편지를 네 아버지께 갖다 _____.
    a) 줘라   b) 받아라   c) 써라   d) 드려라

37. 큰 아버지께서는 작년에 _____ 다리가 또 아프신가 봅니다.
    a) 다친   b) 다치신   c) 상한   d) 부딪친

38. 사장님께서는 _____과 회사가 가까워서 좋으시겠어요.
    a) 댁   b) 저택   c) 집   d) 가정

39. 그는 그가 출생한 그 오막살이 집에서 어린 시절을 지내는 동안, 늘 어머니
    말씀에 순종하였고, 어머니께서 _____ 모든 일을 그의 조그마한 손으로,
    그리고 사랑하는 마음으로 도와 _____.
    a) 하는 – 주었다   b) 하면 – 드렸다
    c) 하시는 – 드렸다   d) 하시는 – 일했다

40. 나는 어머니의 _____위독하다는 연락을 받고서 급히 집으로 갔다.
    a) 병원이   b) 병환이   c) 환자가   d) 병이

41. 토마스 선생님은 우리를 사랑하실 뿐만 아니라 공부도 잘 _____.
    a) 가르치신다   b) 가리키신다   c) 갈친다   d) 갈킨다

42. 아버님, 갈비찜이 덜 물러서 _____ 불편하셨을 거예요.
    a) 씹으시기   b) 씹기   c) 잡수시기   d) 먹기

43. 아버지를 할아버지께 말할 때에는 '할아버지, 아버지가 _____ 잡수시라고
    하셨습니다.'처럼 아버지에 대해서는 높이지 않는 것이 전통이고 표준 화법
    이다.
    a) 밥   b) 진지   c) 수라   d) 먹거리

44. 어느 날 어머니는 무슨 볼 일이 있어 시내까지 나를 데리고 _____ 버
    스에서 내려 집으로 돌아오는 길에, 빵집에 들르신 일이 있었다.
    a) 나가다가   b) 나서다가   c) 나오다가   d) 나가셨다가

45. 그릇에 국을 담아 시부모님께 드릴 때 맛을 보신 뒤에 간을 맞춰 ___게
    아니라, 국을 끓이는 솥이나 냄비에서 미리 간을 맞춰야 한다.
    a) 드리울   b) 드릴   c) 줄   d) 둘

46. 집안에서는 아침저녁으로 부모의 안부를 물어 살피는 것이 기본이다. 저녁에 잠자리에 들기 전에 방이 춥지나 않은지, 불편한 데는 없으신지 여쭈어 보고 "_____" 하고 인사말을 한다.
   a) 안녕히 주무셨어요?   b) 안녕히 주무십시오
   c) 잘 자라   d) 어서 오세요

47. 나는 할머니 댁에 심부름을 갔었다. 큰어머니께서 _____.
   a) 안 계셨다   b) 없다   c) 없었다   d) 있었다

48. 어린 내가 혼자서 이모님 댁까지 갔었다는 사실을 아신 어머니는 나를 _____.
   a) 꾸중한다   b) 꾸중하셨다   c) 걱정했다   d) 걱정한다

49. 정 선생님께서는 피아노 치시는 것을 _____.
   a) 좋아하신다   b) 좋아한다   c) 미친다   d) 좋다한다

50. 가족 이외의 다른 사람에게 부모를 말할 때는 언제나 높여, 학교 선생님에게 아버지를 말할 때에도 '저희(우리) 아버지가 이렇게 _____.'와 같이 말하는 것이 바른 말이다.
   a) 말했다   b) 말했습니다   c) 말씀하였습니다 d) 말씀하셨습니다

51. 이 교수님, 이 책은 제가 갖다 _____
   a) 드릴까?   b) 줄래요.   c) 드리겠습니다. d) 줄께.

52. 용주야, 할아버지께서 어디가 _____ 잘 여쭈어 보아라.
   a) 편찮은가   b) 편찮으신가   c) 아픈가   d) 아프신가

53. 어머니께서는 새 의자를 사 주겠으니 낡은 의자는 내다 버리라고 _____
   a) 말한다   b) 말씀한다   c) 말씀하신다   d) 말하신다

54. 지난 여름방학 때 온 가족이 뉴욕에 계신 할머니를 _____ 갔었다
   a) 보러   b) 만나러   c) 만나시러   d) 뵈러

55. 이 책은 음식 만드는 책이에요. 우리 선생님이 _____ 책인데요, 아주 좋은 책이라고 선생님께서 말씀하셨어요.

    a) 준   b) 주신   c) 드린   d) 주실

56. 아버지께서는 효도를 하여야 한다는 말을 한번도 입밖에 내신 일이 없는데, 나는 그 분이 하시는 것을 보고 효도가 무엇인가를 일찍부터 배웠다. 그러한 아버지께서는 자손의 효도를 기다리지 않으시고 일찍 _____.

    a) 돌아가셨습니다   b) 떠나셨습니다

    c) 죽었습니다   d) 세상을 버렸습니다

57. 어머니는 언제나 머리맡에 앉으셔서 "내 손은 약손이다."를 외시면서 우리들의 아픈 배나 머리를 따뜻한 손길로 쓰다듬어 _____.

    a) 주었다   b) 드렸다   c) 주셨다   d) 준다

Section III - Reading Comprehension

Directions: *This part consists of a number of incomplete statements, each having four suggested completions. select the most appropriate completion and fill in the corresponding oval on the answer sheet.*

Questions 58-59

미국의 직장 여성들 가운데 자녀들과 함께 시간을 보내기 위해 일을 포기하는 사람들이 점점 늘어나고 있다.

센서스에 따르면, 여건이 허락하는 한, 가정에 머물러 있는 쪽을 택하는 엄마들이 40년 만에 처음으로 증가한 것으로 나타났다.

오늘날의 직장 여성들은 1주일에 평균 80시간을 자녀들과 보내는 등 가족수도 많고 집안 일도 더 힘들었던 과거의 여성들보다 자녀들과 더 많은 시간을 보내고 있다. 그러나 상당수는 직장일과 가사를 계속 양립시키는 게 너무 힘들다고 느끼고 있다.

여성들이 가정을 위해 시간을 낸다는 것이 거의 불가능한 근무 조건이 문제로, 일을 포기하는 일이 고임금을 받는 고학력 간부직 여성들 사이에서 매일 같이 벌어지고 있다.

58. According to the passage, what attitude towards work are increasing numbers of women adopting?

a) it is possible to maintain both a successful career and a family

b) climbing up the career ladder should be a woman's top priority

c) spending time with your family is much more important than maintaining your career

d) you should maintain a career that matches your education level

59. How much time to increasing numbers of women spend with their children?

a) 40 hours a week

b) 40-48 hours a week

c) 80 hours a week

d) more than 80 hours a week

Questions 60-62.

새벽 두 시에 나는 바이올린 연습을 했다. 나는 음악학교에 다니면서 하루 종일 음악에 대해 공부한다. 학교 공부가 끝나면 나는 음식점에서 9시까지 일을 한다.

내가 집에 와서 저녁을 먹으면 피곤해서 금방 잠이 든다. 잠깐 눈을 붙이고 새벽 두 시경에 일어나서 연습을 한다. 우리 교수님은 적어도 하루에 4시간은 연습을 해야 한다고 말씀하신다. 내가 연습을 못 하면 나는 연주를 잘 할 수가 없다.

그런데 내 연습 때문에 내 이웃들이 수면 방해가 되지 않았으면 좋겠다.

60. Which of the following people most likely wrote this passage?

a) a music student　　　　　　　b) a concert violinist

c) a waitress　　　　　　　　　　d) a college student

61. What kind of schedule does the author most likely have?

a) free and unstructured

b) a few daily commitments, but ample free time

c) each day holds new surprises, leading to very little free time

d) extremely rigid, with no free time

62. What is the author most worried about?

a) disturbing her neighbor's sleep

b) finding time to practice 4 hours a day

c) getting enough sleep

d) maintaining a social life

Questions 63-65.

한국의 가족 및 친지들에게 성탄절에 맞춰 카드를 보내려면 늦어도 12월 16일까지 발송을 마쳐야 한다. 우정국은 최근 연말 우편물 폭주를 막기 위해 우편물 처리 일정을 발표했다. 이 발표에 따르면 한국을 비롯한 아시아 지역에 항공편으로 성탄절 이전까지 우편물이 배달되도록 하기 위해서는 카드는 12월 16일까지, 소포는 12월 11일까지 발송을 마쳐야 한다. 한편 육로와 해상으로 발송되는 우편물은 아시아의 경우 11월 6일까지 발송해야 한다.

우정국은 매년 고객들의 편의를 위해 성탄절 이전까지 도착할 수 있는 우편물의 발송 시한을 발표하고 있다.

63. If you want to send a Christmas card to Korea, you must get it in the mail by:

a) December 16   b) December 11

c) November 16   d) November 6

64. If you want to send a Christmas package to Korea, you must get it in the mail by:

a) December 16   b) December 11

c) November 16   d) November 6

65. According to this passage, the post office can be characterized as:

a) efficient in service

b) inconsiderate of customer needs

c) not able to deliver all Christmas cards by Christmas

d) serving customers by communicating deadlines

하루 24시간 동안 우리 몸에는 어떤 변화가 있을까?

오전 7시 ~ 9시

새로운 하루가 시작되는 시간. 심장은 기운차게 뛰고 체온도 조금 높아지며 약간의 흥분 상태가 유지됩니다.

오전 9시 ~ 정오

인체는 서서히 안정을 되찾고 뇌는 활발히 움직입니다. 그래서 이성적인 힘이 커지고 집중력, 암기력이 상승한다고 합니다. 정오에는 하루 중 시력이 가장 좋다고 합니다.

오후 1시 ~ 2시

인체의 에너지와 민첩함이 서서히 떨어집니다. 점심 식사의 포만감 때문에 나른하지요. 인체는 둔하게 움직입니다.

오후 3시 ~ 4시

운동 선수들은 최대의 기량을 발휘할 수 있는 시간이고, 학생들은 다시 암기력이 회복되는 시간입니다.

오후 5시 ~ 7시 이 때는 혈압과 식욕이 높아진답니다.

오후 8시에서 11시

우리 몸의 뇌는 이제 재충전을 할 준비를 합니다. 신경이 둔해지고 체온이 떨어지면서 피로가 느껴지고 잠이 옵니다.

자정 ~ 새벽 3시

신체는 편안히 쉬고 있습니다. 혈압, 심장 박동, 호르몬 분비량 등이 낮아지고 전체적으로 안정을 취합니다.

새벽 4시 체온이 가장 낮아지는 시간입니다. 아침까지 푹 자고 있습니다.

66. According to the passage, during which hours of the day is your eyesight the clearest?

　　a) 7AM-9AM　　　　　　　　　b) 9AM-noon

　　c) 1PM-2PM　　　　　　　　　d) 3PM-4PM

67. According to the passage, during which hours are athletes at their best?

　　a) 7AM-9AM　　　　　　　　　b) 9AM-noon

　　c) 3PM-4Pm　　　　　　　　　d) 8PM-11PM

68. According to the passage, during which hours is your body temperature lowest?

a) 7AM-9AM

b) 1PM-2PM

c) midnight –3AM

d) 4AM

69. According to the passage, during which hours does your body begin to get tired and sleepy?

a) 7AM-9AM

b) 1PM-2PM

c) 3PM-4PM

d) 8PM-11PM

Questions 70-72.

안녕하세요? 저는 제이슨 리 경관입니다. 저를 오늘 저녁에 초대해 주셔서 고맙습니다. 여러분이 집에 계실 때와 외출하셨을 때의 안전에 대해서 말씀을 드리려고 합니다.

여러분이 집에 계시는데 초인종이 울렸습니다. 문을 열기 전에 반드시 누구인가 물어보아야 합니다. 문에 조그만 구멍이 있으면 그곳으로 들여다 보세요. 누구인지 확인이 안 될 때는 문을 여시면 안 됩니다.

여러분이 휴가로 집을 비울 때는 이웃이나 친구에게 이야기하여 우편물이나 신문을 치우도록 부탁하세요. 만일 집 앞에 신문이나 우편물이 쌓여 있으면 아무도 없는 줄 압니다. 그리고 저녁이 되면 자동으로 전기불이 들어오고 아침이 되면 꺼지도록 해놓으세요. 물론 나가시기 전에 문과 창문은 모두 잘 잠겨있는가 확인하셔야 합니다.

70. Which of the following types of texts if the passage?

a) essay

b) speech transcript

c) letter

d) report

71. Who is giving this message?

a) insurance company

b) alarm company

c) teacher

d) police officer

72. What is the main subject of this message?

    a) home safety   b) vacation trips

    c) neighbor relations   d) mail and newspapers

Questions 73-74.

파산 / 형사법 / 이혼문제 / 음주운전

너무 힘들지 않으십니까?

아무리 힘든 일이라도 저희가 도와드립니다.
이혼, 각종 고소, 퇴거, 유언, 자동차 사고, 음주운전, 형사사고

만사 종합법률사무소

5454 Main Street #594   Los Angeles   CA   90010
Tel: (213)555-8282   Fax: (213)555-8383

---

73. What kind of advertisement is in the passage above?

    a) counseling center   b) chiropractor's office

    c) law firm   d) insurance company

74. Services provided address each of the following areas *except:*

    a) rebuilding your credit   b) bankruptcy

    c) divorce   d) drunk driving

Questions 75-76.

옛날에 우리 집은 무척 가난 하였기 때문에, 우리 형제들은 병이 나도 약 한 첩을 써 보지 못하고 자라났었다.

우리 형제들이 혹시 병으로 눕게 되면, 어머니는 약 대신에 언제나 그 머리맡에 앉으셔서는 "내 손은 약손이다."를 외시면서 우리들의 아픈 배나 머리를 따뜻한 손길로 쓰다듬어 주셨던 것이다. 그러면 이상하게도, 그 아픈 배나 머리가 씻은 듯이 나았던 것이다. 그러기에 우리는 어머니의 손을 약손이라고 불렀었다.

이제 연세가 여든을 넘으셔서 고목 껍질처럼 마르고 거칠어진 어머니의 손이지만, 그 속에는 우리 의사들이 가지지 못한 신비한 어떤 큰 힘이 하나 숨어 있는 것만 같았다.

75. Which of the following is the best title for this passage?

    a) Growing Up Poor   b) Healing Hands

    c) Sick Children   d) Herbal medicine

76. What does this passage suggest about the nature of illness?

    a) Medicines are useless

    b) Medicines is necessary

    c) Psychological factors contribute in addition to medical factors

    d) The earlier you address an illness the more likely you will heal

먹자식당   찌개전문

동태찌개 ----- $ 8.95   해물찌개 ----- $ 8.95

두부찌개 -----$ 6.95   김치찌개 -----$ 6.95

된장찌개 ----- $6.95

은대구 조림 ---- $ 11.95   갈치조림----------$ 10.95

조기구이 --------$ 9.50   낙지 볶음 -------$ 11.50

해물 파천 ------$ 8.50   생선전 ----------$ 7.50

호박전 ----------$ 6.50   고추전 --------$ 8.50

77. What is this restaurant's specialty?

    a) soups   b) barbecue beef

    c) grilled fish   d) stews

78. This restaurant serves each of the following dished *except:*

    a) kimchi fried rice   b) soy bean paste stew

    c) grilled fish   d) tofu stew

79. How many dishes on the menu use mixed seafood?

    a) 1   b)2   c) 3   d) 4

형은 별걸 다 걱정한다는 듯이 내 손을 잡고 수영장 안쪽으로 걸어가며, 나를 바깥쪽으로 걷게 했다. 그런데 갑자기 이상하다는 느낌이 들어 주위를 둘러보는 순간, 나는 물 속으로 떨어지고 있었다. 당황한 나는 허위적거리며 가까스로 수영장 가장자리로 나와서 몸을 가누었다. 그런데 더 기가 막히는 일은 수영장의 깊이가 겨우 가슴께 정도였다. 다리만 뻗어도 닿을 깊이에서 너무 정신이 없어서 물을 두 주전자나 먹었던 것이다. 세상에서 제일 믿었던 형의 배신에 대한 분노로 물에 대한 공포심도 잊어버리고 수영캠프에서 가장 수영을 잘 하는 아이가 되었다. 그런 다음에야 나는 형에 대한 오해와 복수심도 저절로 풀렸다.

80. Who is most likely the author of this passage?

    a) a little boy   b) a little girl

    c) a teenager   d) an older brother

81. What attitude led the author to become the best swimmer at camp?

    a) commitment   b) concentration

    c) competitiveness   d) revenge

Test 9

Invitations

Social Events

Entertainment

Celebrations

SATII Korean Practice Test Answer Sheet

Name _____ Date _____ Test No.: __9__

1. ⓐ ⓑ ⓒ ⓓ	28. ⓐ ⓑ ⓒ ⓓ	55. ⓐ ⓑ ⓒ ⓓ
2. ⓐ ⓑ ⓒ ⓓ	29. ⓐ ⓑ ⓒ ⓓ	56. ⓐ ⓑ ⓒ ⓓ
3. ⓐ ⓑ ⓒ ⓓ	30. ⓐ ⓑ ⓒ ⓓ	57. ⓐ ⓑ ⓒ ⓓ
4. ⓐ ⓑ ⓒ ⓓ	31. ⓐ ⓑ ⓒ ⓓ	58. ⓐ ⓑ ⓒ ⓓ
5. ⓐ ⓑ ⓒ ⓓ	32. ⓐ ⓑ ⓒ ⓓ	59. ⓐ ⓑ ⓒ ⓓ
6. ⓐ ⓑ ⓒ ⓓ	33. ⓐ ⓑ ⓒ ⓓ	60. ⓐ ⓑ ⓒ ⓓ
7. ⓐ ⓑ ⓒ ⓓ	34. ⓐ ⓑ ⓒ ⓓ	61. ⓐ ⓑ ⓒ ⓓ
8. ⓐ ⓑ ⓒ ⓓ	35. ⓐ ⓑ ⓒ ⓓ	62. ⓐ ⓑ ⓒ ⓓ
9. ⓐ ⓑ ⓒ ⓓ	36. ⓐ ⓑ ⓒ ⓓ	63. ⓐ ⓑ ⓒ ⓓ
10. ⓐ ⓑ ⓒ ⓓ	37. ⓐ ⓑ ⓒ ⓓ	64. ⓐ ⓑ ⓒ ⓓ
11. ⓐ ⓑ ⓒ ⓓ	38. ⓐ ⓑ ⓒ ⓓ	65. ⓐ ⓑ ⓒ ⓓ
12. ⓐ ⓑ ⓒ ⓓ	39. ⓐ ⓑ ⓒ ⓓ	66. ⓐ ⓑ ⓒ ⓓ
13. ⓐ ⓑ ⓒ ⓓ	40. ⓐ ⓑ ⓒ ⓓ	67. ⓐ ⓑ ⓒ ⓓ
14. ⓐ ⓑ ⓒ ⓓ	41. ⓐ ⓑ ⓒ ⓓ	68. ⓐ ⓑ ⓒ ⓓ
15. ⓐ ⓑ ⓒ ⓓ	42. ⓐ ⓑ ⓒ ⓓ	69. ⓐ ⓑ ⓒ ⓓ
16. ⓐ ⓑ ⓒ ⓓ	43. ⓐ ⓑ ⓒ ⓓ	70. ⓐ ⓑ ⓒ ⓓ
17. ⓐ ⓑ ⓒ ⓓ	44. ⓐ ⓑ ⓒ ⓓ	71. ⓐ ⓑ ⓒ ⓓ
18. ⓐ ⓑ ⓒ ⓓ	45. ⓐ ⓑ ⓒ ⓓ	72. ⓐ ⓑ ⓒ ⓓ
19. ⓐ ⓑ ⓒ ⓓ	46. ⓐ ⓑ ⓒ ⓓ	73. ⓐ ⓑ ⓒ ⓓ
20. ⓐ ⓑ ⓒ ⓓ	47. ⓐ ⓑ ⓒ ⓓ	74. ⓐ ⓑ ⓒ ⓓ
21. ⓐ ⓑ ⓒ ⓓ	48. ⓐ ⓑ ⓒ ⓓ	75. ⓐ ⓑ ⓒ ⓓ
22. ⓐ ⓑ ⓒ ⓓ	49. ⓐ ⓑ ⓒ ⓓ	76. ⓐ ⓑ ⓒ ⓓ
23. ⓐ ⓑ ⓒ ⓓ	50. ⓐ ⓑ ⓒ ⓓ	77. ⓐ ⓑ ⓒ ⓓ
24. ⓐ ⓑ ⓒ ⓓ	51. ⓐ ⓑ ⓒ ⓓ	78. ⓐ ⓑ ⓒ ⓓ
25. ⓐ ⓑ ⓒ ⓓ	52. ⓐ ⓑ ⓒ ⓓ	79. ⓐ ⓑ ⓒ ⓓ
26. ⓐ ⓑ ⓒ ⓓ	53. ⓐ ⓑ ⓒ ⓓ	80. ⓐ ⓑ ⓒ ⓓ
27. ⓐ ⓑ ⓒ ⓓ	54. ⓐ ⓑ ⓒ ⓓ	81. ⓐ ⓑ ⓒ ⓓ

Section I – Listening

Directions: In this part of the test you will hear several spoken selections. They will not be printed in your test book. You will hear them <u>only once</u>. After each selection you will be asked one or more questions about what you have just heard. These questions, with four possible answers, are printed in your test booklet. Select the best answer to each question from among the four choices printed and fill in the corresponding oval on your answer sheet

<u>Questions 1-2.</u>

Listen to this short exchange between two men. Then answer questions 1 and 2.

1. According to the passage, when will they meet together?
   a) 6:00 Saturday morning
   b) 7:00 Saturday morning
   c) 6:00 Sunday morning
   d) 7:00 Sunday morning

2. Which sport will they play?
   a) basketball
   b) baseball
   c) soccer
   d) rugby

<u>Questions 3-4.</u>

Listen to this conversation between Miyoung and Mr. Park. Then answer questions 3 and 4.

3. What is Miyoung asking Mr. Park to teach her?
   a) English conversation and driving
   b) driving and golfing
   c) violin and English conversation
   d) golfing and violin

4. Why can't Mr. Park teach her one of these things?

   a) he doesn't know enough to teach it

   b) he has been having leg pains

   c) he has broken his arm

   d) he broke his glasses

Questions 5-6.

Listen to this conversation between two acquaintances. Then answer questions 5 and 6.

5. Why was the woman late for this appointment?

   a) she got in a minor car accident

   b) she was stuck in traffic

   c) she completely forgot

   d) the bus was late

6. The man was not angry because:

   a) he was late too

   b) she is usually on time

   c) he knew she didn't mean to

   d) he saw how bad traffic was

Questions 7-8.

Listen to this conversation at a woman's home. Then answer questions 7 and 8.

7. What is the man's relationship to the woman?

   a) he is her guest

   b) he is her husband

   c) he is her son

   d) he is her friend

8. What are they drinking?

   a) water   b) coke   d) juice   d) alcohol

Questions 9-10.

Listen to this conversation between a husband and his wife. Then answer questions 9 and 10.

9. What is the problem?

   a) the family has been spending half their income on food

   b) the family has been spending half their income on congratulatory gifts

   c) the family has been putting less money into savings

   d) the family has no medical insurance

10. The man suggests the problem be solved by:

   a) getting another job

   b) eat out less

   c) stick to the family budget

   d) readjust the family budget

Questions 11-12.

Listen to this conversation between two women.   Then answer questions 11 and 12.

11. Each of the following are mentioned as reasons for taking people out for a meal ***except:***

   a) if your husband gets a promotion at work

   b) if your child gets into a good college

   c) to congratulate each other on any kind of good fortune

   d) if it's your birthday

12. The two women agree that

   a) going out to celebrate your loved ones is a wonderful thing

   b) going out to celebrate is a tradition passed down for generations

   c) going out to celebrate is overrated

   d) going out to celebrate it too expensive

Questions 13-15.

Listen to this conversation about a restaurant.   Then answer questions 13, 14 and 15.

13. What does the daughter like about 'Seoul Jung' Restaurant?

   a) the great variety in the menu selection

   b) the pumpkin stew

   c) Korean barbecue ribs and glass noodles

   d) their dessert selection

14. What does the father like about the restaurant?

   a) the great variety in the menu selection

   b) the pumpkin stew

   c) Korean barecue ribs and glass noodles

   d) their dessert selection

15. '수정과' can be described as:

   a) sweet and sour

   b) sweet and spicy

   c) salty and spicy

   d) sour and salty

Questions 16-17.

Listen to this editorial about conservation.   Then answer questions 16 and 17.

16. The two categories of conservation discussed in this passage are:

   a) water and electricity

   b) electricity and gas

   c) disposables and reusables

   d) individual and societal

17. What is the most important change that must occur?

   a) conservation laws

   b) environmental laws

   c) a lifestyle and attitude change

   d) use energy saving light bulbs

Questions 18-19.

Listen to this conversation between Peter's father and mother. Then answer questions 18 and 19.

18. What time did Peter leave?
    a) 9:00 a.m.
    b) 10:00 a.m.
    c) 3:20 p.m.
    d) 4:00 p.m.

19. How long is Peter expected to travel?
    a) about 3 hours
    b) about 4 hours
    c) about 6 hours
    d) about 10 hours

Questions 20-21.

Listen to this answering machine message. Then answer questions 20 and 21.

20. What type of answering machine message recording is this?
    a) personal home
    b) business
    c) school
    d) cell phone

21. The most difficult day to reach this number is:
    a) Sunday
    b) Monday
    c) Friday
    d) Saturday

Questions 22-23.

Listen to this telephone conversation with the gas company. Then answer questions 22 and 23.

22. Why did the woman call the Gas Company?

    a) she thought her gas bill was too high

    b) she wanted her meter checked

    c) her heater stopped working

    d) she thinks gas is leaking in her kitchen

23. How soon can a Gas Company technician arrive at her house?

    a) in 20 minutes

    b) in 2 hours

    c) by the end of the day

    d) some time this week

Questions 24-26.

Listen to this conversation about moving. Then answer questions 24, 25 and 26.

24. Why are they thinking about moving?

    a) they can afford a bigger place

    b) they want to buy a house

    c) their lease is almost up

    d) they do not like the neighborhood

25. What is next to the 2-bedroom apartment they are interested in?

    a) a school

    b) a park

    c) a post office

    d) a grocery store

26. How much is the security deposit for this apartment?

    a) $500

    b) $1000

    c) $1200

    d) $1500

Questions 27-28.

Listen to this announcement given by a restaurant owner. Then answer questions 27 and 28.

27. Each of the following is a specialty of this restaurant *except:*
    a) grilling food at your table
    b) 8 kinds of kimchi
    c) 12 kinds of grilled meats
    d) 9 kinds of hot soup

28. What special occasion can you celebrate there?
    a) 1ˢᵗ birthday parties
    b) wedding receptions
    c) graduation parties
    d) holiday parties

Section II – Usage

Directions: This section consists of a number of statements, with an underlined contraction. Select the answer choice that best represents the original form of the contraction and fill in the corresponding oval on the answer sheet.

29. 칭찬 받을 만한 일을 했을 경우 그 즉시 칭찬을 아끼지 말아야 한다. 그리고 그 과정과 노력을 칭찬하자. 좋은 결과만을 <u>칭찬한다면</u> 수단을 무시하게 되고 노력보다는 요행을 기대하는 심리가 작용하게 되어 오히려 결과를 어렵게 만들 수가 있다. 과정을 칭찬한다면 지속적으로 배우고 노력하는 마음을 <u>갖게</u> 한다.

    a) 칭찬한다며는 – 가지게   b) 칭찬하안다며는 – 가지게

    c) 칭찬한다며는 – 가지거이   d) 칭찬하안다며는 – 가지거이

30. 벤처 열풍을 등에 업고, 하루 종일 컴퓨터 화면을 들여다 보면서 키보드를 두드려야 월급을 타는 직장인들이 부쩍 늘어난 것이 요즘이다. 하지만 이들 <u>중엔</u> 자신을 먹여 살려주는 컴퓨터로 인해 피해를 보는 경우도 종종있다. 컴퓨터 모니터를 계속 쳐다봄으로 <u>인해</u> 눈이 피로하고 아픔을 느끼는 신종 직업병에 걸린 이들이 많은 것이다.

    a) 중에는 – 인히어   b) 중에는 – 인하여

    c) 중에느은 – 인하여   d) 중에느은 – 인히여

31. 물은 마시고 나서 30 초면 혈액에, 1 분이면 뇌조직과 생식기에, 30 분이면 인체 곳곳에 직접적인 영향을 미친다. 또 물이 1~2%만 부족해도 심한 갈증을 느끼며 5%가 <u>부족하면</u> 혼수상태, 12%이상이면 목숨까지 잃는다. 하루 마셔야 하는 물의 양은 모두 8~10 잔, 사람의 몸에서 배출되는 물의 양이 약 1.5L 인 점을 감안, 하루 최소 2.5L 이상의 물을 <u>섭취해야</u> 한다.

    a) 부족하며는 –섭취히어야   b) 부족하며는 – 섭취하여야

    c) 부조옥하며는 – 섭취하여야   d) 부조옥하며는 – 섭추이하여야

32. 고추와 후추는 똑같이 매운맛을 내는 향신료인데 다름이 없으나 <u>웬일인지</u> 고추가 한국 같은 발효음식 문화권에서 없어서는 안 되고, 후추가 유럽 등 기름기가 많은 음식 문화권에 없어서는 안되게 된 근본적인 이유가 <u>뭣일까?</u>

    a) 어떠한 일인지 – 무엇일까   b) 어떠한 일인지 – 무얼까

    c) 우엔 일인지 – 무얼까   d) 어인 일인지 – 무엇일까

33. 에스티 로더는 처음에 가스스토브 위에서 끓인 크림을 들고 다니며 미장원 손님들에게 팔았다. 그때 팔고 남은 제품은 한두 스푼씩 덜어 공짜로 나눠주었다. 그런데 한두 스푼의 크림을 써 본 사람들은 너도 나도 그녀의 화장품을 사갔다. 오늘날 화장품 회사들의 작은 샘플은 그렇게 시작된 것이다.
   a) 나뉘어 – 그러케
   b) 나뉘어 – 그러하게
   c) 나누어 – 그러하게
   d) 나누어 –그러하거이

Directions: Questions 6 through 8 are statements with underlined expressions, each of which has four corresponding replacements. Select the answer choice that represents the best alternative expression that retains the original meaning of the statement.

34. 좋은 문학작품은 우리의 삶을 풍요롭게 해준다.
   a) 인생 – 풍족하게
   b) 생 – 만족하게
   c) 사람 – 만족하게
   d) 사람 – 넉넉하게

35. 그 여자의 얼굴에는 어두운 그림자가 드리워져 있다.
   a) 여인 – 안면
   b) 계집 – 용안
   c) 가시나 – 상호
   d) 아낙네 – 낯짝

36. 브로드웨이 백화점 옆에 있는 책방은 내가 자주 가는 곳이다.
   a) 책가게 – 가끔
   b) 서점 – 흔히
   c) 백화점 – 항상
   d) 선물가게 – 종종

37. "to follow"와 같은 뜻으로 쓰인 문장은?
   a) 그는 10 년 만에 고향 땅을 밟았다
   b)잘못된 선배들의 전철을 밟지 말아라
   c)대학교의 입학 절차를 밟았다.
   d)영이야, 어서 빨래나 밟아라

38. "to wind" 와 같은 뜻으로 쓰인 문장은?
   a) 장님은 언제나 눈을 감고 있는 것과 마찬가지이다.
   b)실을 손에 감는 것보다는 실패에 감는 것이 좋다.
   c)머리는 매일 감는 것이 좋지 않다.
   d)피터는 음악감상을 할 때 눈을 감는 버릇이 있다.

39. "way" 와 같은 뜻으로 쓰인 문장은?

    a) 내가 살자니 그 <u>길</u>밖에 없었다.

    b)<u>길</u>이 아니거든 가지를 마라

    c)이것이 학생이 가야할 <u>길</u>이다.

    d) 아버지는 어제 먼 <u>길</u>을 떠나셨다.

40. "disorder" 와 같은 뜻으로 쓰인 문장은?

    a) 이 사람은 정신 <u>이상</u> 증세가 있다.

    b) 6 세 <u>이상의</u> 어린이들은 입장료를 내셔야 합니다.

    c) 비행기 뒤쪽에서 <u>이상한</u> 소리가 들렸습니다.

    d) 우리는 우리의 <u>이상</u>을 실현하기 위하여 열심히 공부한다.

41. "to inject"와 같은 뜻으로 쓰인 문장은?

    a) 젊은 애가 정신을 <u>놓고</u> 다니니 걱정이다.

    b) 그녀는 집안 여기저기에 쥐약을 <u>놓았다</u>.

    c) 아이에게 주사를 <u>놓으려고</u> 하자 아이는 마구 울기 시작했다.

    d) 그 유명한 김 화백이 붓을 <u>놓은</u> 지가 20 년이 되었다.

42. "to play"와 같은 뜻으로 쓰인 문장은?

    a) 우리 할아버지는 한가할 적이면 마당에 의자를 내놓고 앉아 회중시계를 꺼내어 <u>만지는</u> 습관이 있었다.

    b) 그는 새로운 상품의 개발로 돈을 <u>만지게</u> 되었다.

    c) 내가 카메라를 <u>만진지도</u> 어언 25 년이 됐다.

    d) 민우는 <u>만질</u> 줄 아는 악기가 몇 개나 된다.

43. "to consume"과 같은 뜻으로 쓰인 문장은?

    a) 나는 거짓말을 식은 죽 <u>먹듯</u> 하는 사람과는 말도 하기 싫다.

    b) 너 언제 국수 <u>먹게</u> 해줄래?

    c) 개구쟁이 동생에게 골탕을 <u>먹는</u> 사람은 나밖에 없다.

    d) 이 차가 네 차보다 기름을 훨씬 더 많이 <u>먹는다.</u>

44. 한국인에게 있어 '배'는 곧 마음을 의미했다. "사촌이 땅을 사면 배가 아프다."라는 말은 복부의 통증을 의미하는 것이 아니라 뱃속에 든 <u>맘의</u> 통증을 의미한다. 팔자 좋은 사람보고 배부른 사람이라 하는데, 먹을 것이 많아 배가 부르다는 의미도 <u>있지만</u>, 맘 편하고 속 편하다는 의미가 더 강하게 내포되어 있는 것이다.
    a) 마음의 – 있었지마는   b) 마음의 – 있지마는
    c) 마암의 –이있지마는   d) 마아암의 – 있지마는

45. 어려운 생활에서도 남을 돕기를 <u>좋아했고</u>, 자기가 슬픈 때에도 남을 위로 해 주기를 좋아했다.
    a) 좋아하였고   b) 좋아하셨고
    c) 좋아해셔고   d) 좋아하시어고

46. 길가에 쓰레기를 이대로 쌓아 놓기만 하면 <u>어떻게</u> 할 것인지 걱정이 태산 이다. 삼복에 어쩌자는 것인지 납득이 가지 않는다. 해결 방안을 <u>연구토록</u> 해주기 바란다.
    a) 어떠하거이 – 연구하도록
    b) 어떠하거이 – 연구하도로옥
    c) 어떠하게 – 연구하도록
    d) 어떠하게 – 연구하도로옥

47. 한 과학자가 3 년의 연구 끝에 인공위성으로 세상 모든 일을 볼 수 있는 만능시계를 <u>발명했다</u>. 한 백만장자가 이 시계를 보고 감탄하며 사겠다고 나섰다. 수억 원을 주고 시계를 산 백만장자가 신기한 듯 시계를 들여다 보고 있는데 과학자가 엄청나게 큰 보따리를 건넸다. "이게 <u>뭡니까?</u>" 백만장자의 물음에 과학자가 대답했다. "시계 배터리요."
    a) 발명하였다 – 무업니까
    b) 발명히였다 – 무엇입니까
    c) 발명히었다 – 무업니까
    d) 발명하였다 – 무엇입니까

48. 한국을 방문한 클린턴 대통령이 만찬 석상에서 신선로를 가리키며 무엇이냐고 물었다. 그때 김 대통령은 옛날 왕들이 먹던 음식으로서 불로장수의 효과가 있다고 <u>대답했다고</u> 한다. 다소 과장된 선전이었다는 생각이 안드는 건 아니지만 <u>어쨌든</u> 그 말을 들은 클린턴 대통령은 신선로를 남김없이 먹었다고 한다.

   a) 대답하였다고 – 어찌했든   b) 대답하였다고 – 어찌했드은
   c) 대답해였다고 – 어찌하였든   d) 대답하였다고 – 어찌하였든

49. 칭찬은 결코 배신하지 않는다.칭찬은 비용이 전혀 들지 않는다. 칭찬은 상대방 뿐만 아니라 나를 즐겁게 한다. 칭찬은 누구에게나 변화를 줄 수 있는 무형의 힘을 발휘한다. 어떻게 칭찬을 해야 할까?먼저 무엇을 칭찬하든지 구체적이고 <u>정확해야</u> 한다. <u>왜냐하면</u> 구체적인 칭찬은 상대방의 행동에 주목하고 있었으며 진실로 칭찬하고 있었음을 상대방이 깨닫게 되기 때문이다.

   a) 정확히하여야 – 오애냐하며는
   b) 정확 하여야 – 왜냐하며는
   c) 정확히아여야 – 왜냐하며는
   d) 정확하여야 – 오애냐하며는

50. 땅콩에는 호르몬 생성과 피부를 곱고 윤기나게 하는 '젊어지는 비타민' 즉 비타민 E 가 많다. 또 필수아미노산 10 여가지를 지녔을 뿐 아니라 기억력을 좋게 하는 아연이 들어 있어 특히 아이에게 좋다. 우주 비행사들이 달 여행 때 땅콩버터 샌드위치를 먹으며 단백질을 <u>공급했을</u> 정도다. 흔히 땅콩은 마른 오징어에 싸 먹는데, 마른 오징어의 높은 콜레스테롤 수치를 땅콩에 함유된 불포화 지방산이 <u>낮춰</u> 주기 때문이다.

   a) 공급해였을 – 나주추어   b) 공급하였을 – 나주추어
   c) 공급했었을 – 낮추어   d) 공급하였을 – 낮추어

51. 생물학 교과서에 따르면 특정한 맛을 느끼는 미각 세포가 혀의 위치에 따라 서로 다르게 분포돼 있다는 것이다. <u>그런데</u> 최근 과학자들은 혀 지도가 과학적 근거가 없다는 사실을 <u>발견했다.</u> 20 세기 초에 나온 이 이론은 19 세기 말의 한 연구결과를 잘못 해석한 결과다.

   a) 그러한데 – 발견하였다
   b) 그러언데 – 발견하였다
   c) 그러한데 – 발겨언하였다
   d) 그러언데 – 발겨언하였다

52. 서양의 옷은 육체를 압박하게끔 조이는 <u>그런</u> 옷 문화계에 속하고 한국의 옷은 가급적 육체에 압박을 주지 <u>않게끔</u> 느슨하게 하는 그런 옷 문화계에 속한다. 그래서 서양의 옷은 조이는 옷이요, 한국의 옷은 걸치는 옷이다.
    a) 그러언 – 아니하게끔
    b) 그러언데 – 발견하였다
    c) 그러한 – 아니하게끔
    d) 그러언데 – 발겨언하였다

53. 우리는 아침에 집을 나설 때 부모님께 인사를 한다. 등교 길에서 친구들과 어제 있었던 일, 오늘 할 일 등을 서로 이야기 한다. 학교에 와서는 여러가지 공부를 한다. 이 모든 것이 언어에 <u>의해</u> 이루어진다. <u>이렇게</u> 사람이면 누구나 언어를 사용한다.
    a) 의해 – 이러하다   b) 의하여 – 이러하게
    c) 의하여 – 이러면   d) 의해 – 이러하거이

54. 배고플 때 단 것을 <u>먹으면</u> 동맥 속의 혈당량을 높여주는 것이 되기에 배가 고파지지 <u>않는다</u>. 공복일 때 단 것을 많이 먹고 나면 입맛이 없어 밥을 먹지 못하는 것은 배가 부르지 않더라도 동맥 속의 혈당량이 늘어나 있기 때문인 것이다.
    a) 먹으며는 – 아니하는다
    b) 먹으며는 – 아니한다
    c) 머그며는 – 아니하는다
    d) 머그며는 – 아니한다

55. 당분이나 알코올 측정이 <u>정확치</u> 않았던 당시에는 날이 따뜻해지면 와인 속 당분이 다시 발효돼 탄산개스를 생성, 병의 압력이 증가하면서 병이 터지거나 병뚜껑이 날아가곤 했다. 페리뇽 수사는 어느 날 묵은 포도주와 새 포도주를 섞는 과정에서 개스가 가득 올라오는 와인을 마셔보게 됐고 이때 이렇게 <u>외쳤다</u>. "나는 지금 별을 마신다." 입안에서 톡톡 터지는 듯한 샴페인의 절묘한 맛을 표현한 말이다.
    a) 정화악치 – 외치였다
    b) 정확하지 – 외치였다
    c) 정화악치 – 외치었다
    d) 정확하지– 외치었다

56. 여성들의 발이 커졌지만 신발 매장은 아직도 옛날 사이즈로 제품을 <u>구비해 놔</u> 여성 고객들이 불편해 하고 있다고 월스트리트 저널이 28 일 보도 했다. 가장 많이 찾는 사이즈는 8 이지만 2 위 였던 7, 3 위였던 7.5 가 지금은 8.5 가 2 위, 9 가 3 위가 됐다. 앤 클라인 측은 "큰 사이즈 신발이 부족한 것은 제조업체에서 가죽, 틀 등 원가 부담 때문에 꺼리기 때문"이라며 "제조 원가는 더 들어가지만 분명 성장여지가 크다."며 다양한 사이즈의 신발제작을 늘려가고 있다고 <u>밝혔다.</u>
a) 구비해 노아 – 밝히였다
b) 구비하여 놓아 – 밝히었다
c) 구비하여 노아 – 밝히었다
d) 구비하여 놓아 – 밝히였다

Section III - Reading Comprehension

Direction: *Read the following selections carefully for comprehension. Each selection is followed by one or more questions or incomplete statements based on its content. Select the answer or completion that is best according to the passage and fill in the corresponding oval on the answer sheet.*

Questions 57-59.

선물을 할 때 가장 중요한 것은 어떠한 선물을 택하느냐 하는 것입니다. 우선 주는 사람 자신이 싫어하는 물건은 피해야 합니다. 내가 싫어하는데 남이 좋아할 리 없기 때문입니다. 그렇다고 해서 상대방의 취향을 고려치 않고 무조건 자기가 좋아하는 물건을 택해도 안 됩니다. 너무 비싼 물건도 피하는 것이 좋습니다. 선물은 반드시 예쁘고 깨끗하게 포장해서 전달해야 합니다.

선물을 받는 사람도 주는 사람에게 못지 않은 책임이 있습니다. 우선 상대방에게 감사의 뜻을 표하여야 합니다. 선물을 준 사람 앞에서 풀어볼 때는 그 자리에서 고맙다는 인사를 하여야 하고, 나중에 풀어볼 때는 전화를 하거나 간단한 카드를 반드시 보내야 합니다. 받은 선물이 마음에 안 들어도 고맙다는 인사를 해야 하고 말뿐 아니라 기쁜 표정을 짓는 것을 잊어서는 안됩니다.

동양에서는 선물을 받으면 보낸 당사자 앞에서는 열지 않는 것이 예의로 되어 있습니다. 그러나 서양 사람들은 받으면 곧 준 사람 앞에서 열어보고 고맙다는 인사와 찬사를 보내게 되어 있습니다. 큰 파티에서 여러 사람이 선물을 갖고 올 경우에는 선물을 한군데 모아 놓았다가 여러 사람 앞에서 개봉합니다. 만약에 선물이 현금일 경우는 누구로부터의 현금인가는 발표만 하고 금액은 발표하지 않는 것이 매너입니다.

57. Each of the following subjects are included in the passage *except:*

　　a) gift-gibing etiquette

　　b) gift-receiving etiquette

　　c) cultural differences in gift-giving

　　d) cultural differences in receiving gifts

58. What recommendation is made to gift buyers?

    a) don't limit yourself to a gift that fits *your* tastes

    b) always wrap gifts in expensive paper

    c) never give cash

    d) gift cards are a good gift when you're not sure what the recipient wants

59. According to the passage, what is one difference between Asian and Western cultures?

    a) Asians open gifts in front of the giver

    b) Westerners open gifts in front of the giver

    c) Asian never give cash

    d) Westerners always use gift wrap

Questions 60-62.

'잠은 신이 대가 없이 준 선물'이라는 말이 있다. 잠은 하루 동안 쌓인 몸과 마음의 피로를 깨끗이 풀어주는 약이다. 잠이 부족하면 근육, 뼈, 심장, 위장 등을 해쳐 각종 질환을 유발하고 정서장애, 집중력과 기억력 감퇴, 불안 초조 등을 일으키기도 한다.

학계에서 주장하는 평균 수면 시간은 하루 8시간, 그러나 이는 평균치일 뿐 적정 수면량이 따로 있는 것은 아니고 사람마다 적정 수면 시간은 다르다. 낮에 아무것도 하지 않은 상태로 앉아 있을 때 졸리지 않을 정도로 자는 것이 가장 적당한 수면 시간이라고 한다.

숙면을 취하려면 '수면규칙'을 지켜야 한다. 우선 기상 시간을 일정하게 유지하는 것이 가장 중요한다. 자기 전에 침대에 누워 책을 보거나 아침에 일어난 다음 침대에 오래 누워 있는 것은 좋지 않다. 커피, 담배, 술 등 자극성이 있는 음식은 피해야 한다. 침실은 어둡고 조용하며 공기가 잘 통하도록 한다. 매일 규칙적으로 운동을 하고 잠자기 전에 가볍게 샤워를 하면 혈액순환이 좋아져 깊은 잠을 자는 데 도움이 된다.

---

60. According to the passage, what is one nickname for sleep?

    a) 'body regulator'   b) 'body recharger'

    c) unconditional gift from God'   d) '8 hour power'

61. According to the passage, what is one indication that you are getting enough sleep?

    a) you are not sleepy in the afternoon

    b) you get up easily in the morning

    c) you are energetic all day

    d) you lead a more active life

62. According to the passage, each of the following is part of a regulated sleep schedule *except:*

    a) regular wake-up time

    b) avoid reading in bed before sleeping

    c) avoid laying in bed for long periods before getting up

    d) regular bed time

Questions 63-64.

나는 정말 흥분하고 있다. 컴퓨터 앞에 앉았지만 일이 손에 잡히지 않았다. 나는 다음 주 토요일 날 결혼식이 끝난 후 하와이로 신혼여행을 갈 것에 대해서만 생각했다.

나는 정말이지 기다리기가 힘들다. 한 주일 동안은 일상생활에서 벗어나 일하는 것, 요리, 청소, 청구서 걱정도 할 필요가 없다. 나는 사랑하는 제인과 바닷가에서 수영하고 수상스키도 즐기고 편안하게 앉아 대화도 나누고 근사한 음식점에서 식사를 할 것이다.

---

63. What is the author supposed to be doing?

    a) planning his wedding

    b) preparing for a business trip

    c) working at his computer

    d) paying bills and doing housework

64. The author is looking forward to each of the following *except:*

    a) swimming in the ocean   b) waterskiing

    c) snorkeling   d) eating at nice restaurants

Questions 65-67.

미국인들은 학교 교사를 가장 신뢰하는 것으로 나타났다. USA Today 와 CNN, 그리고 여론 조사 기관인 갤럽이 합동으로 미국 성인 남녀 1 천 13 명을 대상으로 실시한 최근 여론조사에 따르면 조사대상자의 84%가 교사를 가장 믿을 수 있는 사람으로 뽑았다.

중소기업 사장을 75%로 2 위를 차지했다.

다음으로 신뢰할 수 있는 사람은 군장교 (73%), 경찰관(71%), 청소년 스포츠 감독(68%), 개신교 목사, 의사(66%) 회계사(51%)등으로 나타났다.

65. According to the published survey, over 1000 average Americans trust which profession the most?

   a) ministers

   b) teachers

   c) police officers

   d) youth sports coaches

66. What percent of people surveyed indicated trust in Certified Public Accountants(CPA's)?

   a) 51%

   b) 66%

   c) 73%

   d) 75%

67. Which profession did 75% of people surveyed trust?

   a) military officers

   b) police officers

   c) CPA's

   d) small business owners

부음   김현국씨 부친상

김현국씨 부친 김규연 씨가 지난 4 월 3 일 별세했다. 향년 83 세.
입관 예배: 4 월 6 일 오후 7 시 30 분
하관 예배: 4 월 7 일 오전 10 시
장소: 가주장의사
집례: 나성 제일교회 엄영수 목사
연락처: (714) 555-4444

---

68. What type of announcement is in the passage above?

    a) church service   b) funeral service

    c) wedding ceremony   d) baptism service

69. Who is Hyungook Kim?

    a) a minister   b) the groom

    c) the deceased   d) the son of the deceased

비만이 된 어린이는 식이요법과 운동요법을 취해야 한다고 합니다. 전문가는 아이들이 성장 상태에 있으므로 식사를 걸러서는 안 되며 영양소의 균형을 갖춘 저 칼로리의 식사를 권합니다.

마요네즈, 햄버거, 아이스크림, 과자 등 가공 식품과 고지방 식품을 피하고 대신 기름기가 없는 고기, 생선, 닭고기, 야채, 구운 감자 등을 먹어야 합니다. 음식은 작은 그릇에 담아서 먹고 천천히 씹어 먹도록 합니다. 간식으로도 케이크, 파이, 아이스크림은 피하는 게 좋습니다.

운동은 좋아하는 것으로 일주일에 3~5 일은 해야 하며 처음에 15 분 정도로 시작해 30~40 분 정도로 늘여가는 것이 좋다고 합니다.

70. What is the author's opinion about raising healthy children?

    a) feed them a balanced diet and encourage regular exercise

    b) eat healthy most of the time, but it's all right to eat sweets on special occasions

    c) train them in a strict daily exercise program

    d) don't worry-children are naturally active and can eat anything

71. Each of the following are recommendations the author makes *except:*

    a) avoid sweets

    b) serve food in small bowls

    c) chew food slowly

    d) exercise 30-40 minutes a day

콩은 모든 농작물 가운데 단백질 함유량이 가장 많은, 그래서 밭에서 나는 고기란 별명까지 얻고 있다. 그런데 날 콩을 그대로 먹으면 전혀 소화가 되질 않고 볶아서 먹으면 겨우 60%, 삶아서 먹으면 70%밖에 소화가 되질 않는다. 그러나 이것을 두부로 만들어 먹으면 90%가 소화가 된다고 한다. 지금 이 두부가 국제적으로 각광을 받고 있다 한다. 미국에만도 두부공장이 1 백 50 개를 넘고 있으며, 연간 5 천만 달러어치나 팔리고 있으며, 두부 요리 책은 나오는 족족 베스트 셀러가 되고 있다고 한다.

72. People absorb the most proteins when beans are prepared in which manner?
    a) raw
    b) fried
    c) boiled
    d) tofu

73. What is the nickname of beans?
    a) 'meat that grows in the field'
    b) 'meat that grows in the mountain'
    c) 'meat that grows in the garden'
    d) 'meat that grows in the pond'

74. According to the passage, what kind of cookbook was a bestseller?
    a) healthy dishes with beans
    b) vegetarian cooking
    c) vooking with tofu
    d) asian cooking

Questions 75-76.

세계의 그늘진 구석에 사랑의 빛을 퍼뜨렸던 테레사 수녀의 "사랑의 선교회"는 그녀의 사망 후에도 가난한 자에 대한 사랑과 보살핌의 역할을 계속할 전망이다.
현재 세계 95 개 국가에 모두 4 천여 명의 성직자를 파견해 활동하고 있는 사랑의 선교회는 전세계 빈민과 장애인, 고아, 그리고 에이즈 환자 등 버림받은 사람들을 상대로 구호활동을 펴고 있다.

75. What legacy did Mother Theresa leave even after her death?
    a) 'Missionaries of Love'   b) 'Church of Love'
    c) 'Mission Church'   d) 'Love of Poor'

76. The organization takes care of which of the following types of people?
    a) handicapped people and AIDS patients
    b) poor people and prisoners
    c) orphans and widows
    d) AIDS patients and prisoners

Questions 77-78

이웃집에는 다섯 살짜리 어린 아이가 있어요. 이 아이는 매우 명랑하여, 하는 짓이 엉뚱해도 이웃의 귀여움을 독차지한답니다. 하루는 만화영화에 나오는 무서운 외계인 가면을 쓰고 소리를 지르며 덤벼들기에, "아이 무서워" 하며 숨는 시늉을 했어요. 그러자 이 아이는 얼른 가면을 벗으며, "나예요." 하며 다 큰 사람이 그것도 몰랐느냐는 표정을 짓지 않겠어요.

77. What is the main subject of this passage?
    a) an alien from a cartoon
    b) Halloween masks
    c) my 5-year old neighbor
    d) cartoon characters

78. What is the attitude of the child in the passage?

    a) conniving deception

    b) innocent playfulness

    c) timed fear

    d) playful disobedience

Questions 79-80.

> 날씨가 점점 더워지고 있습니다. 여러분은 머지않아 강과 바다에 가서 수영을 즐기게 될 것입니다. 수영이나 물놀이를 하다가 부주의로 물에 빠지는 경우가 있습니다. 이 때에는 물에 빠진 사람을 빨리 건져내어 인공호흡을 제대로 실시해야만, 여러분의 가족이나 친구의 귀중한 생명을 건질 수 있습니다. 그러므로 여러분들은 인공호흡을 실시하는 방법을 잘 알아두어야 합니다.
>
> 인공호흡을 실시할 때에는 먼저 입 속의 이물질을 제거하고, 이어서 목을 뒤로 젖혀 환자의 턱을 내밀게 합니다. 그 다음에는 숨을 깊이 들이 마신 뒤, 환자의 코를 쥐고 숨을 불어넣습니다. 그리고 환자의 가슴을 눌러 환자가 숨을 내쉬도록 유도해야 합니다.

79. What does the author warn against in hot weather?

    a) sunburn

    b) slipping in the water

    c) drowning

    d) dehydration

80. What does the author give instructions about?

    a) administering CPR

    b) first aid on the beach

    c) how to keep hydrated

    d) treating a sunburn

Test 10

Mixed Review

SATII Korean Practice Test Answer Sheet

Name _____ Date _____ Test No.: __10__

1. ⓐ ⓑ ⓒ ⓓ	28. ⓐ ⓑ ⓒ ⓓ	55. ⓐ ⓑ ⓒ ⓓ
2. ⓐ ⓑ ⓒ ⓓ	29. ⓐ ⓑ ⓒ ⓓ	56. ⓐ ⓑ ⓒ ⓓ
3. ⓐ ⓑ ⓒ ⓓ	30. ⓐ ⓑ ⓒ ⓓ	57. ⓐ ⓑ ⓒ ⓓ
4. ⓐ ⓑ ⓒ ⓓ	31. ⓐ ⓑ ⓒ ⓓ	58. ⓐ ⓑ ⓒ ⓓ
5. ⓐ ⓑ ⓒ ⓓ	32. ⓐ ⓑ ⓒ ⓓ	59. ⓐ ⓑ ⓒ ⓓ
6. ⓐ ⓑ ⓒ ⓓ	33. ⓐ ⓑ ⓒ ⓓ	60. ⓐ ⓑ ⓒ ⓓ
7. ⓐ ⓑ ⓒ ⓓ	34. ⓐ ⓑ ⓒ ⓓ	61. ⓐ ⓑ ⓒ ⓓ
8. ⓐ ⓑ ⓒ ⓓ	35. ⓐ ⓑ ⓒ ⓓ	62. ⓐ ⓑ ⓒ ⓓ
9. ⓐ ⓑ ⓒ ⓓ	36. ⓐ ⓑ ⓒ ⓓ	63. ⓐ ⓑ ⓒ ⓓ
10. ⓐ ⓑ ⓒ ⓓ	37. ⓐ ⓑ ⓒ ⓓ	64. ⓐ ⓑ ⓒ ⓓ
11. ⓐ ⓑ ⓒ ⓓ	38. ⓐ ⓑ ⓒ ⓓ	65. ⓐ ⓑ ⓒ ⓓ
12. ⓐ ⓑ ⓒ ⓓ	39. ⓐ ⓑ ⓒ ⓓ	66. ⓐ ⓑ ⓒ ⓓ
13. ⓐ ⓑ ⓒ ⓓ	40. ⓐ ⓑ ⓒ ⓓ	67. ⓐ ⓑ ⓒ ⓓ
14. ⓐ ⓑ ⓒ ⓓ	41. ⓐ ⓑ ⓒ ⓓ	68. ⓐ ⓑ ⓒ ⓓ
15. ⓐ ⓑ ⓒ ⓓ	42. ⓐ ⓑ ⓒ ⓓ	69. ⓐ ⓑ ⓒ ⓓ
16. ⓐ ⓑ ⓒ ⓓ	43. ⓐ ⓑ ⓒ ⓓ	70. ⓐ ⓑ ⓒ ⓓ
17. ⓐ ⓑ ⓒ ⓓ	44. ⓐ ⓑ ⓒ ⓓ	71. ⓐ ⓑ ⓒ ⓓ
18. ⓐ ⓑ ⓒ ⓓ	45. ⓐ ⓑ ⓒ ⓓ	72. ⓐ ⓑ ⓒ ⓓ
19. ⓐ ⓑ ⓒ ⓓ	46. ⓐ ⓑ ⓒ ⓓ	73. ⓐ ⓑ ⓒ ⓓ
20. ⓐ ⓑ ⓒ ⓓ	47. ⓐ ⓑ ⓒ ⓓ	74. ⓐ ⓑ ⓒ ⓓ
21. ⓐ ⓑ ⓒ ⓓ	48. ⓐ ⓑ ⓒ ⓓ	75. ⓐ ⓑ ⓒ ⓓ
22. ⓐ ⓑ ⓒ ⓓ	49. ⓐ ⓑ ⓒ ⓓ	76. ⓐ ⓑ ⓒ ⓓ
23. ⓐ ⓑ ⓒ ⓓ	50. ⓐ ⓑ ⓒ ⓓ	77. ⓐ ⓑ ⓒ ⓓ
24. ⓐ ⓑ ⓒ ⓓ	51. ⓐ ⓑ ⓒ ⓓ	78. ⓐ ⓑ ⓒ ⓓ
25. ⓐ ⓑ ⓒ ⓓ	52. ⓐ ⓑ ⓒ ⓓ	79. ⓐ ⓑ ⓒ ⓓ
26. ⓐ ⓑ ⓒ ⓓ	53. ⓐ ⓑ ⓒ ⓓ	80. ⓐ ⓑ ⓒ ⓓ
27. ⓐ ⓑ ⓒ ⓓ	54. ⓐ ⓑ ⓒ ⓓ	81. ⓐ ⓑ ⓒ ⓓ

Section I – Listening

Directions: In this part of the test you will hear several spoken selections. They will not be printed in your test book. You will hear them only once. After each selection you will be asked one or more questions about what you have just heard. These questions, with four possible answers, are printed in your test booklet. Select the best answer to each question from among the four choices printed and fill in the corresponding oval on your answer sheet.

Questions 1-2.

Listen to this conversation between two women. Then answer questions 1 and 2.

1. What is the first thing the woman does when she gets up?
   a) brush her teeth
   b) drink a glass of cold water
   c) do some stretching exercises
   d) read a book

2. What kind of diet does the woman have?
   a) all vegetarian
   b) no red meat; only fish
   c) all kinds of foods
   d) mostly meat and potatoes

Questions 3-4.

Listen to this conversation about marriage.   Then answer questions 3 and 4.

3. Long ago, men used to choose their bride based on her:
   a) looks
   b) fertility
   c) family background
   d) needlework

4. According to the passage, what is true of couples today?

    a) they come from the same economic background

    b) they are often two-career families

    c) they share household duties like cooking

    d) the woman does all the housework

Questions 5-6.

Listen to this conversation about drinks. Then answer questions 5 and 6.

5. What is the relationship between the two speakers?

    a) father / daughter

    b) mother / son

    c) sister / brother

    d) teacher / student

6. What can the boy drink instead of orange juice?

    a) barley tea

    b) milk

    c) lemonade

    d) fruit punch

Questions 7-8.

Listen to this conversation between two relatives. Then answer questions 7 and 8.

7. Where is this conversation taking place?

    a) in the woman's home

    b) in the doctor's office

    c) in a hospital room

    d) at a pharmacy

8. Why is the man having problems with his digestive system?

    a) he got food poisoning

    b) he has a genetic condition

    c) he is a heavy smoker

    d) he is a heavy drinker

Questions 9-11.

Listen to this conversation about drinking tea.. Then answer questions 9, 10 and 11.

9. Where is this conversation taking place?
   a) in the woman's home
   b) in the man's home
   c) in a café
   d) in a tea room

10. Why do some say to drink 3 glasses of green tea at a time?
   a) to help you digest your food
   b) to help your circulatory system
   c) for fragrance, for taste, and for the impression
   d) the tea tastes better each time the tea leaves are reused

11. How long has it been since the man began drinking tea instead of coffee?
   a) several days
   b) several weeks
   c) several months
   d) several years

Questions 12-14.

Listen to this conversation between a man and a woman. Then answer questions 12, 13 and 14.

12. What is the relationship between the man and the woman?
   a) husband / wife
   b) father / daughter
   c) son / mother
   d) boss / secretary

13. Where is this conversation taking place?
   a) at work
   b) at home
   c) in the backyard
   d) over the telephone

14. What request does the man make of the woman?

   a) help Annie with her homework

   b) pick up Tony from school

   c) type out some memos for him

   d) bring some paperwork to his office

Questions 15-16.

Listen to this report on the radio. Then answer questions 15 and 16.

15. This report tells the:

   a) news   b) traffic

   c) sports   d) weather

16. What has gotten canceled?

   a) construction

   b) sports games

   c) political rally

   d) dedication ceremony

Questions 17-19.

Listen to Helen's doctor reporting to her family. Then answer questions 17, 18 and 19.

17. How is Helen's recovery expected to take?

   a) 4 days

   b) 1 weeks

   c) 2 weeks

   d) 1 months

18. Her immediate diet will consist of:

   a) soup and juice

   b) yogurt and ice cream

   c) jello and yogurt

   d) soup and ice cream

19. When can she begin walking again?

a) in a few minutes

b) tomorrow

c) the day after tomorrow

d) Saturday

Questions 20-21.

Listen to this conversation between a husband and wife. Then answer questions 20 and 21.

20. Why is the man in such a hurry?

a) he is always early

b) he doesn't want to pay a fine for being late

c) he has too many things to do

d) he's about to miss the bus

21. What things do the woman want to do before leaving?

a) take a bath and water the lawn

b) take a bath and do the dishes

c) do the dishes and feed the cats

d) water the lawn and feed the cats

Questions 22-23.

Listen to this conversation that takes place at the end of a trip. Then answer questions 22 and 23.

22. What is the problem?

a) The woman lost her passport

b) The man lost his passport

c) The woman wants to go back to the hotel

d) The man wants to stay for one more week.

23. Where is this conversation taking place?

a) In their hotel room   b) In the hotel restaurant

c) At the airport   d) On the airplane

Questions 24-25.

Listen to this short discussion. Then answer questions 24 and 25.

24. Where is this conversation taking place?

    a) in the office

    b) in the home

    c) in the classroom

    d) over the telephone

25. What is the girl's suggestion?

    a) recycle used books and magazines

    b) donate used books and magazines to the library

    c) donate used books and magazines to the university

    d) donate used books and magazines to orphanages

Questions 26-28.

Listen to Jiyoung's introduction of herself. Then answer questions 26 and 28.

26. Where is she most likely giving this presentation?

    a) in front of a classroom

    b) at a board meeting

    c) in the supermarket

    d) at a post office

27. Why did Jiyoung want to go back to Korea at first?

    a) the other children made fun of her

    b) she thought America was scary

    c) she missed her old school

    d) she missed eating Korean food

28. Why does she enjoy America much more now?

    a) she made friends and learned the language

    b) she made friends and did well in school

    c) she learned the language and did well in school

    d) she likes going to American movies

Section II – Usage

Directions: This section consists of a number of incomplete statements, each of which has four suggested completions. Select the word or phrase that best completes the sentence structurally and logically and fill in the corresponding oval on the answer sheet.

29. 술과 담배 중 굳이 건강에 더 나쁜 것을 _____ 담배가 옳다. 그러나 이것은 생명과 질병 등 건강 그 자체만을 따질 때 _____ 이야기다.
    a) 고르고 – 해당할 때
    b) 그르니까 – 해당하는
    c) 고르니 – 해당되고
    d) 고른다면 – 해당되는

30. 우리는 모두 일생 동안 어떤 종류의 일이든 해야 하고, 또 일을 _____ 사람으로서의 역할을 감당해야 한다. _____ 그 일들이 괴롭고 하기 싫다는 사실은, 우리 인간이 가진 심각한 문제 중의 하나다.
    a) 함으로서 – 그러므로
    b) 함으로써 – 그런데
    c) 하므로서 – 그리고
    d) 하므로써 – 그러니까

31. 우리는 누구나 매일 꿈을 _____ 합니다. 잠자고 있을 때 꿈을 꾸는 이유는 과연 _____?
    a) 꾼다고 – 무엇이니
    b) 꾸기도 – 무엇일까요
    c) 꾼다면 – 아시오
    d) 꾸도록 – 아실까

32. _____, 실패를 두려워하지 말라! 실패는 성공의 어머니이다. 낙심하지 않고 꾸준히 정진하기만 하면, 그대는 진정 폭이 넓고 _____ 있는 삶을 살 수 있을 것이다.
    a) 청소년아 – 생각이
    b) 청소년은 – 여유가
    c) 청소년이여 – 보람이
    d) 청소년이면 – 보탬이

33. 대학가에서 손금 보는 것이 유행이다. _____ 아니라 사주팔자에 관해 서도 관심을 가지는 젊은 층이 _____ 있다.
    a) 손금뿐만 – 늘어나고
    b) 손금때문 – 늘어나게
    c) 손금대로 – 늘어나도
    d) 손금노릇 – 늘리고

34. 과학자의 업적은 _____ 연구실 안에서 이루어진다고 볼 수 없다. 뉴턴은 사과가 나무에서 떨어지는 것을 보고 만유 인력의 법칙을 발견했다. 스티븐슨은 주전자 뚜껑을 치받는 증기의 힘에서 증기 기관차의 암시를 얻었다고 한다. _____ 주위의 사소한 일상에서 위대한 발견이 이루어지는 경우가 많다.

    a) 반드시 – 이처럼   b) 반드시 – 모처럼

    c) 반듯이 – 이것처럼   d) 반듯이 – 그것처럼

35. 마음의 아픈 상처나 필요하지 않은 것은 세월이 가면 자연스럽게 잊혀진다. 기억뿐 아니라 _____ 망각도 축복이다. 모든 게 잊혀지지 않는다면 _____ 살아가겠는가.

    a) 저러한 – 이렇게   b) 어떠한 – 저렇게

    c) 그러한 – 그렇게   d) 이러한 – 어떻게

36. 나는 농담도 _____ 잘한다. 동창회나 교회에서는 '남을 웃기는 사람'으로 통한다. 내가 빠지면 모임이 _____ 없다고 나의 참석여부를 미리 확인하는 사람도 있다.

    a) 우스갯소리도 – 재미가   b) 우스갯소리를 – 재미도

    c) 우스갯소리만 – 재미   d) 우스갯소리는 – 재미까지

37. 혼인 비행에서 돌아온 여왕벌은 이틀 안에 알을 _____ 하루 2천 개에서 4천 개, 일생 동안 1백 50만 개의 알을 낳는다. 여왕은 자기 맘대로 필요로 하는 수벌도 _____, 또 자신의 후계자가 될 공주벌도 한 마리 낳고, 또 일벌도 낳는다. 만물의 영장이라는 사람이 흉내 낼 수 없는 조화를 여왕벌은 부릴 줄 안다.

    a) 낳는데 – 낳아서   b) 낳으면 – 낳고

    c) 낳으면 – 낳아서   d) 낳는데 – 낳고

38. 버릇은 어렸을 적부터 잘 들여야 한다. 우리 속담에 "_____" 라는 말이 있는데, 그만큼 버릇이란 일단 몸에 배면 고치기 힘든 것이다.

    a) 세 살 버릇 여든까지 간다.

    b) 세살 버릇 여든까지 간다.

    c) 세 살 버릇 여든 까지 간다.

    d) 세살 버릇 여든 까지 간다.

39. 가정이 담당해야 할 교육의 책임은, 학교학습의 보조기능에 머물러야 한다는 견해에서_____, 사회생활에서 필요한 한가지 기능은 가르쳐야 한다는 주장에 이르기_____ 혼란을 야기시키는 원인이 된다.
a) 부터 – 까지
b) 도 – 까지
c) 만 – 까지
d) 부터 – 는

40. 에스티 로더가 향수를 가지고 프랑스 백화점에 찾아 갔을 때 담당자는 "샤넬이 있는 데 무슨 소리입니까?"하고 상대도 해주지 않았다.그녀는 매장 바닥에 실수인 척 자신의 향수를 쏟았다.향기가 백화점 안을 떠다니자 손님들이 그 향이 좋다며 사려고 했다._____ 그녀의 향수는 프랑스에 상륙했다.
a) 일일이
b) 무심코
c) 마침내
d) 하마터면

41. 처음 만났을 때는 그 사람의 외모를 중심으로 볼 수 밖에 없지만 자꾸 대하다 보면 그 사람의 말씨나 행동을 통해 그 사람을 평가하게 된다. 자신의 외모가 뛰어나다는 이유만으로 자만하거나 다른 사람에게 겸손하고 진실되게 행동하지 않는다면 그 외모는 오히려 혐오의 대상이 될 수 밖에 없을 것이다. _____ 그 사람에게 진정한 애정을 느낀다는 것은, 그에게 정신과 내면의 세계의 진실한 아름다움을 느낄 때이다.
a) 그러므로
b) 그럼으로
c) 그럼으로써
d) 그렇게 해서

42. 상을 당한 사람을 극진히 위로해야 할 자리이지만 그 어떤 말도상을 당한 사람에게는 위로가 될수_____, 아무말도 안하는것이 더 깊은조의를표현하는 것이 된다. 굳이 말을 해야 하는 상황이라면 '삼가 조의를 표합니다.' '얼마나 슬프십니까?' 또는 '뭐라 드릴 말씀이 없습니다.'라고 말하는 것이 좋다.
a) 없으므로
b) 없음으로
c) 업스므로
d) 업슴으로

43. 아침식사는 하루를 출발하는데 있어 우리 몸에 필요한 영양소를 공급해주고 _____.
a) 하루의 활동을 충실하게 할수 있게 해 준다.
b) 하루의 활동을 충실하게 할 수 있게 해 준다.
c) 하루의 활동을 충실하게 할수있게 해 준다.
d) 하루의 활동을 충실 하게 할 수 있게 해준다.

44. 돗자리야 말로 우리 환원문화, 접는 문화의 전형적인 생활도구 가운데 하나
라고 할 것이다. 한국에 와서 설교했던 미국 선교사 게일은 "한국 사람은
방을 갖고 다니는 지극히 편리한 민족이다." 라고 써 남기고 있다. 갖고
_____ 아무데나 펴 놓으면 방이 되는 돗자리를 portable room으로 본 것
이다.
a) 다니어서   b) 다니면서   c) 다니니까   d) 다니는지

45. 잠을 적게 자면 살이 찔까, 빠질까? 잠을 못 자면 살이 빠진다는 게 보통사
람의 생각. 그러나 잠이 부족하면 식욕이 증가되어 _____ 살이 찐다는 정
반대의 연구 결과가 발표됐다.
a) 오히려   b) 바로   c) 몹시   d) 더구나

46. 한 잔의 커피로 잠을 쫓아 내는 것이 커피의 효능이라고 할 수 있다.
_____ 너무 많이 마시면 두통을 유발하고 마음이 불안한 상태에 빠진다.
a) 그러나   b) 그러니까   c) 그렇지만   d) 오히려

47. 마루에 오를 때 신발을 벗도록 권유 받았을 때마다 서양문명의 치부를 절실
하게 느꼈었다고 토인비는 말하고 있다. 밖에서 신발을 신고 주택공간에서
는 신발을 벗는 문화는 세계적인 시야에서 _____ 때 희소하고 진귀한 문화
라 할 수가 있다. 토인비가 치부라고 절감한 이유는 더럽고 때문은 외부세
계의 더러움을 고스란히 침실까지 끌고 들어가는 행동이 서구의 합리주의
정신으로 _____ 때 얼마나 불결한 것이며 또 그 불결한 것을 알면서도
몇 백년 동안 그 행동방식을 유지해 온 데 대한 구문명의 맹목성을 절감했
기 때문일 것이다.
a) 보았을 – 말할   b) 볼 – 보았을
c) 말할 – 생각할   d) 생각할 – 들을

48. 멜데스라는 경제학자에 의하면, 인구는 기하 급수적으로 증가하는 데 비하
여 식량 생산은 그에 따르지 못하기 때문에, 인류는 결국 식량 부족으로 멸
망한다는 것이었다. _____ 그로부터 180년이 지났지만, 우리는 아직까
지 식량부족으로 멸망하지 않았다.
a) 그러면   b) 왜냐하면   c) 그러자   d) 그러나

49. 어머니는 우리 형제가 다시 싸움판을 벌이는 것을 _____ 매우 실망하셨던 것 같다. 어머니는 그 때 처음으로 회초리를 _____.
   a) 보시자 – 드셨다
   b) 보시자 – 들었다
   c) 보자 – 드셨다
   d) 보자 – 들었다

50. 다리를 꼬고 앉은 채 한 손엔 담배를 들고 입으론 회백색 연기를 내뿜는 젊은 여성들, 본인은 멋있어 보일 것이라고 생각하겠지만 손가락만한 담배 몇 개비에 청순한 아름다움을 잃어버리다니 _____.
   a) 똑똑하다
   b) 안타깝다
   c) 슬기롭다
   d) 얌전하다

51. 인류는 원시 시대부터 발모 효과가 있는 약초를 찾아 왔지만, 가장 오래 많은 사람들에게 애용되는 것은 가발이다. 가발은 위엄이나 아름다움을 과시하거나 무대용, 의례용, 법관용 등 특수 목적으로 _____ 왔지만 주로 대머리를 감추기 위해 널리 _____.
   a) 쓰여 – 쓰였다.
   b) 쓰고 – 쓰였군
   c) 쓰니 – 쓰였오
   d) 쓰며 – 쓰였다

52. 임진왜란에서 이순신 장군께서는 총 23번 출군하시어 23번 모두 승리하셨다. 9월 11일 명량해전에서 고작 12척의 남은 배로 무려 200척의 왜군을 _____ 완전 대파시켜서 전세계 인류 해전사에서 대승리로 정식으로 기록이 되어있어서 지금도 _____ 전세계의 해군사관학교에서는 이순신 장군의 23개 해전기록들을 연구하며 공부하고 있다.
   a) 바로 – 다른
   b) 우선 – 온갖
   c) 모두 – 모든
   d) 바로 – 어느

53. 딸기를 소금에 씻으면 _____. 신기하게도 소금의 짠 맛이 가미되면서 딸기 맛이 더 달게 느껴진다. 더불어 살균효과도 얻을 수 있다.
   a) 어떨까
   b) 저러하다
   c) 이렇다
   d) 다르다

54. 동양 사람들은 서양 사람들에 비해 감정 표현을 잘 하지 않는 편이다. 예로 부터 우리나라는 '동방 예의지국'으로 널리 알려져 있다. 그런데도 인사말을 잘 하지 않는다. 말로 표현하지 않아도 마음이 통한다고 생각하기 때문에 감정을 잘 표현하지 않는 것이다. 그러나 "고맙습니다."나 "미안합니다."라는 인사말을 들었을 때가 그렇지 않을 때보다 더 흐뭇함을 느낄 수 있다. 우리는 말을 _____ 상대방을 이해하고 신뢰하며, 협동하게 된다. 또 말은 서로의 생각과 감정을 확인하는 구실을 한다. 이제부터라도 감정을 말로써 잘 표현해 보자. 그러면 삶이 한결 즐겁고 부드러워질 것이다.

a) 하므로써
b) 하므로서
c) 함으로써
d) 함으로서

55. 텔레비전은 가족끼리의 대화를 단절시킴으로써 가정의 분위기를 메마르게 한다. 시청자들의 사고와 상상의 기회를 적잖게 _____ 그들의 인간적 성숙을 방해한다. 독서까지도 화면이 대신해 _____ 높은 정신 세계에 이르는 길을 늦추기도 한다.

a) 빼아스므로써 – 주무로써
b) 빼앗으므로서 – 주므로서
c) 빼앗으므로써 – 줌으로서
d) 빼앗음으로써 – 줌으로써

56. 말은 한번 밖으로 나오면 다시 주워 담거나 취소할 수 없다. '혀 아래 칼 들었다.' '말 한 마디에 천 냥 빚을 갚는다.'는 속담도 이와 같은 말의 힘과 책임을 강조하고 있다. _____ 우리는 말을 함에 있어서 한 마디 말도 어렵게 발견하고 신중하게 선택하는 성의 있는 태도를 가져야 한다.

a) 그런데
b) 그렇지만
c) 그럼으로
d) 그러므로

Section III - Reading Comprehension

Direction: *Read the following selections carefully for comprehension. Each selection is followed by one or more questions or incomplete statements based on its content. Select the answer or completion that is best according to the passage and fill in the corresponding oval on the answer sheet.*

Questions 57-58.

엄마의 십계

(자녀들을 엄마를 하나님 같은 존재로 생각한다.)

1. 거짓말을 하지 말라
2. 자녀의 말을 잘 새겨 들어라.
3. 남들 앞에서 꾸짖거나 욕하지 말라.
4. 이중생활을 하지 말며 변덕을 부리지 말라.
5. 격려와 칭찬은 최고의 영양제이다.
6. 약속은 꼭 지켜라.
7. 흉한 모습을 드러내지 말라
8. 다른 아이와 비교하지 말라
9. '네'와 '아니오'를 분명히 가르쳐라.
10. 가치관과 꿈을 심어 주어라.

57. What kind of list is the passage?

   a) Ways a child can obey his/her parents

   b) Ways a mother can be a good parent

   c) The 10 Commandments of the Bible

   d) Classroom rules

58. Which items on the list have to do with honesty?

   a) 1 only   b) 1 and 4   c) 1, 4, and 6   d) 1, 4, 6, and 8

Questions 59-61.

1) 공든 탑이 무너지랴
   우물을 파도 한 우물을 파라
   고생 끝에 낙이 있다.

2) 중이 제 머리 못 깎는다.
   백지장도 맞들면 낫다.

3) 개도 제 주인을 알아본다.

4) 낮말은 새가 듣고 밤 말은 쥐가 듣는다.
   담에도 귀가 있다.
   곰은 쓸개 때문에 죽고 사람은 혀 때문에 죽는다.

59. Which stanza deals with watching your words?

    a) 1   b) 2   c) 3   d) 4

60. What is the theme of stanza 2?

    a) sincerity

    b) cooperation

    c) thanksgiving

    d) watching your words

61. What is the theme of stanza 4?

    a) sincerity

    b) cooperation

    c) thanksgiving

    d) watching your words

Questions 62-63.

> 직장과의 거리를 전혀 고려하지 않은 채 너무 먼 지역에 주택을 구입했다가 출퇴근에 큰 어려움을 겪으면서 후회하는 경우가 종종 있다.
>
> 또한 자녀가 어릴 때는 학군을 고려하지 않고 지역을 결정하여 주택을 구입한 후 자녀가 고학년이 되면서 학군이 좋은 곳으로 이사하려다가 막상 그간 살아온 곳을 옮긴다는 것이 쉽지 않다는 것을 알게 되면서 처음에 주택을 구입할 때 학군을 고려하지 않은 걸 후회하는 경우도 종종 있다.
>
> 따라서 이 같은 여건을 고려한 후 신중하게 지역을 선정해야 한다.

62. What is two common regrets after the purchasing of a new home?
    a) mortgage payments and distance from work
    b) lack of good schools in the area and distance from relatives
    c) mortgage payments and high interest rates
    d) distance from work and lack of good schools in the area

63. What is the recommendation of the author?
    a) sell your house as soon as possible
    b) look into the variables that will affect you before you buy a house
    c) move closer to work
    d) move to a new neighborhood with better schools

최고로 맛있는 김치를 뽑습니다.

김치 축제는 독특한 김치 담그는 법을 알고 있는 한국사람이면 누구나 참가 할 수 있다. 건강정보센터를 통해 참가 신청을 하고 축제 당일 재료를 준비해 자신 만의 김치 제조법을 축제 참가자에게 공개하면 된다. 행사 후에는 심사를 거쳐 1등에게는 대형 TV, 2등에게는 고급 주방기구 등의 부상도 주어진다.

신 소장은 "세계적인 음식으로 자리잡은 지 이미 오래된 김치를 타인종은 물론 이 곳에서 나고 자란 1.5세, 2세들에게 소개하는 것이 행사의 목적"이라고 밝혔다.

64. How is kimchi showcased at the kimchi festival?

   a) restaurants cone out and give free samples

   b) the Health Information Center sponsors free samples and recipes to the public

   c) individuals bring out the ingredients and demonstrate how to make their special type of kimchi

   d) individuals bring out delicious kimchi to share

65. What is the goal of the kimchi festival?

   a) to share this rich tradition with people from other cultures, and 1.5 & 2nd generation Korean-Americans

   b) to share this rich tradition with people from other cultures

   c) to pass on the legacy of kimchi to the next generation of Korean-Americans

   d) to develop new kinds of kimchi that fit the city climate

---

영주야,

좀 어떠니? 괜찮니? 친구들이 모두 네 걱정 많이 하고 있어. 힘들겠지만 너를 지켜보고 있는 가족과 친구들을 생각해서라도 마음을 굳게 먹어라. 네가 없으니까 농구를 해도 재미가 없고 자전거를 타도 재미가 없다. 네가 다시 건강해지는 날, 지난 번처럼 자전거도 타고 농구 시합도 같이 하자. 빨리 건강한 모습의 네가 보고 싶다. 네가 빨리 회복하기를 친구들과 함께 기원한다.

6월 14일
민수가

---

66. What kind of letter did Minsoo write?

    a) letter of apology

    b) thank you note

    c) letter of invitation

    d) get-well note

67. Minsoo and Youngjoo enjoy which of the following activities?

    a) basketball & soccer

    b) biking & soccer

    c) baseball & swimming

    d) biking and basketball

Questions 68-69.

사랑은 참 편하다. 우선 돈이 들지 않아 좋다. 그리고 사랑에는 방법이 많아서 좋다. 따뜻한 눈길이 사랑이 되고, 부드러운 목소리가 사랑이 된다. 작은 일에도 칭찬하면 사랑으로 바뀐다. 잠시 시간을 내서 아들의 말 소리에 귀를 기울이기만 해도 절로 사랑은 쉽게 지나간다. 저녁 밥상에 마주 앉아 같이 먹기만 해도 뭔가 통한다. 이렇게 쉬운 사랑을 왜 이렇게 못할까?

사랑의 대화를 나누려면
첫째, 유머나 위트가 있는 말을 한다.
둘째, 상대방의 좋은 점을 들어 칭찬한다.
셋째, 상대방의 생활에 관심이 있음을 표현하는 말을 한다.
넷째, 비유적인 표현을 사용한다.
다섯째, 품위가 있고 경어에 맞으며 상대방의 인격을 존중하는 언어를 구사해야 한다.

68. What is one expression of love written about in the passage?

    a) praising small deeds

    b) spending lots of time together

    c) giving flowers & candy

    d) celebrating birthdays and special occasions together

69. What are two necessary components to communicating love?

    a) humor & tenderness

    b) respect & interest in the other person's affairs

    c) affirming the other's strengths and being honest with them

    d) respect and honesty

메모리얼데이 연휴기간, 남가주 날씨가 화창할 것으로 예상되면서 남가주 주민들의 여행무드를 한층 높일 것으로 기대된다.

국립기상대에 따르면 19일 밤부터 곳곳에 비를 뿌리기도 했던 남가주 지역은 오늘(21일) 약간의 구름이 끼다가 22일부터 맑아질 것으로 보인다.

또한 샌디에고, 라스베가스, 요세미티 국립공원 등 대부분의 유명관광지도 낮 기온이 화씨 60~90도 정도의 여행하기에 적당한 날씨가 될 것이라고 기상대는 전했다.

70. What kind of weather is expected in Southern California for the Memorial Day Holiday?

a) rainy

b) windy

c) clear

d) chilly

71. What other location is reported to have good weather for the long weekend?

a) Yellowstone

b) Grand Canyon

c) Disneyland

d) Youemite

동지통신　　　　한국 8.8센트　미국 4.4센트

장거리 전화회사
가장 저렴한 국제전화 서비스!
통신업계의 선두주자, 동지통신입니다
감추어진 비용이 전혀 없는 동지통신은
최상의 음질과 친절한 서비스로 언제나 여러분과 함께 합니다.
 (800)888-8888

72. What kind of advertisement is in the above passage?

   a) long distance telephone company

   b) cell phone company

   c) calling card company

   d) international telephone company

73. What are two distinctive characteristics of this company?

   a) friends / family plans & good sound quality

   b) low prices & no hidden costs

   c) excellent sound quality & on-line billing

   d) low service charges & excellent customer service

평소 태권도를 연마해 온 46세의 한 여인이 자신의 가방을 빼앗으려는 강도를 무술로 퇴치했다. 신원이 밝혀지지 않은 이 여인은 다리를 건너던 중 뒤에서 접근하여 가방을 빼앗으려던 남성에게 태권도 실력을 발휘, 다리와 복부를 가격하고 현장에서 자리를 피했다. 한편 경찰은 5피트 8인치의 키에 짙은 갈색머리와 더러워진 파란 티셔츠에 청바지를 입은 이 남성을 수배했다.

74. How did the 46 year-old woman escape the purse snatcher?

   a) a policeman caught the assailant

   b) her husband performed Tae Kwon Do on the assailant

   c) the woman performed Tae Kwon Do on the assailant

   d) she managed to run away from the assailant

75. What state was the robber in when he was arrested?

   a) knocked down on the ground with hurt legs and stomach

   b) knocked down on the bridge with a bloody nose

   c) knocked down on the ground with a broken leg

   d) knocked down on lthe ground with her empty purse

> 열 두 살의 어린 생명이 크리스마스 날 환자 6명에게 "몸"을 나누어 주고 하늘 나라로 갔습니다. 집 앞에서 자전거를 타고 놀던 영수는 마주오던 트럭과 충돌하는 교통사고를 당했습니다. 곧바로 병원으로 옮겨진 영수는 수술을 받았지만 이튿날 뇌사상태에 빠졌습니다.
>
> 영수의 아버지는 어머니와 상의 끝에 평소 운동선수가 되기를 희망했던 영수의 밝고 건강한 꿈이 다른 사람의 생명 속에서 영원하기를 바라는 심정으로 장기를 기증하기로 했습니다.
>
> 심장은 오랫동안 심장병을 앓아온 동갑내기 여자어린이에게, 간은 지난 1년간 투병해온 38세의 가정주부에게 제공되었습니다. 신장은 각각 26세의 남자와 34세의 여자에게 각막은 2명의 다른 환자에게 이식되었습니다.
>
> 영수의 아버지는 "비록 아들은 일찍 하늘 나라로 갔지만 아들의 착하고 씩씩했던 성품이 다른 사람들 속에서 영원히 빛나기를 바란다"며 눈물을 흘렸습니다.

76. What would be the best title for the passage above?

   a) Car Accidents

   b) Youngsoo's Christmas Gifts

   c) Beautiful Heart

   d) Heaven's Light

77. Who received Youngsoo's heart?

   a) a 12-year old girl

   b) a 38-year old housewife

   c) a 26-year old man

   d) a 34-yeat ofd woman

민우는 최근에 중대한 결심을 했습니다. 지금 살고 있는 아파트 주인이 아파트를 팔아서 다른 데로 이사를 가야 합니다. 처음에는 다른 아파트로 이사를 갈까 하고 생각했습니다. 그러다가 조그만 집을 살까 하고 생각했습니다. 이런 생각 저런 생각을 하려니 너무도 골치가 아파옵니다. 마지막으로 당분간 부모님과 같이 사는 것이 어떨까? 하고 부모님께 전화를 걸었습니다. 부모님은 너무나 좋아하셨습니다. 집에 들어가서 당분간 부모님과 함께 사는 것도 좋겠다고 생각했습니다. 민우는 짐을 싸기 시작합니다.

78. What situation made Min-Woo reconsider his living situation?

    a) he lost his job

    b) rent was too high

    c) interest rates were low

    d) his apartment building was going to be turned into a playground

79. What decision did Min-Woo make?

    a) to move to a new apartment

    b) to buy a small house

    c) to move back in with his parents

    d) to move in with his brother

우리는 미국을 사랑합니다.

"나라가 우리를 위하여 무엇을 해주기를 바라기 전에
우리가 나라를 위하여 무엇을 할까를 생각합시다."
　　----J.F.케네디

80. What message is J.F. Kennedy famous for?

 a) " A government of the people, by the people, for the people."

 b) " Ask not what your country can do for you; ask what you can do for your country."

 c) " A nation where our children will not be judged by the color of their skin but by the content of their character."

 d) " Four score and seven years age, our Father set forth upon this continent a new nation."

Listening Comprehension

Test 1. Greetings, Family, Apologizing, Requesting, Refusing (Nouns, Pronouns, Numerals)

Section I – Listening

Directions: In this part of the test you will hear several spoken selections. They will not be printed in your test book. You will hear them <u>only once</u>. After each selection you will be asked one or more questions about what you have just heard. These questions, with four possible answers, are printed in your test booklet. Select the best answer to each question from among the four choices printed and fill in the corresponding oval on your answer sheet.

Questions 1-2.

Listen to this short exchange in a café.   Then answer questions 1 and 2.

Woman: 차를 드릴까요? 커피를 드릴까요?

Man: 차가 좋겠습니다.

Woman: 그러면 어떤 차를 좋아하세요?

　　　　생강차, 유자차, 현미차, 인삼차, 녹차가 있습니다.

Man: 녹차로 주세요.

Questions 3-5.

Listen to this conversation between a man and a woman. Then answer questions 3, 4 and 5.

Woman: 남성들은 결혼 상대자로 여성을 고를 때 무엇을 먼저 보나요?

Man: 우선 미모를 보겠죠. 얼굴이 예쁘면 좋지 않습니까?

Woman: 그러면 겉만 봅니까? 속은 보지 않나요?

Man: 얼굴만 예쁘면 뭘 합니까? 마음씨가 착하고 음식 솜씨가 좋아야 하겠죠.

Woman: 음식 솜씨는 왜 봐야 하는데요?

Man: 옷은 사 입어도 밥은 매일 사 먹을 수 없지 않습니까?

Questions 6-7.

Listen to this announcement aboard an airplane. Then answer questions 6 and 7.

안녕하십니까? 저희 한국항공을 이용해 주셔서 대단히 고맙습니다. 저는 이 항공기를 조종하는 박 기장입니다. 로스앤젤스 공항에서 서울까지는 약12시간 10분이 소요되겠습니다. 손님 여러분, 이 항공기는 잠시 후 이륙하겠습니다. 여러분의 안전을 위해서 좌석벨트를 맸는지 다시 한번 확인 해 주시기 바랍니다. 저는 여러분들을 안전하고 편안하게 모시기 위해서 최선을 다하겠습니다. 여행 도중 불편한 점이 있으시면 언제나 저의 승무원을 불러 주십시오. 저희 승무원들이 친절하게 보살펴 드리겠습니다.

Questions 8-9.

Listen to this conversation between a man and a woman. Then answer questions 8 and 9.

Man: 안녕하세요. 오래간만입니다.

Woman: 만나서 반갑습니다.

Man: 실례가 안 된다면 점심식사라도 같이 하시면 어떨까요?

Woman: 그런데 어쩌지요? 저는 다른 약속이 있어서 가 봐야 되는데요.

Man: 그럼 다음에 만나뵙게 되면 그때는 저와 함께 점심식사를 하실 수 있겠습니까?

Woman: 물론이지요, 꼭 그렇게 할께요.

Questions 10-12.

Listen to this conversation. Then answer questions 10, 11 and 12.

Woman 1: 어제 이사를 와서 지금은 너무 정신이 없어요.

Woman 2: 잘 알고 있습니다. 염려하지 마세요.

Woman 1: 미안해서 어쩌죠—, 귀한 손님이 오셨는데 손님대접도 제대로 못하 고.

Woman 2: 아니예요. 너무 신경쓰지 마세요.

Questions 13-15.

Listen to this conversation between a man and a woman.   Then answer questions 13, 14 and 15.

Woman: 여보~, 나 귀고리 하나 사서 달고 싶어.

Man: 그렇게 하구려. 그게 뭐 그리 어렵다고.

Woman: 싼 것 말고 비싼 걸로 사고 싶으니까 그렇죠.

Man: 반드시 비싼 게 좋은 건 아니지 않소. 당신 얼굴에 잘 어울리는 귀고리를 사도록 해요.

Woman: 물론이죠. 제 생각에는요, 나한테 잘 어울린다고 생각되는 귀고리가 비싸니까 문제예요.

Man: 어째서 당신은 꼭 비싼 것만 당신한테 잘 어울린다고 생각하는지 알 수가 없어요.

Questions 16-19.

Listen to this short exchange between a husband and wife. Then answer questions 16 through 19.

Woman: 좀더 잡수세요. 왜 그것밖에 안 잡수세요?

Man: 모처럼 우리 둘이 외식을 해서 좋구려. 나는 지금 먹을 만큼 많이 먹은 거요.

Woman: 당신, 전 같으면 등심구이 2인분쯤은 보통으로 잡숫지 않았어요?

Man: 그랬지, 그렇지만 나도 당신을 닮아 이제 소식을 하기로 했소.

Questions 20-21.

Listen to this conversation. Then answer questions 20 and 21.

Woman 1: 주위에서 여러 사람들이 하도 집들이를 하라고 하는 바람에 집들이를 하게 되었어요.

Woman2: 그야, 새 집으로 이사를 했으면 당연히 집들이를 해야 하는 것 아요?

Woman 1: 그래야 인사가 되나요?

Woman 2: 당연하죠, 기쁜 일은 서로 축하를 해야죠

Questions 22-23.

Listen to this conversation between a man and a woman. Then answer questions 22 and 23.

Woman: 결혼하셨나요?

Man: 어디 좋은 색시감이라도 있어서 하시는 말씀이신가요?

Woman: 색시감이야 주위에 많죠. 아무래도 결혼하신 것 같지 않아서 여쭤 본 거예요.

Man: 네, 아직 결혼하지 않았습니다.

Woman: 그러면 제가 참한 색시감을 소개하려고 하는 데 어떻게 생각하세요?

Man: 저를 그렇게 생각해 주셔서 고맙습니다. 그런데 저는 3년 전부터 사귀는 아가씨가 있어요.

Woman: 아이 죄송해요. 저는 그런 줄도 모르고 실례를 했네요.

Questions 24-27.

Listen to the following statements made in a restaurant. Then answer questions 24 through 27.

Man: 오늘 싱싱한 동태가 새로 들어왔습니다.
오늘의 특별 요리는 동태찌개입니다.
동태찌개를 잡수시겠습니까, 아니면 불고기를 잡수시겠습니까?
동태찌개는 방금 잡아온 싱싱한 놈으로 고추장으로 간을 해서, 얼큰하고 시원합니다. 불고기는 아주 연해서 입에서 살살 녹는 최상의 육질을 자랑하는 고기로 어제 재어 놓아서 아주 맛이 좋습니다.
상추 쌈과 같이 드시면 더할 수 없이 좋지요.

Question 28.

Listen to this conversation between friends. Then answer question 28.

Woman 1: 미선아 잘 있었니? 오늘 저녁에 너랑 백화점에 가려고 하는데 어때?

Woman 2: 미안하지만 못 가. 오늘이 우리 할머니 생신이야.

Woman 1: 올해 연세가 어떻게 되시는데?

Woman 2: 여든 여덟이셔.

Test2. School, Extra-curricular activities, Phone Conversation, Answering Messages   (Particles)

Section I – Listening

Directions: In this part of the test you will hear several spoken selections. They will not be printed in your test book. You will hear them only once. After each selection you will be asked one or more questions about what you have just heard. These questions, with four possible answers, are printed in your test booklet. Select the best answer to each question from among the four choices printed and fill in the corresponding oval on your answer sheet.

Questions 1-2.

Listen to this conversation about Thomas Edison. Then answer questions 1 and 2.

Woman: "천재란 1%의 영감과 99%의 땀에 의한 것이다"라는 말을 누가했지 아세요?

Man: 토마스 에디슨이 한 말 아닙니까? 에디슨은 초등학교에서 저능아라고 퇴학을 당했지요.

Woman: 선생님이 아무리 애를 써도 하나 더하기 하나는 하나라고 했으니까요. 다른 학생들에게 나쁜 영향을 줄 것을 염려하여 퇴학을 시켰지요.

Man: 에디슨의 연구는 학구적인 것보다는 실용적인 것이지요.

Questions 3-4.

Listen to this conversation between a man and a woman. Then answer questions 3 and 4.

Woman: 민수 녀석이 '게을러 터져서' 안 되겠어요.

Man: 왜, 무슨 일이 있었소?

Woman: 아침마다 늦잠을 자요, 학교 숙제도 미리미리 하는 법이 없어요.

Man: 나를 닮아서 그런 모양이요. 당신이 잘 달래서 가르치구려.

Woman: 아이, 이 녀석이 내 말은 잘 안 들어요. 당신이 야단 좀 치세요.

Man: 나도 어려서 어머니한테 꾸중 많이 들었지.
그래서 민수는 야단을 못 치겠구려

Questions 5-6.

Listen to this conversation between a man and a woman. Then answer questions 5 and 6.

Woman: 이 선생님 수업준비는 안 하시고 지금 무얼 하고 계시는 거예요?

Man: 네, 수업준비는 미루어 놓고 딴 일을 하고 있습니다.

Woman: 무슨 일인데 수업보다 중요한가요?

Man: 사실은 선생님한테만 털어 놓는 얘긴데, 지난 2년간 대학원에 다녔습니다.
　　　지금 졸업 논문을 손질하고 있는 중이에요.

Woman: 그러셨어요. 정말 몰랐어요. 늦었지만 축하드립니다.

Questions 7-9.

Listen to this conversation between Tony and Anna. Then answer questions 7, 8 and 9.

Woman: 여보세요.

Man: 여보세요, 안나니? 지금 뭐하고 있니?

Woman: 토니구나, 지금 남동생하고 야구중계 보고 있는 중이야.

Man: 정말이야? 너 야구 좋아하니?

Woman: 야구도 좋아하지만 난 TV를 많이 보는 편이야.

Man: 그건 그렇고, 안나야, 저녁 때 영화 보러 가지 않을래?

Woman: 좋지. 난 영화 보는 것을 너무 좋아해.

Man: 그럼 6시에 극장 앞에서 만나자.

Questions 10-11.

Listen to this conversation between two teachers. Then answer questions 10 and 11.

Woman 1: 이 선생님, 정말이지, 오늘 아침에는 수업을 제대로 못했어요.

Woman 2: 웬 일이세요, 김 선생님께서---. 무슨 일이 있었어요?

Woman 1: 이상하지요? 수업준비도 열심히 잘 해 왔는데.
　　　　그런데 오늘 아침에 수업을 하고 있는데 갑자기 교장 선생님께서
　　　　문을 열고 들어 오셔서 뒷자리에 앉아서 저만 쳐다보시는 거예요.

Woman 2: 그래서요?

Woman 1: 저는 이런 경험이 처음이거든요. 신경이 쓰여서 수업을 할 수가
　　　　있어야지요.

Questions 12-13.

Listen to this conversation between a father and daughter. Then answer questions 12 and 13.

Girl: 아빠, 아빠는 언제부터 운전하기 시작하셨어요?

Man: 음---- 그러니까, 고등학교 졸업반 때였다.

Girl: 그런데 왜 저한테는 대학에 들어가야 운전할 수 있다고 하시는 거예요?

Man: 왜냐하면 내가 운전을 시작한 지 한달만에 경찰차를 들이받았거든.

Girl: 그래서요?

Man: 그래서 차를 폐차시키고, 한참 동안 운전을 한다는 게 무서웠지.
대학에 들어가서 마음의 안정을 되찾고 지금까지 무사고 운전사야.
고등학생이 차를 운전한다는 건 아빠는 찬성하고 싶지를 않아.

Questions 14-16.

Listen to the following taped announcement. Then answer questions 14, 15 and 16.

저희 동양체육관에 전화주셔서 감사합니다. 만약에 누름단추식의 전화기를 사용하시면 지금 1번을 누르세요. 수영장에 관한 정보는 2번을 눌러주세요. 태권도는 3번을, 재즈댄스는 4번을 눌러주세요. 감사합니다. [Beep] 손님께서는 지금 3번을 누르셨습니다. 태권도 연습시간은 월요일부터 금요일까지는 오전 9시부터 10시까지 그리고 오후 7시부터 8시까지입니다. 토요일과 일요일은 오전 10시부터 11시까지 그리고 오후 6시부터 7시까지입니다. 동양체육관에 전화주시어 감사합니다. 오늘 하루도 열심히 운동하며 지냅시다.

Questions 17-18.

Listen to the following answering machine message. Then answer questions 17 and 18.

여보세요. 전화주셔서 감사합니다. 저희 전화번호는 (213) 555-4879 입니다. 지금 저희는 외출 중이거나 뒷마당에 있어서 전화를 받을 수가 없습니다. 그러나 이 전화는 저희에게는 아주 소중한 전화입니다. 성함과 용건을 간단히 녹음해 주시기 바랍니다. 삐- 소리가 나면 녹음을 해주십시오. 돌아오는 즉시 전화를 드리겠습니다. 감사합니다.

Questions 19-21.

Listen to this phone conversation with a 9-1-1 operator. Then answer questions 19, 20 and 21.

Woman: 여보세요, 9-1-1입니다.

Man: 여보세요, 여보세요, 구급차 좀 보내주세요. 제 아내가 기절했습니다.

Woman: 선생님 침착하십시오. 무슨 일이 일어났는지 차근차근 말씀해 보세요.

Man: 내 아내가 부엌에서 요리를 하다가 갑자기 기절했습니다.
일어나 앉지도 못 해요.

Woman: 전에도 이런 일이 있었습니까?

Man: 아닙니다. 이런 일은 처음입니다. 빨리, 빨리 구급차를 보내주세요.

Woman: 네, 구급차는 지금 떠납니다. 환자의 이름과 보호자의 이름을 알려주세요.

Questions 22-23.

Listen to this conversation between Anita and Janet. Then answer questions 22 and 23.

Anita: 쟈넷, 우리 점심 한번 같이 먹지 않을래?

Janet: 좋은 생각이야, 언제 먹을까?

Anita: 난 다음 주 중에 아무 때나 좋아.

Janet: 화요일이 어때?

Anita: 어쩌나, 화요일에는 약속이 있는데---.
수요일은 안 되겠니?

Janet: 이번 수요일이 그러니까 8월 14일이지. 음--- 괜찮아.
그럼 여기서 12시 30분에 만나자.

Questions 24-25.

Listen to this debate between two friends. Then answer questions 24 and 25.

Girl 1: 전 찬성합니다. 클래식음악을 들으며 공부한 학생들이 더 공부를 잘한다
고 합니다. 요즘 10대 청소년 중에서 음악을 들으며 공부를 하는 것을
싫어하는 아이가 있다니 이해할 수가 없네요. 졸리거나 지루할 때 음악
을 들으면 정신이 맑아지구요. 또 음악도 듣고 공부도 하고 일석이조잖
아요.

Girl 2: 저는 반대예요. 정신집중을 할 수가 없어 공부를 할 수가 없기 때문이지요.
음악을 들으면서 하면 공부가 잘 안 되기 때문에 시간이 너무 많이 걸
려요

Questions 26-28.

Listen to this conversation between a student and his teacher. Then answer questions 26, 27 and 28.

Boy: 선생님, 지금 시험을 보아야 하나요?

Woman: 그럼, 지금 시험을 보려고 해요.

Boy: 그러면 책을 보면서 문제를 풀 수 있게 해 주세요.

Woman: 응, 책을 보고 시험을 보아도 된다고 생각하는 모양이로구나.

Boy: 네 전에도 한번 그렇게 한 적이 있거든요.

Woman: 물론 그럴 수도 있지. 그렇지만 책을 보면서 시험을 보는 것은 시험이
　　　　아니지.

Test3. Health, Food (Sentences, Spacing, Punctuation)

Section I – Listening

Directions: In this part of the test you will hear several spoken selections. They will not be printed in your test book. You will hear them only once. After each selection you will be asked one or more questions about what you have just heard. These questions, with four possible answers, are printed in your test booklet. Select the best answer to each question from among the four choices printed and fill in the corresponding oval on your answer sheet.

Questions 1-2.

Listen to this conversation. Then answer questions 1 and 2.

Woman 1: 매일 아침식사를 하십니까?

Woman 2: 아니요, 거의 아침식사는 거르는 편예요.

Woman 1: 그러면 배가 고프지 않으세요?

Woman 2: 그래서 점심을 일찍 먹지요.

Questions 3-4.

Listen to this discussion between two women. Then answer questions 3 and 4.

Woman 1: 귀를 앓아 보지 않은 사람은 귓병이 얼마나 통증이 심한지 아마 잘 모를 거예요.

Woman 2: 저도 귓병을 몹시 앓아 본 적이 있어요.

Woman 1: 언제 귓병을 앓아 본 적이 있으세요?

Woman 2: 중학교 다닐 때 귀가 가려워서 성냥개비로 귀지를 파내다가 귓병을 몹시 앓았지요.

Questions 5-6.

Listen to this conversation between co-workers. Then answer questions 5 and 6.

Woman: 갑자기 어디가 편찮으세요?

Man: 계단을 급히 내려오다가 발목을 삐었어요.

Woman: 어머, 그럼 정형외과에 가 보셔야 하겠군요.

Man: 그렇지 않아도 지금 막 병원에 가는 길입니다.

Woman: 병원까지는 운전하실 수 있으시겠어요?

Man: 아니오, 그래서 택시를 불렀어요.

Questions 7-8.

Listen to this conversation between a man and a woman. Then answer questions 7 and 8.

Woman: 아버님, 휴지 찾으세요?

Man: 그래, 휴지 좀 다오. 갈비찜을 먹다가 그만 음식을 손에 묻혔구나.

Woman: 아버님, 휴지 여기 있어요.

　　　　갈비찜이 덜 물러서 아버님 잡숫기에 불편하셨을 거예요.

Man: 음~, 그런 소리 말아라. 아주 맛있게 잘 먹었다.

Woman: 정말 잘 잡수셨어요? 고맙습니다.

Questions 9-10.

Listen to this short exchange between a man and a woman. Then answer questions 9 and 10.

Woman: 선생님, 아랫니는 괜찮고 윗니가 아파서 왔어요. 잘 좀 봐 주세요.

Man: 네, 의자에 앉으세요 ---.

　　　　아~, 입을 벌리세요. 윗니가 충치가 있군요 치료를 해야겠어요.

Woman: 아프지 않게 해주세요.

Man: 되도록이면 아프지 않게 해드리죠. 그래도 조금은 참아야 해요.

Questions 11-12.

Listen to this conversation between a husband and a wife. Then answer questions 11 and 12.

Woman: 여보, 고기를 먹을 때는 양파를 같이 먹으면 좋대요.

Man: 마늘과 양파가 좋다는 얘기는 나도 들었소.

Woman: 그럼 양파를 좀 더 썰어 올까요?

Man: 그렇다고 갑자기 양파를 많이 먹어야 할 까닭은 없지 않소.

Questions 13-14.

Listen to this conversation about cold noodles. Then answer questions 13 and 14.

Man: 오늘은 뭘 먹을까요?

Woman: 냉면 좋아하세요?

Man: 먹기는 하지만 뭐 그렇게 썩 좋아하는 편은 아닙니다.

Woman: 이 집이 냉면으로 유명한 집이에요.

Man: 그래요, 그럼 어디 냉면 한번 먹어 볼까요?

Woman: 냉면을 먹을 때는 식초와 겨자를 넣고 잡수세요. 그러면 맛이 더 좋아요.

Questions 15-16.

Listen to this conversation between a man and a woman. Then answer questions 15 and 16.

Woman: 일년 내내 코감기가 끊이지 않고 있어요.

Man: 저는 여름에도 에어컨 바람만 쐬면 코가 맥맥하고 콧물이 나기도 하죠.

Woman: 이런 증상이 있는 사람은 혹시 알레르기 환자가 아닐까요?

Man: 찬 공기를 쐬면 코를 훌쩍이는 경우는 알레르기 환자일 가능성이 높다구
들 하죠.

Question 17-19.

Listen to this conversation at a doctor's office. Then answer questions 17, 18 and 19.

Woman: 안녕하세요? 김 박사님, 만나서 반갑습니다. 제 친구가 김 박사님께서
좋은 소아과의사라고 소개를 해서 왔어요. 우리 애니 좀 봐주세요.

Dr. Kim: 잘 알겠습니다. 애니야, 어디 보자. 자, 입을 크게 벌리고 아--- 하고 있
어라. 아이, 이거 편도선이 부었네요. 감기 기운도 있는 것 같구.
이제는 열을 재어 보겠습니다. 자---, 약간 열이 있네요. 체온이 99.5도
나 되는데. 애니 어머니 크게 걱정 안 하셔도 됩니다.
제가 약을 처방 해드릴 테니 이 약을 먹이고 푹 쉬게 하세요.
아마 2, 3일이면 상태가 좋아질 겁니다.

Questions 20-22.

*Listen to this short exchange between a man and a woman. Then answer questions 20, 21
and 22.*

Man: 오늘 저녁은 뭘 해 먹을까?

Woman: 잡채를 하려고 하는데요.

Man: 좋지. 그런데 집에 재료는 다 있는 거에요?

Woman: 냉장고 좀 들여다보구요. 어유, 가게에 다녀와야겠는데요.
당면, 소고기, 당근, 양파는 있는데 버섯이 없네요. 저, 버섯만 사오면
되겠는데요.

Listen to this conversation at the optometrist's office. Then answer questions 23 and 24.

Girl: 의사 선생님, 제 눈에 이상이 생긴 것 같아요.

　　　칠판에 써 있는 글씨를 못 읽을 때가 많아요.

Man: 그럼, 안경을 써야 할 것 같군요.

　　　우선 눈 검사부터 해 봅시다.

　　　여기 앉으세요. 눈을 크게 뜨시고 여기를 보세요.

　　　이 글자가 무슨 글잡니까?

Girl: 어, 잘 모르겠는데요.

Questions 25-26.

Listen to this conversation between two friends. Then answer questions 25 and 26.

Woman 1: 미숙아, 어디 아프니?

Woman 2: 응, 열도 나고 기침도 많이 하고 콧물도 줄줄 나와. 그리고 골치도 너무 많이 아푸구. 아, 아파서 병원에 가 봐야 할 것 같애. 너 좋은 의사 선생님 한 분 소개해 줄래?

Woman 1: 물론이지, 우리 집 주치의는 Dr. 김영수 내과야.

Woman 2: 전화번호는?

Woman 1: 지금 모르겠는데, 그렇지만 전화번호부에 있어. 한번 찾아봐.

Questions 27-29.

Listen to this conversation about what to have for dinner. Then answer questions 27, 28 and 29.

Woman: 뭘 잡수시겠어요?

Man: 조기구이하구요, 된장찌개 주세요.

Woman: 알겠습니다. 조기구이 일인 분하고 된장찌개 일인 분입니다.

Man: 아, 맥주도 두 병만 주세요.

　　　찬 것으로 부탁합니다.

Woman: 잘 알겠습니다. 맥주 두 병을 추가하겠습니다.

　　　잠시만 기다리세오 곧 가져다 드릴께요.

Test4. Clothes, Money, Shopping, Price (Verbs: Tenses, Conjugation)

Section I – Listening

Directions: In this part of the test you will hear several spoken selections. They will not be printed in your test book. You will hear them <u>only once</u>. After each selection you will be asked one or more questions about what you have just heard. These questions, with four possible answers, are printed in your test booklet. Select the best answer to each question from among the four choices printed and fill in the corresponding oval on your answer sheet.

Question 1.

Listen to this conversation at a department store. Then answer question 1.

Woman: 더 필요한 것은 없으세요? 오늘 몇 가지 품목을 특별할인하고 있는데요.

Man: 이것만 주세요. 신용카드로 지불해도 될까요?

Woman: 물론이지요.

Man: 신용카드가 여기 있습니다.

Woman: 고맙습니다. 여기에 서명해 주세요.

Questions 2-3.

Listen to this conversation at a department store. Then answer questions 2 and 3.

Woman 1: 이 바지가 좀 작은데요.

Woman2: 그러세요, 그럼 이걸로 입어 보세요.

Woman 1: 오, 이건 잘 맞네요. 그리고 아주 편한데요.

Woman 2: 손님, 그럼 이걸로 하시겠습니까?

Woman1: 생각 좀 해 보구요. 저것도 한번 입어보면 안 될까요?

Questions 4-5.

Listen to this conversation between two friends. Then answer questions 4 and 5.

Woman 1: 아, 정말이지 오늘은 신나는 날이야.

Woman 2: 오늘 좋은 일이 있었구나.

Woman 1: 음, 매일 매일 오늘만 같았으면 좋겠어.
　　　　　손님들이 오늘 오전 내내 몰려 들어와서 얼마나 혼났다구.

Woman 2: 어머, 그래서 물건을 많이 팔았겠구나?

Woman 1: 물론이지, 그런데 어떤 손님들은 우리 물건이 너무 좋다고 하고 또
　　　　　어떤 손님들은 가격이 싸다는 거야.

Question 6-7.

Listen to this conversation about people's health. Then answer questions 6 and 7.

Woman: 사람에게 건강처럼 소중한 게 또 어디 있겠어요?

Man: 물론이죠. 그런데 건강에 대한 여러 전문가의 말을 종합해 보면 하나의 공통
　　　점이 있어요. 그것은 규칙적인 생활이더군요.

Woman: 일상생활을 규칙적으로 해야지 불규칙적으로 하면 건강을 해친다는
　　　　말씀이군요

Man: 네, 그렇습니다. 남자들의 경우는 일을 바쁘게 하다 보면 제때 식사를 하
　　　지 못하는 경우가 많고, 손님대접이다 회식이다 해서 술을 자주 마시고
　　　하니까 40대에 건강을 해치는 경우가 많죠.

Questions 8-10.

Listen to this conversation between Alice and her sister. Then answer questions 8, 9 and 10.

Sister: 엘리스, 이 바지를 30분이나 비비며 빨았는데도 얼룩이 지지 않아.
　　　　어떻게 하면 좋지?

Alice: 음, 그럴땐 비눗물에 한 시간쯤 담가 놓았다가 다시 비벼 빨아봐.

Sister: 그래 그거 좋은 생각이다. 하도 바지를 비벼댔더니 어깨까지 아픈 것 같아.

Alice: 내가 어깨 좀 주물러 줄까?

Questions 11-13.

Listen to this conversation between Peter and his teacher. Then answer questions 11, 12 and 13.

Woman: 피터야, 정말 놀랐다. 어쩌면 공부시간에 그렇게 쿨쿨 잠을 잘 잘 수가 있니?

Peter: 선생님 죄송합니다. 다시는 이런 일이 없도록 하겠습니다.

Woman: 어젯밤에 뭘 하고 잠을 못 잤니?

Peter: 친구들하고 댄스파티에 갔었어요. 새벽 두 시까지 춤을 추었거든요..

Woman: 댄스파티에 가는 것도 좋고, 춤을 추는 것도 좋지만 너무 늦게까지 놀면 피곤 하지. 잠을 제대로 못 자면 다음날 수업에 문제가 생기지 않니? 수업에 문제만 생기지 않게 놀아라.

Questions 14-15.

Listen to this conversation about clothes alterations. Then answer questions 14 and 15.

Woman 1: 이쪽은 좀 잘라내야 하겠는데요. 소매가 약간 덮게 할까요?

Woman 2: 네, 그렇게 해 주세요. 그리고 허리도 약간 줄여 주세요.

Woman 1: 네, 알겠습니다.

Woman 2: 이왕이면 저~ 치마 길이도 약간 짧게 해 주세요.
　　　　　 언제까지 해 주실 수 있어요?

Woman 1: 이번 주 토요일 오후까지 해 드리면 되겠습니까?

Questions 16-17.

Listen to this hospital announcement. Then answer questions 16 and 17.

국립중앙병원의 규정은 모든 간호사들은 제복을 입고 고무바닥을 댄 구두를 신는 것이다. 병원 바닥은 매일같이 하루에도 몇 번씩이나 걸레질을 하기 때문에 미끄러워서 고무 밑창을 댄 구두를 신는 것은 아주 중요하다. 이 구두는 미끄러지거나 넘어지는 것을 막아서 다치는 것을 예방한다.

Questions 18-20.

Listen to this conversation between a woman and her real estate agent.

Then answer questions 18, 19 and 20.

Woman 1: 여보세요, 방 두 개짜리 아파트를 얻고 싶은데요. 지금 가능합니까?

Woman 2: 네, 마침 방 두 개짜리가 하나 새로 나왔어요.

Woman 1: 방세가 한 달에 얼마에요?

Woman 2: 한 달에 $1000.00 입니다. 그리고 보증금은 $500.00 입니다.

Woman 1: 수도세와 전기세는 포함된 것입니까?

Woman 2: 수도세는 내드리지만 전기세는 포함되지 않았습니다. 아파트에는 개스 스토브와 냉장고는 있지만 세탁기는 공동으로 쓰셔야 합니다.

Questions 21-22.

Listen to this conversation about spending money. Then answer questions 21 and 22.

Boy 1: 용돈을 잘 사용하기 위해서는 장부를 만들어 쓰는 것입니다. 장부에 적으면 돈을 더 아껴 쓸 수 있습니다.

Girl 1: 우선 자기가 필요한 곳에 쓰고 남은 것은 저금을 하는 것이 좋겠습니다.

Boy 2: 우리는 돈이 있으면 막 써버립니다. 그러니까 필요할 때마다 부모님께 타서 쓰는 것이 좋겠습니다. 그런데 우리 엄마는 용돈을 너무 조금만 주십니다.

Girl 2: 저는 용돈을 잘 쓰는 방법은 없다고 생각해요. 용돈은 쓰는 사람의 마음에 따라 자신에게 도움이 되게 썼다면 좋다고 생각합니다.

Questions 23-24.

Listen to this conversation between two women shopping together.   Then answer questions 23 and 24.

Girl 1: 어머, 이 하얀 스웨터 예쁘지 않니?

Girl 2: 정말 예쁜데, 엄마가 좋아하시겠다. 얼마야?

Girl 1: 특별가격이 24불 99전이야. 이거 기계로 빨아도 될까?

Girl 2: 아니야, 손빨래를 해야 하는데.

Girl 1: 네 생각엔 엄마가 좋아하실 것 같애?

Girl 2: 글쎄----.

Questions 25-26.

Listen to this conversation between two woman. Then answer questions 25 and 26.

Woman 1: 이 바지를 너무 작은 걸로 주셨어요. 큰 것으로 바꾸고 싶은데요.

Woman 2: 영수증 가져오셨어요?

Woman 1: 아니요, 그렇지만 아직도 정가표가 붙어 있지 않아요?

Woman 2: 네, 알겠습니다. 교환해 드리지요.

　　　　그러면 이 서류에 주소와 전화번호를 적어주시고 큰 치수를 찾아 보세요.

Woman 1: 고맙습니다.

Questions 27-28.

Listen to this conversation between a man and a saleswoman. Then answer questions 27 and 28.

Man: 이 녹음기 좋아 보이는데, 얼마예요?

Woman: 49불 99전입니다.

Man: 어, 여기 더 싼 게 있군요. 이건 39불 99전인데요.

Woman: 그렇지만 비싼 것은 라디오도 들을 수 있어요.

Man: 그렇습니까? 생각 좀 해 보구요. 제가 내일 다시 오겠습니다.

Test5. Work, Friends, Arguing, Expressing Opinions
(Adjectives: Conjugation)

Section I – Listening

Directions: In this part of the test you will hear several spoken selections. They will not be printed in your test book. You will hear them <u>only once</u>. After each selection you will be asked one or more questions about what you have just heard. These questions, with four possible answers, are printed in your test booklet. Select the best answer to each question from among the four choices printed and fill in the corresponding oval on your answer sheet.

Questions 1-2.

Listen to this conversation between two women. Then answer questions 1 and 2.

Woman 1: 제가 꼭 해야 할 일을 잊었는데 그게 뭔지 생각이 나지 않아요.

Woman 2: 우체국에 가서 편지는 부쳤어요?

Woman 1: 네, 출근하기 전에 우체국에 다녀왔어요.

Woman 2: 한국기계 주식회사에 전자우편 보냈어요?

Woman 1: 그럼요, 한 시간 전에 보냈지요.

Woman 2: 그럼 경리실에 가서 이번 주 주급 받아 왔어요?

Woman 1: 맙소사, 바로 그거예요. 내가 잊어 버린 일이---.

Questions 3-4.

Listen to this conversation about an upcoming birthday. Then answer questions 3 and 4.

Girl 1: 이번 네 생일에는 무슨 선물을 받을 것 같애?

Girl 2: 벌써 우리 부모님이 50불이나 주셨어.

Girl 1: 야, 정말? 너 좋겠다. 너 그 돈 어디다 쓸 건데?

Girl 2: 벌써 다 썼어.

Girl 1: 아니 어디에다 50불이나 다 썼니?
         너 새 구두 샀니?

Girl 2: 아니, 컴퓨터 게임 샀어.

Question 5.

Listen to this conversation between two women. Then answer question 5.

Woman 1: 죤슨 씨 부부가 무슨 애기 하고 있는지 아니?

Woman 2: 그럼, 저 두 분은 같이 앉기만 하면 손자 애기야.

Woman 1: 두 분이 아주 다정해 보인다. 그렇지 않니?

Woman 2: 저분들은 손자들 애기만 하면 그렇게 좋은 모양이야.

Questions 6-7.

Listen to this conversation between two co-workers. Then answer questions 6 and 7.

Man 1: 정말이지 오늘은 일이 제대로 안 돼서 혼났어.

Man 2: 무슨 일이 있었니?

Man 1: Computer 책상에 앉아서 타자를 치고 있는데 우리 사장님이 들어오셔서 어깨너머로 내려다보고 계시는 거야.

Man 1: 아이고 불편했겠다.

Man 2: 평소에는 잘 치던 타자를 누가 보고 있다고 생각하니까 자꾸만 틀리는 거야.

Questions 8-9.

Listen to this conversation between a man and a woman. Then answer questions 8 and 9.

Man: 마리아, 우리가 줄을 서서 기다린 지가 벌써 1시간 45분이나 지났어

Woman: 아, 나는 다리가 아파 죽겠다. 내가 극장에서 이렇게 오래 기다려보기는 처음이다. 그렇지만 이 영화는 재미있을 거야.

Man: 그건 나도 마찬가지야.

Woman: 그래도 우린 이제 조금만 기다리면 된다. 지금은 우리 앞보다 뒤에 서있는 사람들이 훨씬 더 많지 않니?

Man: 그래, 저 사람들은 우리보다 훨씬 더 기다려야 할 것 같애.

Questions 10-12.

Listen to this conversation between two acquaintances. Then answer questions 10, 11 and 12.

Man: 이 선생님, 어디가 불편하세요? 안색이 창백해 보이십니다.

Woman: 네, 지난 한 주일 동안 허리가 아파서 고생했어요.

Man: 병원에 가 보셨어요?

Woman: 네, 가 봤는데 아무 이상이 없다는 거예요.

Man: 그럼 한의사한테 가서 침이라도 맞아 보지 그래요.

Woman: 벌써 나흘째 침을 맞고 있는데요, 아무 차이를 느끼지 못하겠어요.

Questions 13-14.

Listen to this conversation between two women.   Then answer questions 13 and 14.

Woman 1: 어머, 이 접시 정말 예쁘네요. 어디서 사셨어요?

Woman 2: 네, 도자기 직매점에서 샀어요. 사실은 불합격품이라 싸게 샀어요. 접
시를 사러 갔는데 한쪽에 잔뜩 쌓아 놓고 싸게 파는 거예요.
그래서 자세히 봤더니 칠 마무리가 매끈하지 못 하더라구요.

Woman 1: 그랬었군요. 그렇게 말하지 않으셨으면 저는 몰랐을 거예요.

Woman 2: 좌우간 예뻐보이지요? 그래서 샀어요.

Questions 15-16.

Listen to this conversation about a trip to China.   Then answer questions 15 and 16.

Woman: 저는 지난 달에 한국을 거쳐서 중국을 두 번이나 다녀왔어요.

Man: 어, 대단하시군요. 재미가 좋으셨겠네요?

Woman: 회사 일로 출장을 갔던 거예요. 그래서 개인적으로 다녀보지 못했어요.

Man: 그래도 외국의 색다른 풍물을 보셨을 것 아닙니까?

Woman:물론 그렇지요. 그렇지만 제가 흥미를 가지고 있는 것을 좀 보고 싶어도
너무 시간이 없어서요. 다음에 시간이 나면 다시 가 보고 싶어요.

Questions 17-18.

Listen to the following presentation about cooking.   Then answer questions 17 and 18.

자! 지금부터 저의 특기인 라면 끓이는 방법을 가르쳐 드리겠습니다. 다 아신다
구요? 그러나 저는 저 나름대로의 비법을 가지고 있으니까 잘 들어 보세요.
우선 냄비에 물을 적당량 붓고 불에 올려 놓습니다. 그리고 물이 끓기를 기다리
는 동안 라면을 봉지째 몇 조각을 냅니다. 물이 끓으면 면을 넣고 불을 약간 줄
인 후 끓기를 기다립니다. 라면이 끓으면 기호에 따라 양파, 계란, 익은 김치,
파 등을 넣고 젓가락으로 한 올 정도 먹어 봅니다. 적당히 됐다고 생각이 되면
그릇에 담아 김치하고 같이 먹습니다. 아주 맛이 꿀맛입니다. 한번 드셔 보시라
고 권해드리고 싶습니다.

Questions 19-20.

Listen to this conversation between high school students. Then answer questions 19 and 20.

Man1: 점심시간에 무슨 일이 있었니?

Man2: 제이슨하고 피터가 싸운 것 말야?

Woman: 싸웠다고 할 건 없고 그냥 말 다툼을 한 거야.

Man2: 주먹이 오가진 않았지만, 싸움 직전까지 갔었지.

Woman: 그래도 나중에 서로 자기가 잘못했다고 사과를 했으니 다행이지 뭐.

Questions 21-22.

Listen to this short exchange about a controversial topic. Then answer questions 21 and 22.

Woman: 전자오락의 내용이 폭력적이라는 데 문제가 있습니다. 대부분이 때리고
        부수는 내용이지요.

Man: 전자오락이라고 해서 다 나쁜 것은 아닙니다. 지능 개발을 할 수 있거나
        학습용으로 개발된 것도 있지요. 전자오락을 하면 스트레스가 확 풀립니다.

Woman: 스트레스 해소를 꼭 전자오락의 파괴성을 통해서만 해야 합니까?
        친구들과 농구 게임을 하고 난 뒤의 기분도 상쾌한 겁니다.
        전자오락은 무조건 나빠요. 내가 해 보니까 눈도 아프고 머리도 쑤시고
        하는데 왜 그런 것을 하는지 이해할 수 없군요.

Questions 23-25.

Listen to this conversation between a man and a woman. Then answer questions 23, 24 and 25.

Woman: 안녕하세요? 토니 씨.
        갑자기 자동차가 고장이 났어요. 오늘 출근이 좀 늦을 것 같아요.

Man: 그럼 언제쯤 올 수 있을 것 같아요?

Woman: 잘 모르겠는데요. 늦어도 오후에는 갈 수 있겠지요.

Man: 알았어요. 전화해 줘서 고마워요.
        오늘은 바쁜 일도 없으니까 천천히 오세요.

Questions 26-28.

Listen to this conversation between Jenny and her friend. Then answer questions 26, 27 and 28.

Man: 제니야, 오늘 오후에 만나자.

Jenny: 안 돼, 나 정비소에 자동차 찾으러 가야 되거든.

Man: 그럼 자동차 찾아 가지고 만나자.

Jenny: 자동차 찾아 가지고 도서관에 책 반납하려 가야 해

Man: 그 다음에 만나면 되지 않니?

Jenny: 그 다음에는 우리 엄마 공항에 모시러 가야 돼
　　　아, 오늘을 정말 바쁘다.　내일 만나면 안 되니?

Man: 그래, 그럼 내일 다시 전화할게.

Test6. Travel, Transportation, Directions, Time, Weather (Adverbs, Conjunctions)

Section I – Listening

Directions: In this part of the test you will hear several spoken selections. They will not be printed in your test book. You will hear them <u>only once</u>. After each selection you will be asked one or more questions about what you have just heard. These questions, with four possible answers, are printed in your test booklet. Select the best answer to each question from among the four choices printed and fill in the corresponding oval on your answer sheet.

Questions 1-2.

Listen to this conversation about summer plans.   Then answer questions 1 and 2.

Woman: 너, 서울에 가 봤니?

Man: 아니. 내년 여름에 서울에 가서 한 달만 지내고 오려고 해

Woman: 내년 여름에 저는 여름학기를 등록할 거야. 그래서 아무데도 못 가.

Man: 서울에서 필요한 것 있으면 말해. 내가 사다 줄게.

Woman: 말은 고맙지만 지금은 필요한 것이 없어.

Questions 3-5.

Listen to this announcement given by a tour guide.   Then answer questions 3, 4 and 5.

Woman: 지금 서울백화점에 도착했습니다.

이곳에는 한국의 명품들이 많이 있습니다. 천천히 구경하세요.

지금부터 한 시간 동안 자유시간을 드리겠습니다.

현재 10시인데 11시에 차를 타고 국립중앙박물관에 가는 것 잊지

마세요. 시간을 꼭 지켜 주시기 바랍니다.

Questions 6-7.

Listen to this conversation about traveling.   Then answer questions 6 and 7.

Man: 이번 7월 휴가에 유럽을 가고 싶은데 비행기 표 구매부터 호텔 예약까지
      어떻게 해야 되는지 걱정이 많아요.

Woman: 여행사를 통해서 단체여행으로 가면 어때요?

Man: 알지요. 그런데 문제는 제가 단체여행을 무척 싫어하거든요.

Woman: 저도 단체여행을 무척 싫어했는데요. 한번 해 보고 나니까 재미있더라
        구요. 이번 기회에 한번 해 보시지 그러세요.

Questions 8-9.

Listen to this conversation between two acquaintances.   Then answer questions 8 and 9.

Man: 오늘도 차로 오셨나요?

Woman: 아니요, 보통 때는 차로 옵니다만. 오늘은 버스로 왔어요.

Man: 왜요?

Woman: 어제 제 차가 고장이 나서 수리를 부탁했거든요

Man: 아, 예~ . 그럼, 집에 갈 때는 제가 모셔다 드리지요.

Woman: 고맙습니다만 제 친구가 오기로 약속했어요.

Questions 10-11.

Listen to a woman's request for directions.   Then answer questions 10 and 11.

Woman 1: 실례합니다. 우체국이 어디에 있습니까?

Woman 2: 경찰서 바로 옆에 있어요.

Woman 1: 어디라구요?

Woman 2: 경찰서는 이 길과 저쪽 3가 모퉁이에 있고
          그 모퉁이를 돌아가면 우체국이 있어요.

Woman 1: 고맙습니다.

Questions 12-13.

Listen to the following radio report.   Then answer questions 12 and 13.

헬기상에서 교통현황을 취재중인 김 기자입니다.
현재 저는 샌프란시스코 상공에 있습니다. 금문교에서 시내로 들어가는 주요 북
쪽 간선도로는 느리지만 그런대로 잘 소통 되고 있습니다. 5번 출구 부근에서
3중 추돌사고가 일어났습니다. 서행이 시작되고 있습니다. 가능하면 이 쪽 방향
으로 가실 분들은 돌아서 가시기 바랍니다. 조금 있으면 길이 완전히 막혀 정체
현상이 있을 것으로 예상됩니다.

Questions 14-15.

Listen to this conversation about weekend plans.   Then answer questions 14 and 15.

Woman: 김 선생님, 이번 주말에 특별한 계획이라도 있으세요?

Man: 예, 가족하고 같이 등산을 가기로 약속했지요.

Woman: 그래요? 일기예보에서 이번 주말에는 비가 억수로 쏟아진다고 하던데요.

Man: 예~, 큰일났네, 모처럼 큰 맘먹고 약속을 했는데 어쩌지. 우리 아이들이 무척이나 섭섭해 하겠는걸.

Woman: 등산을 못 가시면 오랜만에 집에서 아이들과 시간을 가져 보세요.

Questions 16-18.

Listen to this weather report.   Then answer questions 16, 17 and 18.

안녕하십니까? 한국방송국의 최영주 기자입니다.

오늘 아침에는 따뜻하고 맑은 날씨입니다. 오후가 되면서 구름이 끼고 차차 추워지겠으며 비가 올 확률은 약 20% 정도입니다. 오늘의 최고기온은 화씨 67도 최저기온은 화씨 48도입니다. 그러나 내일은 아침부터 하루 종일 비가 오겠고 비가 온 후에는 추워지겠습니다.

Questions 19-21.

Listen to this interview about a car accident.   Then answer questions 19, 20 and 21.

Woman: 정 선생님께서는 지난 금요일 오후 2시경에 승용차 2대가 충돌하는 장면을 보셨다고 합니다. 실제로 현장에 계셨다고 하는데 어떻든가요?

Man: 먼저 911에 신고했고 구급차를 불렀습니다. 운전자 두 사람이 모두 다쳤어요. 한 사람은 여자였는데 이마에서 몹시 피를 많이 흘리고 있었고, 다른 자동차의 운전자는 남자였는데 밖으로 튀어나와 있었습니다. 저는 그 남자더러 움직이지 말고 가만히 있으라고 했습니다. 그리고 여자 운전자의 이마를 단단히 매 주었습니다.

Woman: 감사합니다. 정 선생님 덕분에 두 사람이 살아날 수 있었다고 합니다.

Questions 22-23.

Listen to this short exchange about the weather.   Then answer questions 22 and 23.

Man: 아니 비가 오잖아. 아까까지만 해도 맑은 날씨였는데.

Woman: 일기예보에서 오후부터 비가 온다고 했어요.

Man: 여보, 당신 우산 가지고 왔소?

Woman: 물론이지요. 저는 언제나 준비가 철저하잖아요.

Questions 24-26.

Listen to this conversation between Suzy and her friend. Then answer questions 24, 25 and 26.

Man: 수지야, 뭐하니?

Suzy: 광고를 보는 중이야, 중고차 하나 사려구.

Man: 그럼, 자동차 중개상 몇 군데 다녀봐야 할걸.

Suzy: 좋은 생각이다. 그리고?

Man: 시험운전은 꼭 해 보구, 기술자가 엔진을 점검해 보는 것도 잊지 말아. 그런데 너 미국 면허증은 가지고 있니?

Suzy: 아니, 한국 면허증 가지고 있어. 그래서 다음 주에 시험 볼 거야.

Questions 27-28.

Listen to this conversation between two women. Then answer questions 27 and 28.

Woman 1: Los Angeles에서 서울까지 가려고 하는데요.

Woman 2: 언제 가실 겁니까? 그리고 왕복입니까? 편도입니까?

Woman 1: 물론 왕복이죠. 8월 4일에 갔다가 8월 28일에는 올 예정입니다.

Woman 2: 잘 알겠습니다. 항공요금은 왕복에 750불입니다. 표는 적어도 이주일 전에는 구입하셔야 이 요금이 적용됩니다. 손님께서는 지금 예약하시겠습니까?

Woman 1: 네, 지금 예약해 주세요. 제가 내일 표를 가지러 갈께요.

Test 7.   Sports, Hobbies, Recreations (Pre-nouns, Exclamations)

Section I – Listening

Directions: In this part of the test you will hear several spoken selections. They will not be printed in your test book. You will hear them only once. After each selection you will be asked one or more questions about what you have just heard. These questions, with four possible answers, are printed in your test booklet. Select the best answer to each question from among the four choices printed and fill in the corresponding oval on your answer sheet.

Question 1.

Listen to this short exchange between a husband and wife. Then answer question 1.

Man: 오늘 날씨가 좋지?

Woman: 아주 좋은데요.

Man: 어디 놀러가시려구?

Woman: 너무 피곤해서 집에서 쉴래요.

Questions 2-3.

Listen to this short exchange about business matters. Then answer questions 2 and 3.

Man: 이 일이 공정하게 처리되었다고 생각하십니까?

Woman: 아니요, 그래서 우리가 어떻게 해야 하나 생각 중입니다.

Man: 그러면 법정에까지 가실 생각이십니까?

Woman: 모르겠어요. 아직은 거기까지 생각하지 못했어요.

Question 4-5.

Listen to this conversation about smoking. Then answer questions 4 and 5.

Woman 1: 비행기 안에서나, 음식점에서나, 집에서도 담배를 피우는 사람은 대접을 못 받고 있어요.

Woman 2: 폐암에 걸릴 확률도 높고 건강에 해롭다는 담배를 왜 그렇게 많이 피우는지 모르겠어요.

Woman 1: 젊은 여성이 공공연히 담배를 피우는 것은 어떡하구요. 같은 여자라도 보기가 참 딱해요.

Woman 2: 담배를 내가 좋아서 피는데 무슨 상관이냐고 하지만, 이 세상은 나 혼자만 사는 세상이 아니잖아요.

Questions 6-7.

Listen to this description of a boy's friend. Then answer questions 6 and 7.

내 친구 Brian에 대해서 얘기할게요. Brian은 야구를 좋아하거든요. 작년부터 야구를 시작했지요. 그리고 야구를 시작하면서부터 박찬호 선수를 좋아하게 됐어요. 요새는 Brian을 만나기도 힘들어요. 내가 Brian이 보고 싶으면 야구장으로 가야 되지요.

내가 Brian한테 전화를 하면 야구 얘기만 하지요. Brian은 모든 사람들이 야구에 대해서 잘 알아야 한다고 생각하는 것 같애요. 나는 별로 야구에 취미가 없는데도 말에요.

Questions 8-9.

Listen to this conversation between two acquaintances. Then answer questions 8 and 9.

Woman1: 지금 읽고 있는 책이 재미있는 책에요?
Woman2: 그런 건 아닌데요. 지금은 특별히 할 일이 없어서요.
　　　　여기서 아무 일도 안하고 멍청히 앉아서 사람을 기다릴 수가 없어서요.
Woman1: 아 그러셨군요. 저도 독서를 좋아해요. 책을 읽으면 다른 일은 모두
　　　　잊을 수가 있거든요.
Woman2: 예, 책은 특별히 누구를 기다릴 때 시간 보내기에는 너무 좋지요.

Questions 10-11.

Listen to this conversation between two men. Then answer questions 10 and 11.

Man 1: 제가 운전하고 갈까요?
Man 2: 장거리 운전을 해 본 경험이 있으십니까?
Man 1: 물론입니다. 150마일 정도는 거의 매일 합니다.
Man 2: 그렇다면 저보다 선생님께서 운전을 하시는 것이 좋겠습니다.

Questions 12-13.

Listen to this short exchange at a local business. Then answer questions 12 and 13.

Man: 임대 계약서에 서명을 하시면 당장 차를 몰고 가실 수 있습니다.
Woman: 그래요, 그럼 제가 읽어 볼 시간을 좀 주실 수 있으세요?
Man: 물론입니다. 천천히 충분한 시간을 가지고 읽어 보세요.
　　　그것은 보통의 평범한 계약서이니까 뭐 특별한 내용은 없습니다.
Woman: 선생님은 그러실지 몰라도 제게는 특별하거든요.

Listen to this conversation between two women. Then answer questions 14, 15 and 16.

Woman: 수지야, 오늘은 집 안을 대청소하자.

　　　　우선 방마다 진공 청소기로 한번 청소를 한 다음에 침대를 정리하자.

　　　　그런 다음에 쓰레기통을 비우는 거야.

Suzy: 침대를 먼저 정리하고 청소기를 돌리면 안돼요?

Woman: 아무쪽이나 네가 편한 대로 하렴.

Suzy: 그럼, 그 다음에 할 일은 뭐예요?

Woman: 화장실을 청소해야 하지 않니?

　　　　세면대, 변기, 목욕통을 비누질해서 말끔히 닦아야지.

　　　　깨끗한 수건도 새로 걸어 놓는 것 잊지 말아라.

Questions 17-18.

Listen to this conversation between Minsoo and his friend. Then answer questions 17 and 18.

Girl: 어머, 민수야! 너 머리가 그게 뭐야? 세상에 머리를 그렇게 길게 기르다니 도대체 어떻게 된 거니?

Boy: 뭐가 어때서? 나만 이렇게 하고 다니냐? 그래, 머리 좀 길게 하고 다닌다고 내가 범죄라도 저질렀다는 얘기야? 피터는 머리만 긴 게 아니고 염색까지 했잖아. 또 토니는 귀까지 뚫었어. 우리 말은 바로 하자. 학생 중에 학교 규칙을 한 두 가지쯤 어기지 않는 학생이 어디 있니?

Girl: 민수야, 그걸 말이라고 하니?

Questions 19-20.

Listen to this conversation about computers. Then answer questions 19 and 20.

Man: 요즈음도 컴퓨터 배우러 다니니?

Woman: 그럼. 컴퓨터는 정말 대단한 기계야. 배우면 배울수록 흥미롭다니까. 요즈음 인터넷에 들어가 정보의 바다를 헤엄치고 다니는 게 낙이야.

Man: 그래? 인간과 컴퓨터가 싸우면 누가 이길까?

Woman: 당연히 인간이지. 컴퓨터는 생각할 줄 모르잖아.

Man: 너 체스 챔피언과 슈퍼 컴퓨터와의 시합에서 컴퓨터가 이겼다는 사실도 모르니?

Questions 21-22.

Listen to this conversation between a man and a woman. Then answer questions 21 and 22.

Woman: 오빠, 오늘 날씨가 너무 좋은데, 어디 공원이라도 다녀왔으면 좋겠다.

Man: 그래, 아빠한테 공원에 가자고 말씀드려 볼까?

Woman: 에이, 모처럼의 일요일인데, 하루 종일 잠이나 자야겠다고 말씀하실걸.

Man: 그렇다고 답답한 아파트에만 있을 수는 없잖아.

Questions 23-24.

Listen to this conversation between a husband and wife. Then answer questions 23 and 24.

Woman: 우리 수지는 침착하지 않아서 걱정이에요. 나를 도와준다고 정원에 나와서 자주 화분을 깨뜨려서 탈이라구요.

Man: 여보! 아이들이 실수로 깨뜨린 걸 어떻게 하오? 또 새로 사면 되지.

Woman: 아이, 아무래도 안정감이 없는 아이 같아요. 떨어뜨리기도 잘해요.

Man: 그냥 놔 두구려. 나도 어려서 어머니한테 야단을 자주 맞았오.

Questions 25-26.

Listen to this conversation between two high school students, Jenny and Danny.
Then answer questions 25 and 26.

Danny: 제니야, 정말 오래간만이다. 그동안 어떻게 지냈니?

Jenny: 아니, 이게 누구야? 대니 아냐? 너는 어떻게 지냈니?

Danny: 제니야, 옛날에 우리가 주말마다 수영을 같이 하던 것 생각나니? 나는 가끔 수영을 하면 네가 생각나드라.

Jenny: 나도 그래. 우리 친구들끼리 수영할 때에는 네 얘기도 한다구.

Questions 27-28.

Listen to this conversation about cooking. Then answer questions 27 and 28.

Woman: 베티, 미역국을 어떻게 끓이면 맛있니?

Betty: 음~, 모든 재료를 참기름에 달달 볶다가 소고기가 익었을 때 물을 적당히 부어. 국물이 막 끓기 시작했을 때 버섯을 넣고 또 끓여. 진짜 맛있게 끓일려면 1시간 이상 끓여야 맛있다.

Woman: 아, 그렇구나. 나는 30분밖에 안 끓여서 맛이 없었구나.

Test8. Biographical Information, Routines, Post Office (Polite Form-Honorifics)

Section I – Listening

Directions: In this part of the test you will hear several spoken selections. They will not be printed in your test book. You will hear them only once. After each selection you will be asked one or more questions about what you have just heard. These questions, with four possible answers, are printed in your test booklet. Select the best answer to each question from among the four choices printed and fill in the corresponding oval on your answer sheet.

Questions 1-2.

Listen to this short exchange at a restaurant. Then answer questions 1 and 2.

Man: 담배를 태워도 되겠습니까?

Woman: 안 되는데요.

Man: 그러면 이곳에서는 피울 수가 없군요.

Woman: 네, 이곳에서는 피우실 수가 없지만 밖에 나가서 피우시면 됩니다.

Man: 잘 알겠습니다. 고맙습니다.

Questions 3-5.

Listen to this conversation between a man and a woman. Then answer questions 3, 4 and 5.

Woman: 당신 매일같이 웬 술을 그렇게 많이 드세요?

Man: 누구는 마시고 싶어서 마시는 줄 아시오?

Woman: 아이, 그래도 그렇지요. 건강도 생각하시고 가족도 생각하세요 좀.

Man: 사실은 나도 술을 줄이려고 생각 중이라오. 술을 마시면 그 다음날 머리도 아프고 속도 편치 않거든.

Questions 6-7.

Listen to this conversation between two men. Then answer questions 6 and 7.

Man 1: 요즈음 젊은이들이 직업을 택할 때 세가지 기피 현상이 있다고 하죠.

Man 2: 예, 더러운 일, 어려운 일, 위험한 일을 기피한다고 해요.

Man 1: 전에 우리들은 진일 마른일 가리지 않고 다 해 냈어요.

Man 2: 그렇지만 지금 세대들은 생각하는 게 달라졌다니까요.

Questions 8-9.

Listen to this conversation about accidents. Then answer questions 8 and 9.

Woman: 지난번 시카고에서 일어난 비행기 추락사고를 보세요. 순식간에 일어난 일이라 미처 손 쓸 틈이 없었잖아?

Man: 비행 기록장치를 보면 조종사와 부조종사의 대화 가운데 "오! 맙소사"라는 소리가 남아 있는 것만 보아도 알 수 있지 않아요?

Woman: 그런데 대부분의 사고가 사람의 실수로 인해 빚어진 사고라는 거 있죠. 사람들이 조금만 정확히 판단하고 주의했더라면 대부분의 사고는 미리 방지할 수 있었을 거예요.

Questions 10-11.

Listen to the following telephone conversation. Then answer questions 10 and 11.

Woman: 여보세요, 죤슨 씨 계세요?

Man: 예, 제가 죤슨입니다.

Woman: 우리 하수도에 문제가 있는 것 같아요. 좀 빨리 오셔서 고쳐주실 수 있어요?

Man: 어디가 잘못된 것 같습니까?

Woman: 아무래도 막힌 것 같애요. 세탁기를 돌렸는데 물이 빠지지 않고 부엌에 있는 설거지 통으로 올라오네요.

Man: 잘 알겠습니다. 곧 가지요. 20분 후면 도착할 겁니다.

Questions 12-13.

Listen to this conversation between a mother and son. Then answer questions 12 and 13.

Son: 어머니 편히 주무셨어요?

Mother: 그래 잘 잤다. 어제는 정말이지 너무 피곤했거든.

Son: 아니, 어제 무얼 하셨는데요?

Mother: 집안을 대청소하고 오랜만에 정원에 나가서 나무 손질까지 했지 뭐니.

Son: 왜 그렇게 한꺼번에 일을 하세요? 조금씩 하시지.

Mother: 음~, 이번 주말에 아빠가 손님들을 초대했어.

Questions 14-15..

Listen to this conversation between two retail store sales people. Then answer questions 14 and 15.

Man: 왜 지배인을 그렇게 망신시켰습니까? 그 사람 화가 되게 많이 났던데요.

Woman: 그 사람은 우리가 얼마나 열심히 일을 하는지를 너무 모르고 있었어요
그리고 판매량만 가지고 사람을 평가하는 바람에 정말 화가 났어요.

Man: 그 사람도 그걸 알지만 그 사람이 하는 일이 뭐예요?
우리가 판매량을 늘리도록 하는 게 그 사람 일이지 않아요?

Questions 16-17.

Listen to the following business transaction. Then answer questions 16 and 17.

Woman: 이 소포를 보험을 들고 싶은데요

Man: 가격이 얼마나 됩니까?

Woman: $150이에요.

Man: 잠시만 기다리세요. $150짜리 보험이라--- $3.20이 되겠습니다.

Woman: $3.20요, 알겠습니다. 보험을 들어 주세요.

Questions 18-19.

Listen to this conversation at a post office. Then answer questions 18 and 19.

Woman 1: 이 편지를 중국으로 보내고 싶은데요.

Woman 2: 속달로 보내실 겁니까?

Woman 1: 네, 속달 우편 중에서 등기로 보내고 싶은데요.

Woman 2: 알겠습니다. $28.00입니다. 우표 같은 것 더 필요하지 않으세요?

Woman 1: 네, 우표도 100장 주세요. 신용카드로 지불하겠습니다.

Woman 2: 감사합니다. 영수증, 여기 있습니다. 서명해 주세요.

Questions 20-21.

Listen to this conversation between a husband and wife. Then answer questions 20 and 21.

Woman: 수박을 먹을까? 아니면 딸기 먹을까?

Man: 시원한 수박이 좋지요.

Woman: 그럼 수박을 자르자.

Man: 몇 쪽으로 자를까요?

Woman: 우선 크게 네 쪽으로 자르고 다시 잘게 자르자.

Man: 야! 수박이 너무 잘 익었다.

Woman: 아! 아주 맛있겠다. 반만 먹고 반은 두었다가 아버님 드리자.

Questions 22-23.

Listen to this conversation between a man and a woman. Then answer questions 22 and 23.

Woman: 안주가 마땅치 않은데 무얼 좀 갖다 드릴까요?

Man: 맥주를 마시는데 무슨 안주가 필요하오?

Woman: 오징어하고 땅콩이 있는데 그거라도 드릴까요?

Man: 맥주에 오징어와 땅콩이라－－－－.

　　　 아, 이건 정말 최고의 안주요.

Questions 24-25.

Listen to this conversation between two co-workers. Then answer questions 24 and 25.

Man: 교통체증 때문에 곤란해져 본 적이 있으십니까?

Woman: 그럼요. 오늘 아침에도 정말이지 너무 혼났어요.

Man: 차가 많이 밀렸던 모양이군요.

Woman: 이건 고속도로가 아니라 주차장이었어요.

Questions 26-27.

Listen to this telephone conversation with a real estate agent. Then answer questions 26 and 27.

Man: 여보세요, 복덕방입니다.

Woman: 저는 제니라고 합니다. 방 두 개에 화장실이 두 개 있는 아파트를 찾습니다. 근처에 초등학교가 있으면 좋겠는데요.

Man: 학교 근처에 방이 두 개짜리 아파트와 집이 한 채 나와 있습니다.

　　　 제 사무실로 2시까지 오실 수 있겠어요? 제가 집을 보여드리겠습니다.

Woman: 3시까지 가면 안 되겠습니까?

Man: 그러면 그렇게 하세요. 기다리겠습니다.

Questions 28-29.

Listen to this conversation about a job opening.   Then answer questions 28 and 29.

만약에 이 선생님께서 정 박사님 사무실에서 일하고 싶으시면 첫째, 비서 경험이 2년은 있어야 합니다. 둘째, 영어는 물론이지만 한국말도 잘 해야 합니다. 셋째로 컴퓨터에 능숙해야 하구요. 하실 수 있으시겠습니까? 하실 수 있다고 생각되시면 이력서를 가지고 오세요. 직접 방문하셔서 면접을 해야 합니다. 오시기 전에 전화로 약속하는 것 잊지 마세요.

Test9. Invitations, Social Events, Entertainment, Celebrations
(Abbreviations, Homophones)

Section I – Listening

Directions: *In this part of the test you will hear several spoken selections. They will not be printed in your test book. You will hear them only once. After each selection you will be asked one or more questions about what you have just heard. These questions, with four possible answers, are printed in your test booklet. Select the best answer to each question from among the four choices printed and fill in the corresponding oval on your answer sheet*

Questions 1-2.

Listen to this short exchange between two men. Then answer questions 1 and 2.

Man 1: 축구 할 줄 아세요?

Man 2: 그럼요.

Man 1: 어떠세요, 이번 일요일 아침 6시에 조기축구회에 나오세요.

Man 2: 7시에 가면 안될까요? 저는 유난히 아침잠이 많아서요.

Questions 3-4.

Listen to this conversation between Miyoung and Mr. Park. Then answer questions 3 and 4.

Woman: 박 선생님께서는 영어회화에 능통하시고 또 자동차 운전기술도 보통 솜씨가 아니신데 저 좀 가르쳐 주실 수 있으시겠어요?

Man: 영어회화는 썩 잘하는 편은 아닙니다. 그렇지만 미영 씨가 배우고 싶으시다면 가르쳐 드리지요. 그런데 운전은 가르쳐 드리기가 곤란하군요. 요즈음 제가 다리가 좀 불편해서요.

Questions 5-6.

Listen to this conversation between two acquaintances. Then answer questions 5 and 6.

Woman: 선생님! 제가 그만 약속시간을 깜빡 잊고 딴 일을 하다가 이제야 생각이 나서 막 뛰어 오는 길입니다. 죄송합니다.

Man: 괜찮습니다. 평소에 약속을 잘 지키시는 분이시라 사고나 나지 않았나 하고 걱정을 하고 있었습니다.

Woman: 선생님께서 그리 말씀해 주시니 고맙습니다. 다시 한번 사과드립니다.

Man: 그만 하십시오. 그래도 평소에 약속을 잘 지켜 주시지 않으셨습니까?

Questions 7-8.

Listen to this conversation at a woman's home. Then answer questions 7 and 8.

Woman: 여보, 이제 그만 하세요.

Man: 한잔만 더 주구려.

Woman: 많이 취하신 것 같은데

Man: 아직은 괜찮소.

Woman: 그럼, 딱 한잔만 더 하세요

Questions 9-10.

Listen to this conversation between a husband and his wife. Then answer questions 9 and 10.

Woman: 요즈음은 생활비가 너무 많이 들어서 걱정이에요.

Man: 생활비 지출은 거의 비슷할 텐데 무슨 특별한 일이라도 있소?

Woman: 먹는 비용은 매달 거의 비슷한데요, 최근에는 한달 수입의 반 정도가
부조금으로 지출이 되고 있어요. 심각한 문제가 아닌가요?

Man: 그렇다면 심각한데---- 부조금 액수를 조절해야겠어.

Questions 11-12.

Listen to this conversation between two women.   Then answer questions 11 and 12.

Woman 1: 평소에 우리가 남을 대접해야 할 경우가 많은 것 같아요.

Woman 2: 네, 남편이 회사에서 승진하면 한턱 내야죠, 아무튼 축하받을 일만 생
기면 한바탕 음식대접을 해야지 안 하고는 못 배기죠.

Woman 1: 자식들이 좋은 학교에 입학을 해도 한턱 내야죠. 어떻든 이 핑계 저 핑
계로 가까운 사람끼리 자주 만나 축하해 주고 또 축하 받으면 그것처
럼 좋은 일이 어디 있겠어요.

Questions 13-15.

Listen to this conversation about a restaurant. Then answer questions 13, 14 and 15.

Man: 우리 오늘은 수미 생일 축하 하러 '서울정'에 가서 저녁을 먹자.

Woman: 좋지요. '서울정'은 우리 식구 모두가 좋아하는 식당이지 않아요?

Girl: '서울정' 좋아요. 특히 그 집 갈비하고 잡채는 너무 맛있어요.

Man: 그 집은 종류가 많으니까 언제 가도 다른 반찬을 먹을 수가 있어서 좋아.

Woman: 나는 그 집 호박죽이 너무 좋더라. 밥을 다 먹고 나서 후식으로 달콤하
고 매콤한 수정과를 먹는 맛도 일품이지.

Girl: 엄마, 아빠, 뭘 기다려요? 빨리 안 가실래요?

Questions 16-17.

Listen to this editorial about conservation. Then answer questions 16 and 17.

물자절약은 개인 생활에서의 사적인 물자 절약과 국가 사회의 공적인 물자 절약으로 나누어 볼 수 있습니다. 개인 생활에서는 소비를 줄이고 재활용을 하는 것이 가장 좋은 물자 절약의 방법입니다. 음식물은 먹을 만큼만 덜어 먹고, 일회용품은 사용하지 말아야 하며 물, 전기, 가스, 석유 등과 같은 자원의 소비를 최소화하는 생활태도를 길러야 합니다.

Questions 18-19.

Listen to this conversation between Peter's father and mother. Then answer questions 18 and 19.

Man: 지금 몇 시야?

Woman: 3시 20분.

Man: 피터는 지금쯤 도착했겠다.

Woman: 아네요, 피터가 오전 10시 경에 출발했으니까, 쉬지 않고 갔어도 오후 4시에나 도착할거에요. 도착하면 전화한다고 했어.

Man: 가다가 좋은 구경 많이 하겠네.

Woman: 아, 전화가 왔다. 이제 막 도착한 모양이다.

Questions 20-21.

Listen to this answering machine message. Then answer questions 20 and 21.

저희 상점에 전화 주시어 고맙습니다. 저희 상점 개점 시간은 월요일에서 금요일까지는 오전 9시부터 오후 7시까지입니다. 토요일은 오전10시부터 오후 4시까지이고 일요일은 오후 1시부터 오후4시까지 입니다. 저희 상점 개점 시간에 찾아주시기 바랍니다. 고맙습니다.

Questions 22-23.

Listen to this telephone conversation with the gas company. Then answer questions 22 and 23.

Man: 안녕하세요? 여기는 남가주 개스 회사입니다. 무엇을 도와드릴까요?

Woman: 여보세요, 저는 박정숙이라고 합니다. 저희 집 부엌에서 개스가 새는 것 같아요. 어디가 새는지 점검 좀 부탁드려도 될까요?

Man: 개스가 샌다면 위험한 일입니다. Gas의 Main bulb를 잠가 주세요. 우리 회사 직원이 곧 가겠습니다. 20분 후면 도착할 것입니다. 그때까지 집에 계시겠습니까?

Woman: 물론입니다.지금 곧 Gas의 Main bulb를 잠그고 오실 때까지 기다리겠습니다.

Questions 24-26.

Listen to this conversation about moving. Then answer questions 24, 25 and 26.

Woman: 임대 기간이 거의 끝나가고 있어요.

이제 우리도 이사할 것을 생각할 때가 된 것 같애요.

Man: 맞아요. 이 아파트는 너무 좁아요.

Woman: 이 신문에서 조금 넓은 것을 구할 수 있을 것 같애요.

이거 보세요. 공원 옆에 있는데 방 두 개에 가구는 없고 조그만 마당도

있네요. 한달 월세가 1200불이고 보증금은 1000불이네요.

Man: 좋아요. 한번 가 보고 결정합시다. 내가 전화할게.

Questions 27-28.

Listen to this announcement given by a restaurant owner. Then answer questions 27 and 28.

Woman: 저희 '강남부페'는 메뉴도 다양해서 구이 종류도 12가지이고 김치 종류

만해도 8가지나 됩니다. 갈비도 그 자리에서 구어드리고 파전이나 빈대

떡도 그 자리에서 부쳐 드립니다. 손님들은 금방 만든 것을 모두 맛있

게 잡수실 수 있지요. 생일이나 돌잔치를 하실 때는 내 집에 오신 손님

과 같이 편안하게 잘 대접해 드리겠습니다.

Test 10. Mixed Review

Section I – Listening

Directions: *In this part of the test you will hear several spoken selections. They will not be printed in your test book. You will hear them <u>only once</u>. After each selection you will be asked one or more questions about what you have just heard. These questions, with four possible answers, are printed in your test booklet. Select the best answer to each question from among the four choices printed and fill in the corresponding oval on your answer sheet.*

<u>Questions 1-2.</u>

Listen to this conversation between two women. Then answer questions 1 and 2.

Woman 1: 선생님, 팔순이 넘도록 건강을 유지하는 비결이 무엇입니까?

Woman 2: 저는 특별히 하는 것이 별로 없어요. 그저 저녁에 일찍 자고 아침에 일찍 일어 나는 습관이 있지요.

Woman 1: 아침에 일찍 일어나시면 무엇부터 하십니까?

Woman 2: 응, 우선 냉수를 한잔 마시고, 간단히 맨손체조를 해요.

Woman 1: 진지를 잡수실 때 고기를 많이 잡수십니까? 아니면 야채를 많이 잡수십니까?

Woman 2: 난 고기, 생선, 야채, 아무거나 잘 먹어. 한마디로 가리는 것이 없어요.

<u>Questions 3-4.</u>

Listen to this conversation about marriage. Then answer questions 3 and 4.

Man: 신부를 고를 때, 옛날에는 바느질 솜씨를 보았는데 요즘은 어떤가요?

Woman: 전에는 그랬는지 모르지만, 요즈음은 모두들 옷을 사서 입으니까, 신부의 바느질 솜씨가 문제가 되지 않겠지요.

Man: 그러면 음식 솜씨는 어떤가요?

Woman: 음식은 매일 먹지만 지금은 부부가 같이 요리를 하는 경향이 많지 않아요?

Questions 5-6.

Listen to this conversation about drinks. Then answer questions 5 and 6.

Boy: 엄마, 오렌지 주스가 안 보이는데요.

Woman: 네 동생 친구들이 와서 다 마셔버렸나보다.

Boy: 그럼 어떻게 해요. 나 목말라 죽겠는데.

Woman: 물 마시렴, 냉장고 속에 시원한 보리차 있다.

Boy: 엄마, 오렌지 주스 좀 사다 주시면 안 되겠어요?

Woman: 미안하지만 시간이 없구나. 지금 나가 봐야 하거든.

Questions 7-8.

Listen to this conversation between two relatives. Then answer questions 7 and 8.

Woman: 입원하셨다는 소식을 어제야 들었어요. 어디가 편찮으셔서 입원하신 거
예요?

Man: 지금 검사를 받는 중이니까 자세한 건 알 수 없지만 소화기관이 나빠서
들어 왔어요.

Woman: 음식을 잡수시면 소화가 잘 안 되시던가요?

Man: 그렇죠. 평소에 술도 많이 마셨고, 식사도 불규칙하게 했으니까.

Questions 9-11.

Listen to this conversation about drinking tea.. Then answer questions 9, 10 and 11.

Woman: 이야기만 하지 마시고 차가 식기 전에 찻잔을 비우세요. 제가 끓인 차
가 돼서 별로 입맛에 맞지 않으실 거예요.

Man: 하하, 원 별 말씀을 다 하십니다. 저는 이런 녹차를 좋아합니다. 녹차는
앉은 자리에서 석 잔을 마셔야 한다고 하죠. 첫 잔은 향을 맡고, 둘째 잔
은 맛보고, 셋째 잔은 느낀다고 하지 않습니까?

Woman: 참으로 의미가 있는 표현을 하셨네요.

Man: 그렇습니까? 고맙군요. 제가 커피 대신 녹차를 마신 지가 벌써 여러 해가
됐군요.

<u>Questions 12-14.</u>

Listen to this conversation between a man and a woman.   Then answer questions 12, 13 and 14.

Man: 여보, 당신 지금 뭐하고 있소? 많이 바빠요?

Woman: 아니요, 지금 영화 보고 있어요.

Man: 아이들은 뭐하고 있는데?

Woman: 애니는 숙제하고 토니는 뒷마당에서 야구하고 있어요.

Man: 당신이 영화 보는 것 방해하고 싶지 않은데, 미안하지만 내 책상 위에 있는 서류봉투 좀 회사로 갖다 주지 않겠소? 아침에 서두르다가 그만 깜빡 잊고 그냥 출근했지 뭐요.

Woman: 알았어요. 곧 가지고 갈게요.

<u>Questions 15-16.</u>

Listen to this report on the radio. Then answer questions 15 and 16.

지난 2월 14일부터 17일까지 워싱턴 D.C. 등 미국 동부지역 일대에 폭설이 내렸습니다. 이번 폭설로 최소 12명이 사망하는 사태가 발생했습니다. 이 폭설로 인근 로널드 레이건 공항과 고속 도로는 폐쇄됐고, 주요 스포츠 경기를 비롯해서 야외 활동이 전면 취소되었습니다.

<u>Questions 17-19.</u>

Listen to Helen's doctor reporting to her family. Then answer questions 17, 18 and 19.

헬렌씨 수술은 정말 잘 되었습니다. 걱정하지 마세요. 아마 한 주일 정도면 회복이 되실 겁니다. 내일까지 침대에서 편안하게 휴식과 안정을 취하셔야 합니다. 조금 후에 간호사가 혈압과 맥박을 재 보고 정상이 확인되면 스프와 주스를 드릴 겁니다. 내일 모래는 조금씩 걷기 시작해도 됩니다. 요구르트와 아이스크림도 잡수실 수 있지요. 만일 모든 기능이 정상으로 회복된다면 이번 토요일에는 퇴원하실 수 있습니다.

Questions 20-21.

Listen to this conversation between a husband and wife. Then answer questions 20 and 21.

Man: 여보, 외출 준비는 다 됐오?

Woman: 아니요, 아직 목욕도 하지 못했어요.

Man: 내가 한 시간 전에 말하지 않았어요? 오늘은 왜 그렇게 꾸물거려요?

Woman: 지금 서두르고 있잖아요.
　　　여보, 아무리 바빠도 밥 먹은 것을 설거지는 해 놓고 가야지요.

Man: 빨리 서둘러 줘요. 이번 모임에 지각하면 곤란해요.
　　　나는 지각해서 벌금내기 싫단 말이오.

Questions 22-23.

Listen to this conversation that takes place at the end of a trip.　Then answer questions 22 and 23.

Man: 무슨 일이 있어요?

Woman: 내 여권이 없어졌어요. 아까 호텔에서 짐 쌀 때 가방에 분명히 넣었거든요.

Man: 우리가 묵었던 호텔에 전화해서 물어 보자구 혹시 front desk에 두고 왔는지 모르지 않소?

Woman: 어쩌지요? 나 때문에 비행기를 놓지기라도 하면 ----.

Questions 24-25.

Listen to this short discussion.　Then answer questions 24 and 25.

Man: 지금부터 쓰레기 재활용에 대해서 말씀해 주세요.

Boy: 저는 종이의 재활용이 가장 급한 문제라고 생각합니다. 학교에서는 분리 수거를 한다고 하지만 학생들이 아직도 멀쩡한 종이를 쓰레기 통에 버리는 일이 허다합니다.

Man: 종이의 재활용 문제가 나왔습니다. 또 다른 의견은 없습니까?

Girl: 집에서 다 읽은 책이나 잡지 등을 모아서 고아원 같은 곳에 보내 준다면 그것도 재활용이 되지 않을까요?

Man: 그것도 참 좋은 생각입니다. 책이나 잡지뿐만 아니라 작아져서 못 입는 옷도 모아서 고아원으로 보냅시다.

Listen to Jiyoung's introduction of herself.   Then answer questions 26, 27 and 28.

제 이름은 박지영이에요. 저는 한국에서 왔어요. 우리 아버지가 미국 지사에 근무하게 되셔서 같이 왔어요. 처음엔 저는 미국이 무서웠어요. 매일 한국으로 다시 가고 싶었거든요. 그런데 학교를 다니게 되었고, 영어를 잘하게 되었어요. 학교에서 친구들도 많이 만났고 학교를 점점 좋아하게 되었어요. 나는 더 이상 무섭지도 않고 외롭지도 않아요. 이제는 미국이 좋아졌어요.

SAT II

Answers

SATII Korean Practice Test Answer Sheet

Name _____ Date _____ Test No.: __1__

1. ⓐ ⓑ ⓒ **ⓓ**	28. ⓐ **ⓑ** ⓒ ⓓ	55. ⓐ **ⓑ** ⓒ ⓓ
2. ⓐ **ⓑ** ⓒ ⓓ	29. **ⓐ** ⓑ ⓒ ⓓ	56. ⓐ ⓑ ⓒ **ⓓ**
3. ⓐ ⓑ **ⓒ** ⓓ	30. ⓐ **ⓑ** ⓒ ⓓ	57. ⓐ **ⓑ** ⓒ ⓓ
4. **ⓐ** ⓑ ⓒ ⓓ	31. **ⓐ** ⓑ ⓒ ⓓ	58. ⓐ ⓑ **ⓒ** ⓓ
5. ⓐ ⓑ **ⓒ** ⓓ	32. ⓐ **ⓑ** ⓒ ⓓ	59. ⓐ ⓑ ⓒ **ⓓ**
6. ⓐ ⓑ ⓒ **ⓓ**	33. **ⓐ** ⓑ ⓒ ⓓ	60. **ⓐ** ⓑ ⓒ ⓓ
7. ⓐ **ⓑ** ⓒ ⓓ	34. **ⓐ** ⓑ ⓒ ⓓ	61. ⓐ ⓑ **ⓒ** ⓓ
8. ⓐ **ⓑ** ⓒ ⓓ	35. **ⓐ** ⓑ ⓒ ⓓ	62. ⓐ **ⓑ** ⓒ ⓓ
9. ⓐ ⓑ ⓒ **ⓓ**	36. ⓐ ⓑ **ⓒ** ⓓ	63. ⓐ ⓑ ⓒ **ⓓ**
10. ⓐ ⓑ ⓒ **ⓓ**	37. **ⓐ** ⓑ ⓒ ⓓ	64. ⓐ ⓑ ⓒ **ⓓ**
11. ⓐ **ⓑ** ⓒ ⓓ	38. ⓐ **ⓑ** ⓒ ⓓ	65. **ⓐ** ⓑ ⓒ ⓓ
12. **ⓐ** ⓑ ⓒ ⓓ	39. ⓐ ⓑ **ⓒ** ⓓ	66. **ⓐ** ⓑ ⓒ ⓓ
13. ⓐ ⓑ ⓒ **ⓓ**	40. ⓐ ⓑ **ⓒ** ⓓ	67. ⓐ **ⓑ** ⓒ ⓓ
14. ⓐ ⓑ **ⓒ** ⓓ	41. ⓐ ⓑ **ⓒ** ⓓ	68. ⓐ ⓑ **ⓒ** ⓓ
15. ⓐ ⓑ **ⓒ** ⓓ	42. ⓐ **ⓑ** ⓒ ⓓ	69. ⓐ ⓑ ⓒ **ⓓ**
16. **ⓐ** ⓑ ⓒ ⓓ	43. ⓐ ⓑ ⓒ **ⓓ**	70. **ⓐ** ⓑ ⓒ ⓓ
17. ⓐ **ⓑ** ⓒ ⓓ	44. ⓐ ⓑ **ⓒ** ⓓ	71. ⓐ ⓑ **ⓒ** ⓓ
18. ⓐ **ⓑ** ⓒ ⓓ	45. ⓐ **ⓑ** ⓒ ⓓ	72. ⓐ **ⓑ** ⓒ ⓓ
19. ⓐ ⓑ **ⓒ** ⓓ	46. **ⓐ** ⓑ ⓒ ⓓ	73. ⓐ ⓑ **ⓒ** ⓓ
20. ⓐ ⓑ ⓒ **ⓓ**	47. ⓐ ⓑ **ⓒ** ⓓ	74. ⓐ ⓑ ⓒ **ⓓ**
21. ⓐ **ⓑ** ⓒ ⓓ	48. ⓐ ⓑ ⓒ **ⓓ**	75. **ⓐ** ⓑ ⓒ ⓓ
22. ⓐ **ⓑ** ⓒ ⓓ	49. ⓐ ⓑ **ⓒ** ⓓ	76. ⓐ ⓑ ⓒ **ⓓ**
23. **ⓐ** ⓑ ⓒ ⓓ	50. ⓐ ⓑ ⓒ **ⓓ**	77. ⓐ ⓑ ⓒ **ⓓ**
24. ⓐ **ⓑ** ⓒ ⓓ	51. ⓐ **ⓑ** ⓒ ⓓ	78. ⓐ ⓑ **ⓒ** ⓓ
25. ⓐ ⓑ **ⓒ** ⓓ	52. **ⓐ** ⓑ ⓒ ⓓ	79. ⓐ ⓑ **ⓒ** ⓓ
26. ⓐ ⓑ ⓒ **ⓓ**	53. ⓐ ⓑ ⓒ **ⓓ**	80. **ⓐ** ⓑ ⓒ ⓓ
27. ⓐ ⓑ **ⓒ** ⓓ	54. ⓐ ⓑ **ⓒ** ⓓ	81. ⓐ ⓑ ⓒ ⓓ

SATII Korean Practice Test Answer Sheet

Name _____ Date _____ Test No.: __2__

1. (a) b c d	28. a (b) c d	55. a b (c) d
2. a b c (d)	29. a b (c) d	56. (a) b c d
3. a b (c) d	30. a (b) c d	57. (a) b c d
4. (a) b c d	31. a (b) c d	58. a b (c) d
5. a b (c) d	32. a b (c) d	59. (a) b c d
6. a b c (d)	33. (a) b c d	60. a b c (d)
7. a b (c) d	34. a b c (d)	61. a b (c) d
8. (a) b c d	35. a b c (d)	62. a b c (d)
9. a (b) c d	36. a b (c) d	63. (a) b c d
10. a b (c) d	37. a b c (d)	64. (a) b c d
11. (a) b c d	38. a b (c) d	65. a b (c) d
12. a (b) c d	39. a (b) c d	66. a (b) c d
13. (a) b c d	40. a b (c) d	67. (a) b c d
14. a b c (d)	41. (a) b c d	68. a b c (d)
15. a (b) c d	42. a (b) c d	69. (a) b c d
16. a b (c) d	43. a b c (d)	70. a (b) c d
17. (a) b c d	44. a (b) c d	71. a b (c) d
18. a b (c) d	45. a b c (d)	72. a b c (d)
19. a b c (d)	46. (a) b c d	73. (a) b c d
20. (a) b c d	47. (a) b c d	74. a b c (d)
21. a (b) c d	48. a b c (d)	75. a (b) c d
22. (a) b c d	49. a (b) c d	76. a b (c) d
23. a b (c) d	50. a b (c) d	77. a b c (d)
24. a (b) c d	51. (a) b c d	78. a (b) c d
25. a b c (d)	52. (a) b c d	79. a b (c) d
26. a b (c) d	53. a (b) c d	80. a (b) c d
27. a (b) c d	54. a (b) c d	81. a b c d

SATII Korean Practice Test Answer Sheet

Name _____ Date _____ Test No.: **3**

#	Ans	#	Ans	#	Ans
1.	d	28.	a	55.	c
2.	c	29.	d	56.	d
3.	a	30.	a	57.	a
4.	b	31.	c	58.	c
5.	a	32.	b	59.	b
6.	c	33.	c	60.	d
7.	c	34.	c	61.	a
8.	b	35.	b	62.	b
9.	b	36.	a	63.	d
10.	d	37.	d	64.	c
11.	a	38.	b	65.	d
12.	d	39.	c	66.	a
13.	c	40.	d	67.	c
14.	a	41.	a	68.	d
15.	d	42.	c	69.	b
16.	a	43.	d	70.	d
17.	b	44.	b	71.	a
18.	a	45.	a	72.	c
19.	d	46.	b	73.	c
20.	a	47.	c	74.	b
21.	b	48.	c	75.	c
22.	d	49.	a	76.	b
23.	c	50.	a	77.	a
24.	d	51.	a	78.	d
25.	a	52.	c	79.	d
26.	d	53.	a	80.	c
27.	c	54.	a	81.	

SATII Korean Practice Test Answer Sheet

Name _____ **Date** _____ **Test No.:** **4**

1. ⓐ ⓑ **ⓒ** ⓓ	28. ⓐ **ⓑ** ⓒ ⓓ	55. **ⓐ** ⓑ ⓒ ⓓ
2. ⓐ **ⓑ** ⓒ ⓓ	29. ⓐ ⓑ **ⓒ** ⓓ	56. ⓐ ⓑ ⓒ **ⓓ**
3. ⓐ **ⓑ** ⓒ ⓓ	30. ⓐ ⓑ ⓒ **ⓓ**	57. ⓐ ⓑ **ⓒ** ⓓ
4. ⓐ ⓑ ⓒ **ⓓ**	31. ⓐ ⓑ **ⓒ** ⓓ	58. ⓐ ⓑ **ⓒ** ⓓ
5. ⓐ **ⓑ** ⓒ ⓓ	32. ⓐ ⓑ **ⓒ** ⓓ	59. ⓐ **ⓑ** ⓒ ⓓ
6. ⓐ ⓑ **ⓒ** ⓓ	33. ⓐ **ⓑ** ⓒ ⓓ	60. ⓐ **ⓑ** ⓒ ⓓ
7. ⓐ **ⓑ** ⓒ ⓓ	34. ⓐ ⓑ **ⓒ** ⓓ	61. **ⓐ** ⓑ ⓒ ⓓ
8. ⓐ ⓑ **ⓒ** ⓓ	35. ⓐ **ⓑ** ⓒ ⓓ	62. ⓐ ⓑ ⓒ **ⓓ**
9. ⓐ **ⓑ** ⓒ ⓓ	36. ⓐ ⓑ ⓒ **ⓓ**	63. **ⓐ** ⓑ ⓒ ⓓ
10. ⓐ ⓑ ⓒ **ⓓ**	37. **ⓐ** ⓑ ⓒ ⓓ	64. ⓐ ⓑ **ⓒ** ⓓ
11. ⓐ ⓑ ⓒ **ⓓ**	38. ⓐ **ⓑ** ⓒ ⓓ	65. ⓐ ⓑ ⓒ **ⓓ**
12. ⓐ ⓑ ⓒ **ⓓ**	39. ⓐ ⓑ **ⓒ** ⓓ	66. ⓐ **ⓑ** ⓒ ⓓ
13. ⓐ **ⓑ** ⓒ ⓓ	40. **ⓐ** ⓑ ⓒ ⓓ	67. ⓐ ⓑ ⓒ **ⓓ**
14. **ⓐ** ⓑ ⓒ ⓓ	41. **ⓐ** ⓑ ⓒ ⓓ	68. ⓐ ⓑ **ⓒ** ⓓ
15. ⓐ ⓑ ⓒ **ⓓ**	42. ⓐ **ⓑ** ⓒ ⓓ	69. ⓐ ⓑ ⓒ **ⓓ**
16. ⓐ ⓑ **ⓒ** ⓓ	43. **ⓐ** ⓑ ⓒ ⓓ	70. ⓐ ⓑ **ⓒ** ⓓ
17. ⓐ **ⓑ** ⓒ ⓓ	44. ⓐ **ⓑ** ⓒ ⓓ	71. ⓐ **ⓑ** ⓒ ⓓ
18. ⓐ ⓑ **ⓒ** ⓓ	45. ⓐ ⓑ **ⓒ** ⓓ	72. ⓐ ⓑ ⓒ **ⓓ**
19. **ⓐ** ⓑ ⓒ ⓓ	46. **ⓐ** ⓑ ⓒ ⓓ	73. ⓐ **ⓑ** ⓒ ⓓ
20. ⓐ ⓑ ⓒ **ⓓ**	47. ⓐ **ⓑ** ⓒ ⓓ	74. ⓐ ⓑ ⓒ **ⓓ**
21. ⓐ **ⓑ** ⓒ ⓓ	48. ⓐ ⓑ ⓒ **ⓓ**	75. **ⓐ** ⓑ ⓒ ⓓ
22. **ⓐ** ⓑ ⓒ ⓓ	49. ⓐ ⓑ **ⓒ** ⓓ	76. ⓐ **ⓑ** ⓒ ⓓ
23. ⓐ **ⓑ** ⓒ ⓓ	50. ⓐ ⓑ **ⓒ** ⓓ	77. ⓐ **ⓑ** ⓒ ⓓ
24. ⓐ ⓑ **ⓒ** ⓓ	51. **ⓐ** ⓑ ⓒ ⓓ	78. ⓐ ⓑ ⓒ **ⓓ**
25. ⓐ **ⓑ** ⓒ ⓓ	52. ⓐ ⓑ ⓒ **ⓓ**	79. **ⓐ** ⓑ ⓒ ⓓ
26. **ⓐ** ⓑ ⓒ ⓓ	53. ⓐ **ⓑ** ⓒ ⓓ	80. ⓐ ⓑ **ⓒ** ⓓ
27. ⓐ ⓑ ⓒ **ⓓ**	54. ⓐ **ⓑ** ⓒ ⓓ	81. ⓐ ⓑ ⓒ ⓓ

SATII Korean Practice Test Answer Sheet

Name _____ **Date** _____ **Test No.:** __5__

1. (a) (b) (c) **(d)**	28. (a) (b) (c) **(d)**	55. (a) **(b)** (c) (d)
2. **(a)** (b) (c) (d)	29. **(a)** (b) (c) (d)	56. (a) (b) (c) **(d)**
3. (a) **(b)** (c) (d)	30. (a) (b) (c) **(d)**	57. (a) **(b)** (c) (d)
4. (a) (b) (c) **(d)**	31. **(a)** (b) (c) (d)	58. **(a)** (b) (c) (d)
5. (a) (b) (c) **(d)**	32. **(a)** (b) (c) (d)	59. (a) (b) (c) **(d)**
6. (a) (b) (c) **(d)**	33. **(a)** (b) (c) (d)	60. (a) **(b)** (c) (d)
7. (a) **(b)** (c) (d)	34. (a) **(b)** (c) (d)	61. **(a)** (b) (c) (d)
8. (a) **(b)** (c) (d)	35. (a) (b) (c) **(d)**	62. (a) (b) (c) **(d)**
9. (a) (b) (c) **(d)**	36. (a) **(b)** (c) (d)	63. (a) (b) **(c)** (d)
10. **(a)** (b) (c) (d)	37. **(a)** (b) (c) (d)	64. **(a)** (b) (c) (d)
11. (a) (b) **(c)** (d)	38. (a) (b) (c) **(d)**	65. (a) **(b)** (c) (d)
12. (a) (b) (c) **(d)**	39. (a) **(b)** (c) (d)	66. (a) (b) (c) **(d)**
13. (a) **(b)** (c) (d)	40. (a) (b) (c) **(d)**	67. **(a)** (b) (c) (d)
14. (a) (b) **(c)** (d)	41. **(a)** (b) (c) (d)	68. (a) (b) **(c)** (d)
15. (a) (b) (c) **(d)**	42. (a) (b) **(c)** (d)	69. (a) **(b)** (c) (d)
16. **(a)** (b) (c) (d)	43. (a) **(b)** (c) (d)	70. (a) (b) (c) **(d)**
17. (a) (b) **(c)** (d)	44. (a) **(b)** (c) (d)	71. (a) (b) (c) **(d)**
18. **(a)** (b) (c) (d)	45. (a) (b) (c) **(d)**	72. (a) **(b)** (c) (d)
19. (a) (b) **(c)** (d)	46. **(a)** (b) (c) (d)	73. (a) (b) **(c)** (d)
20. (a) (b) (c) **(d)**	47. (a) (b) **(c)** (d)	74. **(a)** (b) (c) (d)
21. (a) **(b)** (c) (d)	48. **(a)** (b) (c) (d)	75. (a) **(b)** (c) (d)
22. (a) **(b)** (c) (d)	49. (a) (b) **(c)** (d)	76. (a) (b) (c) **(d)**
23. (a) (b) **(c)** (d)	50 (a) **(b)** (c) (d)	77. (a) (b) **(c)** (d)
24. (a) **(b)** (c) (d)	51. (a) (b) (c) **(d)**	78. (a) **(b)** (c) (d)
25. **(a)** (b) (c) (d)	52. (a) **(b)** (c) (d)	79. **(a)** (b) (c) (d)
26. (a) **(b)** (c) (d)	53. (a) (b) **(c)** (d)	80. (a) **(b)** (c) (d)
27. (a) (b) **(c)** (d)	54. **(a)** (b) (c) (d)	81. (a) (b) (c) (d)

SATII Korean Practice Test Answer Sheet

Name _____ Date _____ Test No.: __6__

1. ⓐ ⓑ **ⓒ** ⓓ	28. ⓐ ⓑ **ⓒ** ⓓ	55. ⓐ **ⓑ** ⓒ ⓓ
2. ⓐ ⓑ **ⓒ** ⓓ	29. **ⓐ** ⓑ ⓒ ⓓ	56. ⓐ **ⓑ** ⓒ ⓓ
3. ⓐ ⓑ **ⓒ** ⓓ	30. ⓐ ⓑ **ⓒ** ⓓ	57. ⓐ ⓑ **ⓒ** ⓓ
4. **ⓐ** ⓑ ⓒ ⓓ	31. ⓐ ⓑ ⓒ **ⓓ**	58. **ⓐ** ⓑ ⓒ ⓓ
5. ⓐ ⓑ ⓒ **ⓓ**	32. ⓐ **ⓑ** ⓒ ⓓ	59. ⓐ ⓑ **ⓒ** ⓓ
6. ⓐ ⓑ ⓒ **ⓓ**	33. ⓐ ⓑ **ⓒ** ⓓ	60. ⓐ **ⓑ** ⓒ ⓓ
7. ⓐ ⓑ **ⓒ** ⓓ	34. **ⓐ** ⓑ ⓒ ⓓ	61. ⓐ ⓑ ⓒ **ⓓ**
8. **ⓐ** ⓑ ⓒ ⓓ	35. ⓐ ⓑ ⓒ **ⓓ**	62. ⓐ ⓑ **ⓒ** ⓓ
9. ⓐ ⓑ ⓒ **ⓓ**	36. ⓐ ⓑ **ⓒ** ⓓ	63. **ⓐ** ⓑ ⓒ ⓓ
10. ⓐ **ⓑ** ⓒ ⓓ	37. **ⓐ** ⓑ ⓒ ⓓ	64. ⓐ **ⓑ** ⓒ ⓓ
11. **ⓐ** ⓑ ⓒ ⓓ	38. ⓐ **ⓑ** ⓒ ⓓ	65. ⓐ ⓑ **ⓒ** ⓓ
12. ⓐ ⓑ **ⓒ** ⓓ	39. ⓐ ⓑ ⓒ **ⓓ**	66. ⓐ **ⓑ** ⓒ ⓓ
13. ⓐ ⓑ **ⓒ** ⓓ	40. ⓐ ⓑ **ⓒ** ⓓ	67. ⓐ ⓑ **ⓒ** ⓓ
14. ⓐ **ⓑ** ⓒ ⓓ	41. ⓐ ⓑ **ⓒ** ⓓ	68. **ⓐ** ⓑ ⓒ ⓓ
15. ⓐ ⓑ ⓒ **ⓓ**	42. ⓐ **ⓑ** ⓒ ⓓ	69. ⓐ **ⓑ** ⓒ ⓓ
16. **ⓐ** ⓑ ⓒ ⓓ	43. **ⓐ** ⓑ ⓒ ⓓ	70. ⓐ ⓑ ⓒ **ⓓ**
17. ⓐ ⓑ ⓒ **ⓓ**	44. ⓐ ⓑ ⓒ **ⓓ**	71. **ⓐ** ⓑ ⓒ ⓓ
18. ⓐ ⓑ **ⓒ** ⓓ	45. ⓐ ⓑ **ⓒ** ⓓ	72. **ⓐ** ⓑ ⓒ ⓓ
19. ⓐ **ⓑ** ⓒ ⓓ	46. **ⓐ** ⓑ ⓒ ⓓ	73. ⓐ ⓑ **ⓒ** ⓓ
20. **ⓐ** ⓑ ⓒ ⓓ	47. ⓐ **ⓑ** ⓒ ⓓ	74. ⓐ **ⓑ** ⓒ ⓓ
21. **ⓐ** ⓑ ⓒ ⓓ	48. ⓐ **ⓑ** ⓒ ⓓ	75. ⓐ ⓑ ⓒ **ⓓ**
22. **ⓐ** ⓑ ⓒ ⓓ	49. **ⓐ** ⓑ ⓒ ⓓ	76. **ⓐ** ⓑ ⓒ ⓓ
23. ⓐ ⓑ **ⓒ** ⓓ	50. ⓐ ⓑ ⓒ **ⓓ**	77. ⓐ **ⓑ** ⓒ ⓓ
24. **ⓐ** ⓑ ⓒ ⓓ	51. **ⓐ** ⓑ ⓒ ⓓ	78. ⓐ ⓑ ⓒ **ⓓ**
25. ⓐ ⓑ ⓒ **ⓓ**	52. ⓐ ⓑ **ⓒ** ⓓ	79. ⓐ ⓑ **ⓒ** ⓓ
26. ⓐ ⓑ **ⓒ** ⓓ	53. ⓐ **ⓑ** ⓒ ⓓ	80. ⓐ ⓑ ⓒ **ⓓ**
27. **ⓐ** ⓑ ⓒ ⓓ	54. ⓐ ⓑ ⓒ **ⓓ**	81. ⓐ ⓑ ⓒ ⓓ

SATII Korean Practice Test Answer Sheet

Name _____ **Date** _____ **Test No.:** _7_

1. (a) b c d	28. (a) b c d	55. a (b) c d
2. a b c (d)	29. (a) b c d	56. (a) b c d
3. (a) b c d	30. a (b) c d	57. (a) b c d
4. a b (c) d	31. a b c (d)	58. a b (c) d
5. a b c (d)	32. a (b) c d	59. a b c (d)
6. a b (c) d	33. (a) b c d	60. a (b) c d
7. a (b) c d	34. (a) b c d	61. a b (c) d
8. a b c (d)	35. a (b) c d	62. a b c (d)
9. a (b) c d	36. a b (c) d	63. (a) b c d
10. (a) b c d	37. (a) b c d	64. a b (c) d
11. a b c (d)	38. a (b) c d	65. a b (c) d
12. a b (c) d	39. a (b) c d	66. a b (c) d
13. a (b) c d	40. (a) b c d	67. a (b) c d
14. (a) b c d	41. a b (c) d	68. a b (c) d
15. a b (c) d	42. (a) b c d	69. a b c (d)
16. a (b) c d	43. a b (c) d	70. a (b) c d
17. a b (c) d	44. (a) b c d	71. (a) b c d
18. (a) b c d	45. a (b) c d	72. a b c (d)
19. a b (c) d	46. a b c (d)	73. a b (c) d
20. a (b) c d	47. (a) b c d	74. a (b) c d
21. a (b) c d	48. (a) b c d	75. a (b) c d
22. a b c (d)	49. (a) b c d	76. a b (c) d
23. a (b) c d	50 a b (c) d	77. a b c (d)
24. (a) b c d	51. a (b) c d	78. a b c (d)
25. a b c (d)	52. a b c (d)	79. a (b) c d
26. a b c (d)	53. a (b) c d	80. (a) b c d
27. a b (c) d	54. a b (c) d	81. a b c d

SATII Korean Practice Test Answer Sheet

Name _____ **Date** _____ **Test No.: 8**

1. (a)	28. (b)	55. (b)
2. (c)	29. (a)	56. (a)
3. (a)	30. (a)	57. (c)
4. (b)	31. (b)	58. (c)
5. (d)	32. (b)	59. (d)
6. (d)	33. (a)	60. (d)
7. (b)	34. (c)	61. (d)
8. (a)	35. (b)	62. (a)
9. (c)	36. (d)	63. (a)
10. (a)	37. (b)	64. (b)
11. (c)	38. (b)	65. (c)
12. (d)	39. (c)	66. (b)
13. (b)	40. (b)	67. (c)
14. (a)	41. (a)	68. (d)
15. (b)	42. (c)	69. (d)
16. (c)	43. (b)	70. (b)
17. (c)	44. (d)	71. (d)
18. (a)	45. (b)	72. (a)
19. (c)	46. (b)	73. (c)
20. (d)	47. (a)	74. (a)
21. (c)	48. (b)	75. (b)
22. (a)	49. (a)	76. (c)
23. (c)	50. (d)	77. (d)
24. (c)	51. (c)	78. (a)
25. (b)	52. (b)	79. (b)
26. (c)	53. (c)	80. (a)
27. (c)	54. (d)	81. (d)

SATII Korean Practice Test Answer Sheet

Name _____   **Date** _____   **Test No.:** __9__

1. (a) (b) (c) **(d)**	28. **(a)** (b) (c) (d)	55. (a) (b) (c) **(d)**
2. (a) (b) **(c)** (d)	29. **(a)** (b) (c) (d)	56. (a) **(b)** (c) (d)
3. **(a)** (b) (c) (d)	30. (a) **(b)** (c) (d)	57. (a) (b) **(c)** (d)
4. (a) **(b)** (c) (d)	31. (a) **(b)** (c) (d)	58. **(a)** (b) (c) (d)
5. (a) (b) **(c)** (d)	32. **(a)** (b) (c) (d)	59. (a) **(b)** (c) (d)
6. (a) **(b)** (c) (d)	33. (a) (b) **(c)** (d)	60. (a) (b) **(c)** (d)
7. (a) **(b)** (c) (d)	34. **(a)** (b) (c) (d)	61. **(a)** (b) (c) (d)
8. (a) (b) (c) **(d)**	35. **(a)** (b) (c) (d)	62. (a) (b) **(c)** (d)
9. (a) **(b)** (c) (d)	36. (a) **(b)** (c) (d)	63. (a) (b) **(c)** (d)
10. (a) (b) (c) **(d)**	37. (a) **(b)** (c) (d)	64. (a) (b) **(c)** (d)
11. (a) (b) (c) **(d)**	38. (a) **(b)** (c) (d)	65. (a) **(b)** (c) (d)
12. **(a)** (b) (c) (d)	39. (a) (b) **(c)** (d)	66. **(a)** (b) (c) (d)
13. (a) (b) **(c)** (d)	40. **(a)** (b) (c) (d)	67. (a) (b) (c) **(d)**
14. **(a)** (b) (c) (d)	41. (a) (b) **(c)** (d)	68. (a) **(b)** (c) (d)
15. (a) **(b)** (c) (d)	42. **(a)** (b) (c) (d)	69. (a) (b) (c) **(d)**
16. (a) (b) (c) **(d)**	43. (a) (b) (c) **(d)**	70. **(a)** (b) (c) (d)
17. (a) (b) **(c)** (d)	44. (a) **(b)** (c) (d)	71. (a) (b) (c) **(d)**
18. (a) **(b)** (c) (d)	45. **(a)** (b) (c) (d)	72. (a) (b) (c) **(d)**
19. (a) (b) **(c)** (d)	46. (a) (b) **(c)** (d)	73. **(a)** (b) (c) (d)
20. (a) **(b)** (c) (d)	47. (a) (b) (c) **(d)**	74. (a) (b) **(c)** (d)
21. **(a)** (b) (c) (d)	48. **(a)** (b) (c) (d)	75. **(a)** (b) (c) (d)
22. (a) (b) (c) **(d)**	49. (a) **(b)** (c) (d)	76. **(a)** (b) (c) (d)
23. **(a)** (b) (c) (d)	50. (a) (b) (c) **(d)**	77. (a) (b) **(c)** (d)
24. (a) (b) **(c)** (d)	51. **(a)** (b) (c) (d)	78. (a) **(b)** (c) (d)
25. (a) **(b)** (c) (d)	52. (a) (b) **(c)** (d)	79. (a) (b) **(c)** (d)
26. (a) **(b)** (c) (d)	53. (a) **(b)** (c) (d)	80. **(a)** (b) (c) (d)
27. (a) (b) (c) **(d)**	54. (a) **(b)** (c) (d)	81. (a) (b) (c) (d)

SATII Korean Practice Test Answer Sheet

Name _____ **Date** _____ **Test No.:** __10__

1. a **(b)** c d	28. **(a)** b c d	55. a b c **(d)**
2. a b **(c)** d	29. a b c **(d)**	56. a b c **(d)**
3. a b c **(d)**	30. a **(b)** c d	57. a **(b)** c d
4. a b **(c)** d	31. a **(b)** c d	58. a b **(c)** d
5. a **(b)** c d	32. a b **(c)** d	59. a b c **(d)**
6. **(a)** b c d	33. **(a)** b c d	60. a **(b)** c d
7. a b **(c)** d	34. **(a)** b c d	61. a b c **(d)**
8. a b c **(d)**	35. a b c **(d)**	62. a b c **(d)**
9. **(a)** b c d	36. **(a)** b c d	63. a **(b)** c d
10. a b **(c)** d	37. a b c **(d)**	64. a b **(c)** d
11. a b c **(d)**	38. **(a)** b c d	65. **(a)** b c d
12. **(a)** b c d	39. **(a)** b c d	66. a b c **(d)**
13. a b c **(d)**	40. a b **(c)** d	67. a b c **(d)**
14. a b c **(d)**	41. a b **(c)** d	68. **(a)** b c d
15. a b c **(d)**	42. **(a)** b c d	69. a **(b)** c d
16. a **(b)** c d	43. a **(b)** c d	70. a b **(c)** d
17. a **(b)** c d	44. a **(b)** c d	71. a b c **(d)**
18. **(a)** b c d	45. **(a)** b c d	72. **(a)** b c d
19. a b **(c)** d	46. a b **(c)** d	73. a **(b)** c d
20. a **(b)** c d	47. a **(b)** c d	74. a b **(c)** d
21. a **(b)** c d	48. a b c **(d)**	75. **(a)** b c d
22. **(a)** b c d	49. **(a)** b c d	76. a **(b)** c d
23. a b **(c)** d	50 a **(b)** c d	77. **(a)** b c d
24. a b **(c)** d	51. **(a)** b c d	78. a b c **(d)**
25. a b c **(d)**	52. a b **(c)** d	79. a b **(c)** d
26. **(a)** b c d	53. **(a)** b c d	80. a **(b)** c d
27. a **(b)** c d	54. a b **(c)** d	81. a b c d

315

References

* www.collegeboard.com
* www.sat2korean.com
* 국립국어연구원, 한국어문 규정집, 서울: 국립국어연구원, 1997
* 문교부, 국어 어문 규정집, 서울: 대한교과서주식회사, 1989
* 이익섭,국어표기법 연구, 서울: 서울대학교출판부, 1993
* 이익섭, 국어사랑 나라사랑, 국어문화학교, 서울, 국립국어연구원, 1997
* 이익섭, 이상억, 채완, 한국의 언어, 서울: 신구문화사, 1997
* 이익섭, 채완, 국어문법론강의, 학연사, 2000
* 이익섭, 국어사랑은 나라사랑, 문학사상사 1998
* 고영근, 국어형태론연구, 서울, 한신문화사, 1993
* 남기심, 고영근, 표준국어문법론(개정판), 서울, 탑출판사, 1985
* 서정수, 현대 국어문법론, 한양대학교 출판부, 1996
* 이용주, 한국어의 의미와 문법, 서울: 도서출판 삼지원, 1993
* 이주행, 현대 국어 문법론(개정판), 서울: 대한 교과서주식회사, 1993
* 홍재성 외 9명, 현대 한국어 동사 구문 사전, 서울: 두산동아, 1997
* 김광해, 반대말사전, 서울: 국학자료원, 1990
* 정호성, 주요 어휘 용례집 (동사편-상), 국립국어연구원, 2002
* 정호성, 주요 어휘 용례집 (동사편-하), 국립국어연구원, 2002
* 정호성, 주요 어휘 용례 수집 및 정리 형용사편- 국립국어연구원, 2001
* 김문오, 제품 설명서의 문장 실태 연구1, 국립국어연구원, 2002
* 김문오, 제품 설명서의 문장 실태 연구2, 국립국어연구원, 2002
* 지식공작소편집부, 다시읽는 국어책(중학교), 지식공작소, 2002
* 한양대학교 국어 교육위원회, 말과 문화, 한양대학교 출판원, 1998
* 한양대학교 국어 교육위원회, 글과 생각, 한양대학교 출판원, 1998
* 이용주, 한국어의 의미와 문법1, 삼화원, 1993
* 이주행, 현대국어 문법론, 대한교과서주식회사, 1993
* 홍재성외, 현대 한국어 동사 구문사전, 두산동아, 1997
* 우형식, 한국어 분류사의 범주와 기능 연구, 도서출판 박이정, 2001
* 교육부, 중학교 국어 교사용 지도서1-1, 한국교육 개발원,1998
* 교육부, 중학교 국어 교사용 지도서1-2, 한국교육 개발원,1998
* 교육부, 중학교 국어 교사용 지도서2-1, 한국교육 개발원,1998
* 교육부, 중학교 국어 교사용 지도서2-2, 한국교육 개발원,1998
* 전영우, 바른말 고운말, 집문당, 1995
* 이정문, 고사성어, ㈜여명미디어, 2002

* 주종재, 전라북도 향토음식 이야기, 신아출판사, 2002
* California Department of Education, Sacramento, Foreign Language Framework, 1989
* California Department of Education, Sacramento, Foreign Language Framework, 2002
* Korean Overseas Information Services (1993), A Handbook of Korean: Ministry of Culture and Information
* Korean Overseas Information Services (1994), Culture-Korea, It's History and Culture: Seoul: Jungmunsa Munwha Co, LTD.
* Korean Overseas Information Services (1995), Korean Heritage Series: Han-Geul, The Korean Alphabet: Republic of Korea.
* San Francisco Unified School District (1994-1995), Korean Language Curriculum Guide for High School.
* 한국일보
* 중앙일보
* 월간 좋은 생각
* 코리안 뉴스
* Insook Jung Cho, Real Life Korean, Jae-Won Publishing Co. 1999

About the Author:

Insook Jung Cho has taught the Korean language to students of all ages and skill levels for over 20 years. She has taught Korean Language classes at Glendale Community College in Glendale California since 1997. The materials she developed there for her beginning Korean course were published into the practical and informative Real Life Korean I textbook and workbook (1999). She has also co-written the textbooks for the It's Fun to Learn Korean series (K-9) used by the Korean Language Institute of Southern California. She served as an instructor there from 1980-1988 and as principal from 1988-1995. Her most recent teaching experience since earning her M.A. in Korean Education was an on-line SAT 2 Korean course through International Institute of California (IIC) in 2003.